빠작 초등 국어 비문학 독해 **무료 스마트러닝**

첫째 QR코드 스캔하여 1초 만에 바로 강의 시청

둘째 최적화된 강의 커리큘럼으로 학습 효과 UP!

지문 분석 강의
- 비문학 영역별 지문 분석을 통한 바른 독해법 강의 제공
- 설명문, 논설문 등 문종별 지문 분석과 배경지식

빠작 초등 국어 비문학 독해 5단계 **학습 계획표**

학습 계획표를 따라 차근차근 독해 공부를 시작해 보세요.
빠작과 함께라면 비문학 독해, 어렵지 않습니다.

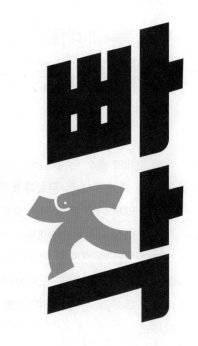

초등 국어

비문학 독해

5단계

5·6학년

바른 독해의 빠른 시작,

〈빠작 초등 국어 독해〉를 추천합니다

독해 교재의 홍수 속에서 보석을 하나 찾은 느낌입니다. 『빠작 초등 국어 독해』는 **문학과 비문학을 나누어 초등학생 눈높이에 맞게 만든 독해 전문 교재**라는 생각이 드네요. 특히 지문의 핵심 내용을 이해하는 것은 물론 깊이 있는 배경지식까지 쌓을 수 있도록 섬세하게 구성한 점이 굉장히 마음에 듭니다. 『빠작 초등 국어 문학 독해』와 『빠작 초등 국어 비문학 독해』로 문학과 비문학의 독해 방법을 바르게 배워 보세요.

김소희 원장 | 한올국어학원

독해 능력은 글 읽기를 두려워하지 않는 데에서 출발합니다. 그리고 좋은 제재의 글을 읽으며 호기심과 즐거움을 느낄 때 독해는 완성되지요. 『빠작 초등 국어 비문학 독해』는 **영역별 다양한 제재의 지문과 사실적·추론적 사고력을 묻는 문제, 지문의 핵심 내용을 파악하는 지문 분석 훈련**으로 글을 정확하게 읽게 합니다. 또한 비문학 독해 비법을 충실히 담고 있어 낯설고 어려운 지문도 재미있게 읽을 수 있도록 이끌어 줄 것입니다.

김종덕 원장 | 갓국어학원

최근 수능에서 국어 영역이 가장 까다롭기로 유명합니다. 이런 국어를 잘하려면 무엇보다도 독해력을 길러야 합니다. 특히 문학은 작가가 전하는 주제를 파악하는 것이 중요합니다. 『빠작 초등 국어 문학 독해』는 다양한 갈래의 작품을 읽고, **작품의 구성 요소를 파악해 중심 내용을 스스로 정리해 보는 지문 분석 훈련**을 할 수 있어 좋습니다. 『빠작 초등 국어 문학 독해』로 까다로워진 수능 국어 영역을 지금부터 대비하시기 바랍니다.

하승희 원장 | 리딩아이국어논술학원

『빠작 초등 국어 독해』는 지문 독해, 지문 분석, 어휘 공부까지 탄탄한 구성이 눈길을 끄는 교재입니다. 특히 **비문학에서 영역을 세분화하여 지문을 수록한 것과 문학에서 온 작품을 다룬 것은 깊이 있는 독해를 가능하게** 할 것입니다. 다양한 글을 읽고 내용을 바르게 파악해야 하는 비문학과 작품을 읽고 제대로 감상해야 하는 문학의 독해력은 단기간에 높일 수 없습니다. 지금부터 『빠작 초등 국어 독해』와 함께 독해 연습을 부지런히 하길 추천합니다.

강행림 원장 | 수풀림학원

이 책을 검토하신 선생님

강명자	창원지역방과후교사	배성현	아카데미창논술국어학원	이지은	이지은의이지국어논술학원
강유정	참좋은보습학원	설호준	청암국어학원	이지해	이지국어학원
강행림	수풀림학원	송설아	한우리독서토론논술	이창미	박원국어논술학원
구민경	혜윰국어논술	심억식	천지인학원	이현주	토론하는아이들
권애경	해남국어논술	안수현	안샘학원	이화정	창신보습학원
김나나	국어와나	염현경	박쌤과국어논술학원	전민희	토론하는아이들
김미숙	글과문장독서논술	오연	글오름국어언어논술학원	전지영	두드림에듀학원
김민경	리드인	오영미	천호하나보습학원	조원식	이석호국어학원
김소희	한올국어논술학원	윤인숙	윤쌤국어논술	조현미	국어날개달기학원
김수진	브레인논술교습소	이대일	멘사수학과연세국어학원	하승희	리딩아이국어논술학원
김종덕	갓국어학원	이동수	국동국어고샘수학학원	한민수	숙명창의인재교육
문주희	다독과정독논술학원	이선이	수논술교습소	한수진	리드앤리드논술학원
박윤희	장복논술	이시은	이시은논술	허성완	s^t클래스입시학원
박창현	탑학원	이용순	한우리공부방	홍미애	이엠영수전문학원
박현순	뿌리깊은독서논술국어교습소	이정선	토론하는아이들		
방은경	열정학원	이지영	해랑		

바른 독해의 빠른 시작,

〈빠작 초등 국어 독해〉를 소개합니다

❶ 비문학과 문학을 분리하여 각각의 특성에 맞게 독해를 훈련하는 초등 국어 독해 기본서입니다.

❷ 설명문, 논설문 등 비문학 글의 종류별 지문 분석 훈련으로 바른 독해 학습이 가능합니다.

❸ 소설, 시, 수필 등 문학 작품의 갈래별 지문 감상 훈련으로 바른 독해 학습이 가능합니다.

**빠작
비문학 독해**

단계	대상	영역
1단계	1~2학년	언어, 실용/생활, 사회, 문화, 경제, 자연/과학, 기술, 예술, 인물, 안전/위생
2단계		
3단계	3~4학년	언어, 역사, 사회, 문화, 경제, 과학, 기술, 예술, 인물, 환경
4단계		
5단계	5~6학년	언어, 인문, 사회, 문화, 경제, 과학, 기술, 예술, 인물, 환경
6단계		

주요 키워드
- **1~2단계** 가족 (1단계 실용/생활), 낮과 밤 (2단계 자연/과학), 이 닦기 (2단계 안전/위생)
- **3~4단계** 문명 (3단계 역사), 물물 교환 (3단계 경제), 조선 건국 (4단계 역사)
- **5~6단계** 커피 (5단계 인문), 백신 (5단계 과학), 심리학 (6단계 인문)

**빠작
문학 독해**

단계	대상	갈래
1단계	1~2학년	창작 · 전래 · 외국 동화, 동시, 동요, 수필, 희곡
2단계		
3단계	3~4학년	창작 · 전래 · 외국 동화, 시, 현대 · 고전 · 외국 수필, 희곡
4단계		
5단계	5~6학년	현대 · 고전 · 외국 소설, 현대시, 고전 시조, 현대 · 고전 수필, 시나리오
6단계		

주요 작품
- **1~2단계** 아기의 대답 (1단계 시), 꺼벙이 억수 (2단계 창작 동화), 만복이네 떡집 (2단계 창작 동화)
- **3~4단계** 바위나리와 아기별 (3단계 창작 동화), 잘못 뽑은 반장 (4단계 창작 동화), 물새알 산새알 (4단계 시)
- **5~6단계** 이상한 선생님 (5단계 현대 소설), 고무신 (6단계 현대 소설), 풀잎에도 상처가 있다 (6단계 현대시)

비문학과 문학,
바른 독해 방법이 다릅니다

**비문학의
바른
독해 방법**

비문학은 핵심 주제를 파악하고 글쓴이의 관점을 이해하는 것이 중요합니다.

비문학은 지식이나 정보 또는 자신의 의견을 전달하는 글의 특성이 있기 때문에, 전체 글의 핵심 주제, 문단별 핵심 내용, 글쓴이의 관점 등을 이해하며 읽는 훈련을 해야 합니다. 따라서 비문학을 바르게 읽고 이해하려면 글의 전체 구조를 그려볼 수 있어야 하고, 글 전체의 중심 내용과 문단별 중심 내용 그리고 핵심 주제를 찾아보는 연습이 필요합니다.

설명문의 일반 구조

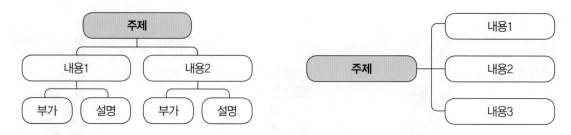

논설문의 일반 구조

비문학은 정보 전달의 목적이 있기 때문에 다양한 지식과 정보를 쌓아야 합니다.

비문학은 어린이 신문이나 잡지 등을 통해 지식과 정보를 쌓는 것이 독해에 도움을 줍니다. 또한 독해 교재를 학습하면서 비문학 지문의 내용을 깊이 있게 이해하는 것도 중요합니다.

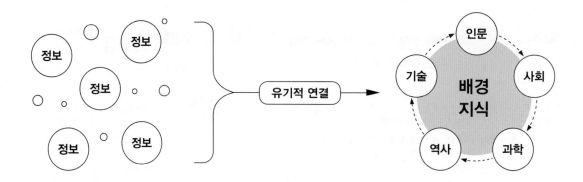

문학의 바른 독해 방법

문학은 갈래별 구성 요소를 이해하고 작품을 감상하는 것이 중요합니다.

문학은 소설, 시, 수필, 희곡 등 갈래에 따라 작품을 구성하는 요소가 다르기 때문에 갈래별 특징을 이해하고 작품을 감상하는 것이 중요합니다. 따라서 문학 작품을 읽고, 갈래에 따른 구성 요소를 중심으로 작품의 중요 내용을 정리하는 훈련이 필요합니다. 이때 온작품을 읽으면 작품 내용을 더욱 깊이 있게 이해할 수 있습니다.

갈래별 구성 요소

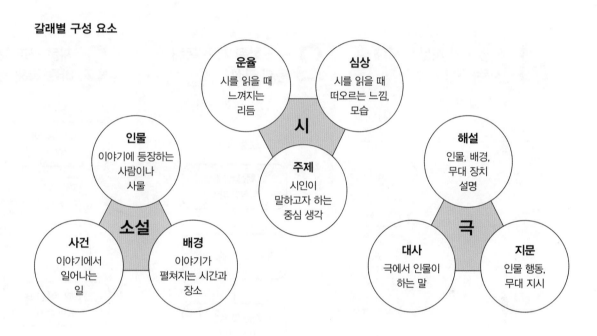

문학 작품을 감상하기 위해서 시대적 배경을 이해하고, 내용 흐름을 파악해야 합니다.

문학 작품을 읽을 때 작품이 쓰인 시대적 배경이나 작가의 삶과 관련지어 감상하면 작가가 전하고 싶은 주제를 파악하는 데 도움이 됩니다. 또 글의 내용 흐름을 제대로 파악하는 것도 중요합니다.

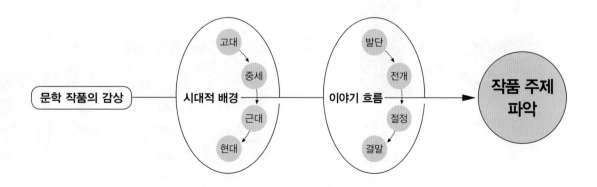

구성과 특징

빠작 초등 국어 비문학 독해 5단계는 초등 5~6학년 학생들이 비문학 지문을 읽고 내용을 정확하게 이해하는 훈련 중심으로 구성하였습니다. 특히 설명문, 논설문 등 정보 글의 구조 분석 훈련을 통해 바른 독해 학습이 가능하도록 구성하였습니다.

1 차별화된 비문학 독해 지문 구성

언어　　인문
사회　　문화
경제　　과학
기술　　예술
인물　　환경

5~6학년 필수 영역 10개 선정

4 다양한 배경지식 습득

- 세밀화를 통해 지문의 내용과 관련된 지식을 풍부하게 알 수 있도록 구성
- 5~6학년 눈높이에 맞춰 쉽게 이해할 수 있도록 구성

2 구조화된 지문 독해 문제 구성

문항 구조

핵심 주제, 핵심어 파악

↓

글의 세부 내용 이해

↓

적용 및 추론, 어휘·어법

↓

완벽한 지문 이해

3 지문 구조 분석을 통한 바른 독해 훈련

핵심 주제어 찾기

↓

알맞은 문단별 요약 찾아 선 잇기

↓

문단별 중심 내용 찾아 쓰기

↓

글의 중심 내용 요약하기

↓

글의 내용 도식화하여 정리하기

5 지문별 5개 필수 어휘 학습

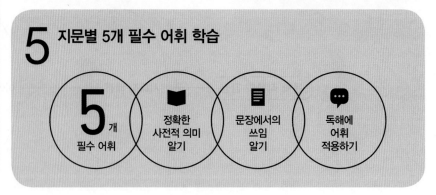

5개 필수 어휘　　정확한 사전적 의미 알기　　문장에서의 쓰임 알기　　독해에 어휘 적용하기

⬇ 차별화된 독해 지문

- 영역별 구성
- 지문 분석 강의 제공
- 핵심 키워드 제공

⬇ 구조화된 독해 문제

- 핵심 제재, 주제 파악
- 세부 내용 이해
- 적용 및 추론, 어휘·어법

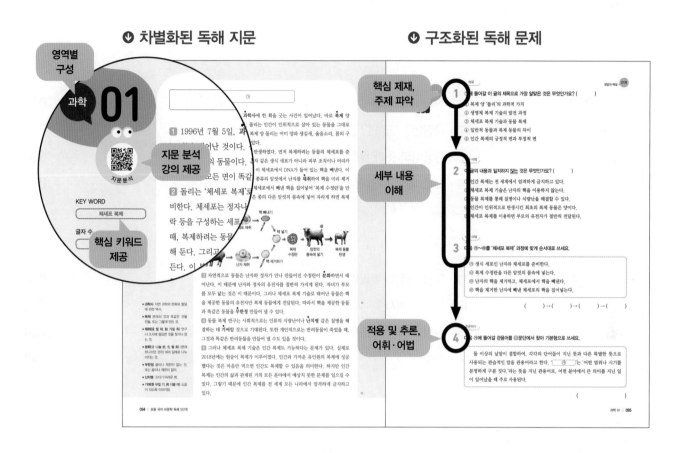

⬇ 지문 구조 분석 & 배경지식

- 글의 중심 내용 찾기
- 글의 구조 파악하기
- 세밀화로 배경지식 이해하기

⬇ 오늘의 어휘

- 어휘의 사전적 의미 알기
- 어휘의 쓰임 알기
- 독해에 어휘 적용하기

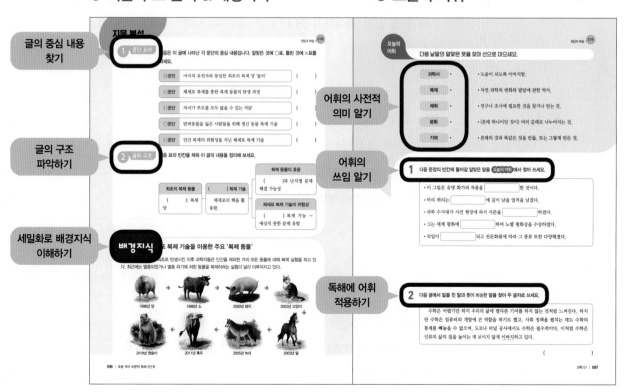

차례

언어 01

KEY WORD

한자어, 외래어

글자 수

995
600 800 1000 1200

한자어와 외래어

1 '컴퓨터, 비닐, 모델'의 공통점은 무엇일까? 이 낱말들은 모두 외국에서 들어온 외래어이다. 그렇다면 '사탕, 책, 양말, 미안'의 공통점은 무엇일까? 이 낱말들은 순우리말처럼 보이나 모두 한자어이다. 이처럼 우리말에는 한자어와 외래어가 많다.

2 우리말 표준어 낱말은 약 42만 개이다. 이 낱말들은 크게 고유어, 한자어, 외래어로 나뉜다. 고유어는 '어머니, 아버지, 하늘, 땅, 도우미'와 같이 오래전부터 사용해 온 순수한 우리말이나 그것으로 새로 만든 말이다. 그런데 고유어에는 **다의어**가 많아 뜻이 분명하지 않은 경우가 있다. 오랫동안 쓰는 과정에서 본래 뜻에 여러 가지 뜻이 더해졌기 때문이다. 또한 새로운 **문물**이나 개념을 나타내기 힘든 경우도 있다. 한자어와 외래어는 이런 고유어를 **보완**하면서 우리말을 풍부하게 해 준다.

3 한자어는 한자를 바탕으로 만들어진 말로, 우리말의 절반 이상을 차지한다. 한자어에는 '공부(工夫), 수염(鬚髯), 학교(學校)'와 같이 옛날에 중국에서 들어온 말이 가장 많으며, '사진(寫眞), 기차(汽車), 야구(野球)'와 같이 일본에서 들어온 말이나, '감기(感氣), 고생(苦生), 식구(食口), 자가용(自家用)'과 같이 우리나라에서 만들어진 말도 있다. 한자어는 자세한 뜻을 지니기 때문에 하나의 고유어에 둘 이상의 한자어가 **대응**하여 뜻을 분명하게 표현할 수 있게 해 준다.

4 외래어는 다른 나라 말을 빌려 와 우리말처럼 쓰는 말이다. 외국과의 **교류** 과정에서 새로운 문물이나 개념과 함께 들어오는데, 외국어와 달리 대부분 **대체**할 수 있는 고유어나 한자어가 없어 원말 그대로 사용되다가 아예 우리말처럼 굳어진 것들이다. 외래어는 주로 영어에서 들어오지만, 독일어, 프랑스어, 포르투갈어, 일본어, 스페인어 등 다양한 나라에서 들어온다. 고유어처럼 느껴지는 외래어도 있다. '빵, 담배'는 포르투갈어, '구두, 냄비'는 일본어, '비닐'은 영어, '망토, 고무'는 프랑스어에서 온 말이다. 외국과의 교류가 점차 늘면서 외래어도 더 늘 것으로 예상된다.

5

10

15

20

25

• **다의어**(多 많을 다, 義 뜻 의, 語 말씀 어) 두 가지 이상의 뜻을 가진 낱말.

• **문물**(文 글월 문, 物 만물 물) 종교, 예술, 학문, 정치, 경제, 기술 등 사람이 만들어 낸 모든 문화적 산물.

• **보완**(補 기울 보, 完 완전할 완) 모자라는 것을 채워 완전하게 하는 것.

• **대응** 서로 짝을 이루는 것.

• **교류**(交 사귈 교, 流 흐를 류) 서로 자주 만나거나 연락하면서 의견이나 사상, 문화 등을 주고받는 것.

• **대체** 비슷한 기능이나 능력을 가진 다른 것으로 바꾸는 것.

지문 독해

1 이 글의 중심 내용은 무엇인가요? (   )

① 고유어와 한자어의 관계

② 새로운 낱말을 만드는 방법

③ 한자어와 외래어가 들어온 나라

④ 한자어와 외래어의 개념 및 그 역할

⑤ 우리가 고유어를 사랑해야 하는 까닭

내용 이해

2 이 글의 내용과 일치하지 <u>않는</u> 것은 무엇인가요? (   )

① 한자어 중에는 우리나라에서 만들어진 것도 있다.

② 우리말 낱말에는 한자어의 비율이 고유어보다 높다.

③ 고유어에는 여러 가지 뜻을 지니고 있는 낱말이 많다.

④ 우리에게 고유어처럼 느껴지는 외래어나 한자어도 있다.

⑤ 외래어는 대부분 대체할 수 있는 고유어나 한자어가 있다.

추론하기

3 이 글을 통해 추론할 수 있는 내용으로 가장 적절한 것은 무엇인가요? (   )

① 사람들이 고유어를 되살리면서 외래어가 줄어들 것이다.

② 머지않아 외래어와 한자어가 모두 고유어로 바뀔 것이다.

③ 세계화가 진행됨에 따라 외래어가 점점 더 늘어날 것이다.

④ 시간이 흐르면서 고유어와 한자어가 하나로 합쳐질 것이다.

⑤ 옛날에 중국에서 들어온 한자어가 외래어로 대체될 것이다.

적용하기

4 다음 보기 에서 고유어, 한자어, 외래어에 해당하는 낱말을 찾아 각각 쓰세요.

보기

빵,   하늘,   식구,   비닐,   고무,   도우미

⑴ 고유어: (   )   ⑵ 한자어: (   )

⑶ 외래어: (   )

지문 분석

1 문단 요약

이 글에 나타난 각 문단의 중심 내용으로 알맞은 것을 찾아 선으로 이으세요.

1 문단 •	• 한자어의 개념 및 기능
2 문단 •	• 고유어의 개념 및 한계
3 문단 •	• 외래어의 개념 및 기능
4 문단 •	• 우리말에 있는 한자어와 외래어

2 글의 구조

다음 표의 빈칸을 채워 이 글의 내용을 정리해 보세요.

순우리말인 (   )는 다의어가 많고, 새로운 (   )이나 개념을 표현하기 어려움.

↓

(   )는 고유어와 대응하며 뜻이 분명해지도록 보완함.

+

(   )는 새로운 문물이나 개념을 나타내어 고유어를 보완함.

↓

한자어와 외래어는 고유어를 보완하면서 (   )을 풍부하게 함.

배경지식 고유어인지 아닌지 알쏭달쏭한 낱말들

양말		한자어. 洋 큰 바다 양, 襪 버선 말
포도		한자어. 葡 포도 포, 萄 포도 도
사과		한자어. 沙 모래 사, 果 열매 과 / 砂 모래 사, 果 열매 과

깡통		고유어 '깡' + 한자어 '통 (筒 통 통)'
호랑이		한자어 '호랑(虎 범 호, 狼 이리 랑)' + 고유어 '- 이'
곰		고유어.

오늘의 어휘

다음 낱말의 알맞은 뜻을 찾아 선으로 이으세요.

다의어 •   • 서로 짝을 이루는 것.

문물 •   • 두 가지 이상의 뜻을 가진 낱말.

대응 •   • 비슷한 기능이나 능력을 가진 다른 것으로 바꾸는 것.

교류 •   • 서로 자주 만나거나 연락하면서 의견이나 사상, 문화 등을 주고받는 것.

대체 •   • 종교, 예술, 학문, 정치, 경제, 기술 등 사람이 만들어 낸 모든 문화적 산물.

1 다음 문장의 빈칸에 들어갈 알맞은 말을 오늘의 어휘 에서 찾아 쓰세요.

- 어떤 분야이든 낡은 것은 새것으로 [   ]되기 마련이다.

- 예전에는 우리나라와 중국 간에 정기적인 [   ]가 있었다.

- 우리말에는 두 가지 이상의 뜻을 가진 낱말인 [   ]가 많다.

- 서양 [   ]이 들어오면서 전통문화가 사라지거나 변형되었다.

- 노랫말에는 [   ] 관계를 이루는 어구를 사용하는 경우가 많다.

2 다음 글에서 밑줄 친 말과 뜻이 반대되는 말을 찾아 두 글자로 쓰세요.

　　옛날에는 이웃 간에 교류가 활발하여 서로의 집안 사정을 잘 알고 있었다. 그래서 힘든 일이 있을 때면 이웃끼리 돕거나 위로하고, 좋은 일이 있을 때는 서로 축하하면서 지냈다. 그런데 물질적으로 풍요로워지면서 이웃과 단절되는 경향이 늘어났다. 최근에는 몇 년을 살고도 이웃의 얼굴조차 모르는 경우마저 있다.

(　　　　　　　　)

짜장면? 자장면? 둘 다 표준어!

1 ㉠짜장면은 청소년이 좋아하는 음식 중 하나이다. 그런데 짜장면의 까만 면발이 생각날 때 무엇이라고 주문해야 정확할까? '짜장면'이라고 해야 할까, '자장면'이라고 해야 할까? '자장면'과 '짜장면' 둘 다 맞는 말이다. 이와 같은 말을 복수 표준어라고 한다. 복수 표준어는 **동일한** 의미를 나타내는 표준어가 둘 이상인 경우를 이르는 말이다.

2 짜장면은 약 100여 년 전에 우리나라에 이민 온 중국인들이 우리나라 사람들의 입맛에 맞게 만들어 낸 중국 음식이다. 당시 그들은 이 음식을 어떻게 불렀을까? '짜장면'이 아니라 '차오장면[炸醬麵]'이었다. 그런데 '차오장면'을 발음하기 어려웠던 우리 **선조**들은 이를 '짜장면'이라고 불렀다. 즉 짜장면은 외래어인 셈이다.

3 하지만 국어학자들은 우리말에 된소리가 많아지는 것을 좋지 않게 여겼기 때문에 짜장면을 '자장면'으로 **표기**하기로 결정하였다. 실제로 우리나라의 〈외래어 표기법〉은 **현지** 발음에 충실하게 외래어를 적되 된소리는 사용하지 않는 것을 원칙으로 삼고 있다. '차오장면'의 중국 현지 발음은 '자장면'과 '짜장면'의 중간쯤 되지만 '자장면'에 좀 더 가깝다. 따라서 〈외래어 표기법〉에 따르면 '자장면'으로 적는 것이 적절하다.

4 그런데 많은 사람들이 일상생활에서 '자장면'이 아니라 '짜장면'이라고 발음하고 있어 표준어와 사람들의 발음이 일치하지 않는 문제가 생겼다. 이는 '짜장면'을 외래어로 생각하지 않고 우리말로 여기는 **경향**이 많기 때문이다. 이 때문에 '자장면'이라고 되어 있는 표준어를 '짜장면'으로 바꾸어야 한다는 요구가 계속되었고, 결국 표준어를 정하는 기관에서 2011년에 '짜장면'과 '자장면'을 모두 표준어로 인정하였다.

5 '맨날', '삐지다', '찰지다', '이쁘다' 등과 같은 낱말도 '짜장면'과 같은 경우이다. 이들은 본래 표준어가 각각 '만날', '삐치다', **'차지다'**, '예쁘다'인데 많은 사람들이 '맨날', '삐지다', '찰지다', '이쁘다'라고 사용하였기 때문에 그것들을 기존 표준어와 함께 표준어로 인정하였다.

- **동일한**(기본형: 동일하다) 어떤 것과 비교하여 똑같은.
- **선조**(先 먼저 선, 祖 할아비 조) 먼 윗대의 조상.
- **표기**(表 겉 표, 記 기록할 기) 문자나 기호를 써서 말이나 생각을 표시하는 것.
- **현지**(現 나타날 현, 地 땅 지) 어떤 일이 일어나거나 진행되는 곳.
- **경향**(傾 기울 경, 向 향할 향) 사상이나 행동이 어느 한쪽으로 쏠리거나 기울어지는 것.
- **차지다** (밥·반죽·떡 등이) 끈기가 많다.

지문 독해

중심 내용

1 이 글의 중심 내용은 무엇인가요? (   )

① '자장면'과 '짜장면'의 차이

② 중국 음식 '짜장면'이 변화해 온 과정

③ '짜장면'과 '자장면'이 모두 표준어인 까닭

④ 사람들이 '자장면'을 '짜장면'이라고 하는 까닭

⑤ '차오장면'이 우리나라에서 '짜장면'으로 바뀐 까닭

전개 방식

2 ■문단과 ②문단에서 찾아볼 수 있는 글쓰기 전략은 무엇인가요? (   )

① 비유적 표현을 활용하여 대상의 특징을 강조하고 있다.

② 대상을 익숙한 것에 빗대어 내용을 쉽게 전달하고 있다.

③ 대상을 기준에 따라 둘로 나누어 각각의 예를 들고 있다.

④ 질문의 방식을 활용하여 내용에 대한 흥미를 유발하고 있다.

⑤ 대상과 관련된 여러 이론을 제시하고 장단점을 분석하고 있다.

내용 이해

3 ㉠에 대한 설명으로 알맞지 <u>않은</u> 것은 무엇인가요? (   )

① '짜장면'이라고 해도 되고 '자장면'이라고 해도 된다.

② 우리나라에 이민 온 중국인들이 만들어 낸 음식이다.

③ 우리나라에서 만들어진 역사는 약 100여 년 정도이다.

④ 국어학자들은 처음에 '자장면'만 표준어로 결정하였다.

⑤ 많은 사람들이 중국 발음을 따라 '짜장면'이라고 하였다.

어휘·어법

4 다음 설명에 해당하는 말을 이 글에서 찾아 두 어절로 쓰세요.

> '짜장면'과 '자장면', '맨날'과 '만날', '삐지다'와 '삐치다', '찰지다'와 '차지다' 등은 모두 두 낱말이 동일한 하나의 대상을 가리킨다. 우리말에는 이처럼 같은 의미를 나타내는 표준어가 둘 이상인 경우도 있다.

(   )

지문 분석

1 문단 요약 다음은 이 글에 나타난 각 문단의 중심 내용입니다. 알맞은 것에 ○표, 틀린 것에 ✕표를 하세요.

1 문단	'짜장면'과 '자장면'은 둘 다 맞는 복수 표준어이다.	( )
2 문단	우리 선조들은 중국 음식인 '차오장면'을 '자장면'으로 불렀다.	( )
3 문단	국어학자들은 짜장면을 '자장면'으로 표기하기로 결정하였다.	( )
4 문단	많은 사람들은 짜장면을 우리나라 음식이라고 생각한다.	( )
5 문단	'짜장면'과 '자장면' 외에도 복수 표준어로 정해진 말들이 있다.	( )

2 중심 내용 다음은 이 글의 중심 내용입니다. 빈칸에 들어갈 알맞은 말을 쓰세요.

> '( )'과 '( )'은 모두 까만 면발을 지닌 중국 음식을 이르는 말이다. 외래어를 적는 방법을 규정한 〈외래어 표기법〉에 따르면 '( )'이라고 표기하는 것이 적절하고, 사람들이 일상생활에서 두루 사용하는 말을 따르면 '( )'이라고 표기하는 것이 적절하다. 이 때문에 '( )'과 '( )'이 모두 표준어로 인정되었다. 이 같은 경우는 다른 여러 낱말에서도 확인할 수 있다.

배경지식 짜장면을 시키다? 식히다?

"짜장면을 시키다."라고 할 때 '시키다'라고 쓰는 것이 맞을까, '식히다'라고 쓰는 것이 맞을까? '시키다'라고 쓰는 것이 맞다. '시키다'와 '식히다'는 발음만 같을 뿐 뜻도 다르고, 표기도 다른 낱말이기 때문에 주의해서 사용해야 한다.

시키다[시키다]
: 음식 등을 만들어 오거나 가지고 오도록 주문하다.

식히다[시키다]
: 더운 기를 없애다.

오늘의 어휘

다음 낱말의 알맞은 뜻을 찾아 선으로 이으세요.

동일한 •

선조 •

표기 •

현지 •

경향 •

• 먼 윗대의 조상.

• 어떤 것과 비교하여 똑같은.

• 어떤 일이 일어나거나 진행되는 곳.

• 문자나 기호를 써서 말이나 생각을 표시하는 것.

• 사상이나 행동이 어느 한쪽으로 쏠리거나 기울어지는 것.

1 다음 문장의 빈칸에 들어갈 알맞은 말을 오늘의 어휘 에서 찾아 쓰세요.

• 영어는 발음과 [   ] 가 일치하지 않는 낱말이 많다.

• 그 문제에 대해 친구들과 나는 거의 [   ] 의견을 가졌다.

• 저 사람은 늘 자기 [   ] 중에 유명한 사람이 많다고 자랑한다.

• 요즘 청소년들은 지나치게 컴퓨터 게임에 빠지는 [   ] 이 있다.

• 우리는 서둘러 출발했으나 한밤중이 되어서 [   ] 에 도착하였다.

2 다음 밑줄 친 말과 뜻이 반대되는 말을 찾아 보기 를 참고하여 기본형으로 쓰세요.

보기

　기본형은 '먹다', '가다', '납작하다'처럼 어떤 말의 기본이 되는 꼴이다. '—다'가 붙은 꼴로, 예를 들어 '먹고, 먹어'의 기본형은 '먹다'이다.

　모든 사람의 생각이 동일할 수는 없다. 각자 자신만의 가치관을 지니고 있기 때문이다. 따라서 자신과 생각이 다르다는 이유만으로 그 사람이 틀렸다고 해서는 안 된다. 이렇게 서로 다른 다양한 생각을 존중해야 사회가 더욱 발전할 수 있다.

(   )

KEY WORD

관용어

글자 수

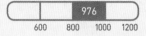

976

600 800 1000 1200

⊙

1 "오늘 시합 어떻게 되었니?"

"죽 쒔어."

시합의 결과를 묻는 말에 갑자기 죽을 쑤었다고 하니 외국인이 들으면 **의아하게** 여길 것이다. 그러나 우리나라 사람은 대부분 어렵지 않게 이 대화를 이해할 수 있다. '죽(을) 쑤다'가 '어떤 일을 망치거나 실패하다.'라는 뜻을 지닌 말임을 알고 있기 때문이다. 이처럼 둘 이상의 낱말이 결합하여 특별한 의미로 사용되는 **관습**적인 말을 관용어라고 한다. 국어만이 아니라 전 세계의 모든 언어에는 각각 고유한 관용어가 존재한다.

2 관용어의 의미는 관용어를 구성하는 각각의 단어들이 지닌 사전적 의미와 다르다. 그 의미는 대개 그 관용어를 사용하는 나라의 생활 문화나 전통적 관습, 역사적 **유래**와 밀접하게 관련되어 있다. '죽(을) 쑤다'의 의미는 밥을 지으려고 했는데 잘못되어서 의도와 달리 죽을 쑤어 버린 상황에서 비롯되었다. 이 관용어는 쌀을 **주식**으로 삼는 우리 민족의 농경 문화가 **반영**되어 있는 것이다. '결혼식에 초대를 받거나 결혼식을 올리다.'라는 뜻을 지닌 '국수(를) 먹다'라는 또 다른 관용어는 결혼식에 온 손님들에게 잔치 음식으로 국수를 **대접**했던 옛날 우리의 전통에서 나온 말이다. 외국인이 '죽(을) 쑤다' 같은 관용어를 이해하기 어려운 것은 이런 점 때문이다.

3 관용어는 **유래담**을 지닌 것이 많다. '자기가 하고도 하지 아니한 체하거나 알고 있으면서도 모르는 체하다.'라는 뜻을 지닌 '시치미(를) 떼다'는 매사냥을 즐기던 고려 시대의 풍습에서 유래된 말이다. 이런 특징 때문에 시간이 흐르면서 새로운 관용어가 만들어지기도 한다.

4 관용어는 짧은 말로 자신의 생각을 효과적으로 표현할 수 있으며, 재치 있는 표현으로 즐거움을 줄 수 있어 일상생활에서 널리 사용된다. 다만, 관용어는 마치 한 낱말처럼 사용되므로 다른 말로 바꾸거나 중간에 다른 표현을 넣을 수 없다. '시험에 떨어지다.'라는 뜻을 지닌 '미역국(을) 먹다'를 '콩나물국(을) 먹다'나 '미역국을 맛있게 먹다'처럼 사용하면 관용적 의미가 사라지게 되는 것이다.

5

10

15

20

25

- **의아하게** 의심스럽고 이상하게.
- **관습** 한 사회에서 오랜 시간에 걸쳐 굳어져서 지켜지는 규범이나 생활 방식.
- **유래**(由 말미암을 유, 來 올 래) (어떤 것이) 전부터 전해 내려오는 것. 또는 그 전해져 온 역사.
- **주식**(主 주인 주, 食 먹을 식) 끼니 때 주로 먹는 음식.
- **반영** 무엇의 내용이나 특성 등의 영향을 받아 나타나는 것.
- **대접** 음식을 차려서 손님을 접대하는 것.
- **유래담** 어떤 사물이 생기게 된 이야기.

지문 독해

1 다음을 참고하여 ㉠에 들어갈 이 글의 제목을 정할 때 알맞은 것은 무엇인가요? (   )

> 글의 제목은 글 전체의 내용을 나타낼 수 있어야 한다. 전체의 내용을 아우르지 못하는 부분적인 내용은 제목으로 적절하지 않다.

① 관용어의 역사   ② 관용어의 길이   ③ 관용어의 효과
④ 관용어의 한계   ⑤ 관용어의 뜻과 특징

내용 이해

2 다음 중 이 글의 내용과 일치하지 <u>않는</u> 것은 무엇인가요? (   )

① 관용어는 그것이 만들어진 유래담을 지니고 있는 경우가 많다.
② 관용어를 사용하면 대부분의 외국인은 그 뜻을 이해하기 어렵다.
③ 관용어를 구성하는 낱말의 뜻만으로는 관용어의 뜻을 알기 어렵다.
④ 관용어를 사용하면 말하고자 하는 바를 효과적으로 표현할 수 있다.
⑤ 관용어는 세계에서 유일하게 우리나라에서만 쓰는 독특한 표현이다.

어휘·어법

3 다음 밑줄 친 말 중 관용어로 쓰인 것은 무엇인가요? (   )

① 길동이는 <u>팔을 다쳐</u> 수업 시간에 필기를 하지 못했다.
② 어머니는 속이 좋지 않은 아버지를 위해 <u>죽을 쑤었다.</u>
③ 철수는 <u>손이 매우 커서</u> 농구공을 한 손에 잡을 수 있다.
④ 현주는 배가 고팠던지 순식간에 <u>국수 한 그릇을 먹었다.</u>
⑤ 동생은 공부를 안 하더니 결국 시험에서 <u>미역국을 먹었다.</u>

적용하기

4 다음 설명에 해당하는 관용어를 이 글에서 찾아 쓰세요.

> 매사냥을 하기 위해서는 매를 길들여야 한다. 매를 길들이는 일은 힘들었기 때문에 사냥을 하도록 훈련받은 매는 매우 비쌌다. 그래서 매를 도둑맞거나 다른 매와 바뀌는 것을 막기 위해 소유자 이름을 적은 꼬리표인 '시치미'를 달아 두었다. 그런데 누군가가 일부러 시치미를 떼 버리면 주인이 누군지 찾을 길이 없었다. 이 때문에 이런 상황을 빗댄 관용어가 생겨났다.

(   )

지문 분석

1 정보 확인 다음 관용어의 뜻으로 알맞은 것을 찾아 각각 선으로 이으세요.

죽(을) 쑤다 •

국수(를) 먹다 •

미역국(을) 먹다 •

• 시험에 떨어지다.

• 어떤 일을 망치거나 실패하다.

• 결혼식에 초대를 받거나 결혼식을 올리다.

2 글의 구조 다음 표의 빈칸을 채워 이 글의 내용을 정리해 보세요.

(   )의 뜻

둘 이상의 낱말이 결합하여 특별한 의미로 사용되는 (   )인 말

관용어의 특징 ①	관용어의 특징 ②	관용어의 특징 ③
관용어를 구성하는 낱말들의 ( )의미와 다른 의미를 지님.	( )을 지닌 것이 많음.	고정된 표현을 마음대로 바꿀 수 없음.

배경지식 ## 몸과 관련된 주요 관용어

귀가 얇다: 남의 말을 쉽게 받아들인다.

머리(를) 굴리다: 머리를 써서 해결 방안을 생각해 내다.

발(이) 넓다: 사귀어 아는 사람이 많아 활동하는 범위가 넓다.

손(이) 크다: 씀씀이가 후하고 크다.

오늘의 어휘

다음 낱말의 알맞은 뜻을 찾아 선으로 이으세요.

관습 •

유래 •

주식 •

의아하게 •

대접 •

• 의심스럽고 이상하게.

• 끼니 때 주로 먹는 음식.

• 음식을 차려서 손님을 접대하는 것.

• (어떤 것이) 전부터 전해 내려오는 것. 또는 그 전해져 온 역사.

• 한 사회에서 오랜 시간에 걸쳐 굳어져서 지켜지는 규범이나 생활 방식.

1 다음 문장의 빈칸에 들어갈 알맞은 말을 오늘의 어휘 에서 찾아 쓰세요.

- 친구들은 내가 상을 받게 된 것을 [   ] 생각했다.
- 그는 건강을 위하여 현미 잡곡밥을 [   ]으로 삼고 있다.
- [   ]적인 표현에는 관용어나 한자 성어, 속담 등이 있다.
- 집안에 일이 생겨 손님에게 식사 [   ]도 제대로 못해 드렸다.
- 전설 중에는 땅 이름이나 건축물의 [   ]를 설명하는 것이 많다.

2 다음 글에서 밑줄 친 말과 뜻이 비슷한 말을 찾아 두 글자로 쓰세요.

우리나라는 예로부터 노인을 공경하고 극진히 모시는 관습이 있었다. 그러나 오늘날에는 노인에 대한 존경심이 많이 사라졌다. 심지어 사회에서 쓸모없어진 존재로 취급하기까지 한다. 하지만 노인들이 살아오면서 터득한 삶의 지혜는 사회 구성원들 간의 갈등을 해결하는 데 매우 유용하다. 따라서 노인을 공경하고 그들의 지혜를 중시하던 <u>전통</u>을 계속 지켜 나가야 한다.

(   )

눈을 비비고 상대를 다시 보다

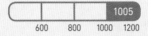
1 중국의 위나라, 촉나라, 오나라가 천하를 차지하려고 싸우던 시절, 오나라 왕은 손권이었다. 손권의 부하 중에 여몽이라는 장수가 있었다. 그는 ㉠집안이 가난해 먹고살려고 군대에 들어왔으나, 많은 전투에서 공을 세워 장군의 위치까지 올랐다. 그러나 가난한 집안 탓에 배운 바가 적어 **병법**을 몰랐다. 어느 날 손권이 여몽을 불렀다.

"그대의 **용맹**은 천하에 알려져 있소."

"**과찬**이십니다."

"그런데 장군이 병법을 모르는 게 안타깝소. 부하들을 더욱 잘 이끌기 위해서라도 부디 책을 읽어 병법을 배우기를 바라오. 그대의 싸움 실력에 병법이 더해지면 장군을 뛰어넘을 군인은 없을 거요."

2 손권의 충고를 들은 여몽은 그때부터 책을 읽으며 학문에 **정진**하였다. 심지어 전쟁터에서도 책을 손에서 놓지 않았다. 덕분에 그의 지식은 ㉡날로 늘어갔다.

얼마의 시간이 흐른 뒤 노숙이 나랏일을 의논하려고 여몽을 찾았다. 노숙은 뛰어난 **학식**과 지혜를 지녀 손권을 **보좌**하는 인물이었다. 그런데 여몽과 대화를 하던 노숙은 그가 이전과 달리 매우 유식하고 논리적이라는 것을 깨달았다.

"나는 장군이 용맹한 줄만 알았는데, 지금 보니 학식도 놀랍구려! 내가 알던 여몽이 맞소?"

여몽은 웃으며 말하였다.

"선비는 **무릇** 헤어진 지 사흘이 넘어 만날 때는 눈을 비비고 다시 볼 정도로 달라져 있어야 하는 법입니다."

3 ㉢꾸준히 책을 읽은 결과 여몽은 어느새 이전과 다른 사람이 된 것이다. 용맹에 지혜를 더한 여몽은 손권의 말대로 적수를 찾기 어려운 장수가 되었다. 특히 촉나라와의 전투에서 뛰어난 병법을 사용하여 오나라가 이기는 데 큰 공을 세웠다.

4 여몽의 이야기에서 '괄목상대(刮目相對)'라는 한자 성어가 나왔다. 한자 성어는 **관용적**인 뜻으로 굳어 쓰이는 한자로 된 말로, 관련된 이야기를 지닌 것이 많다. '괄목상대'는 그대로 풀이하면 '눈[目: 눈 목]을 비비고[刮: 비빌 괄] 상대[相: 서로 상]를 대하다[對: 대할 대].'라는 뜻으로, 남의 학식이나 재주가 놀랄 만큼 부쩍 늘었음을 이르는 말이다. 주로 상대가 이전보다 뛰어나게 되었을 때 그것을 칭찬하는 말로 쓰인다.

- **병법**(兵 군사 병, 法 법도 법) 군사를 지휘하여 전쟁하는 방법.
- **용맹** 용감하며 날쌔고 기운찬 것.
- **과찬** 지나친 칭찬.
- **정진**(精 정할 정, 進 나아갈 진) 정성을 다하여 노력함.
- **학식**(學 배울 학, 識 알 식) 배워서 얻은 고급 지식. 또는 전문적 지식.
- **보좌** 윗사람의 곁에서 그의 일을 돕는 것.
- **무릇** 대체로 헤아려 생각하건대.
- **관용적**(慣 익숙할 관, 用 쓸 용, 的 과녁 적) 오랫동안 써서 굳어진 대로 늘 쓰는 것.

지문 독해

1 이 글의 중심 내용은 무엇인가요? (   )

① 부하를 효과적으로 다스리는 방법
② 여몽이 손에서 책을 놓지 않은 까닭
③ 여몽이 졸병에서 장군까지 오른 과정
④ 손권이 천하를 차지할 수 있었던 이유
⑤ '괄목상대'라는 한자 성어가 생긴 유래

내용 이해

2 이 글을 통해 알 수 있는 내용이 <u>아닌</u> 것은 무엇인가요? (   )

① 손권은 병법을 알지 못하는 여몽을 안타깝게 여겼다.
② 여몽은 손권의 충고를 듣고 나서부터 학문에 힘썼다.
③ 여몽은 가난한 집에서 태어나 제대로 배우지 못하였다.
④ 노숙은 손권의 명령을 받고서 여몽의 실력을 시험하였다.
⑤ 여몽은 오나라 장수로서 촉나라와의 전쟁에서 큰 공을 세웠다.

추론하기

3 ④문단을 통해 추론한 내용으로 가장 적절한 것은 무엇인가요? (   )

① 한자 성어는 유래담을 알아야만 그 뜻을 알 수 있다.
② 한자 성어는 모두 중국의 옛날이야기에서 만들어졌다.
③ 한자 성어는 한자의 뜻과 다른 의미를 지닌 것이 많다.
④ 한자 성어는 상대를 칭찬하는 말로 쓰이는 경우가 많다.
⑤ 한자 성어는 개인이 만들어 일상생활에서 사용해도 된다.

어휘·어법

4 ㉠~㉢과 관련 있는 한자 성어를 찾아 선으로 이으세요.

(1) ㉠ •   • ㉮ 수불석권: 손에서 책을 놓지 아니함.

(2) ㉡ •   • ㉯ 삼순구식: 삼십 일 동안 아홉 끼니밖에 먹지 못함.

(3) ㉢ •   • ㉰ 일취월장: 나날이 다달이 자라거나 발전함.

지문 분석

1 정보 확인   이 글의 핵심어를 네 글자로 쓰세요.

(   )

2 글의 구조   다음 표의 빈칸을 채워 이 글의 내용을 정리해 보세요.

```
                              여몽 이야기
```

| 배운 바가 적어 (   )을 알지 못했던 장수 여몽은 손권에게 책을 읽어야 한다는 충고를 받음. | → | 손권의 충고를 받아들인 여몽은 한시도 손에서 (   )을 놓지 않고 열심히 공부함. | → | 여몽은 주변 사람이 (   )을 비비고 다시 볼 정도로 지식과 지혜를 갖춘 사람이 되어 큰 공을 세움. |

여몽 이야기와 관련된 한자 성어

여몽 이야기에서 남의 학식이나 재주가 부쩍 늘었음을 표현하는 말인 '(   )'라는 한자 성어가 만들어짐.

배경지식 중국의 삼국 시대 세 나라(위, 촉, 오)의 군주

여몽이 활약하던 시대의 이야기는 우리에게 《삼국지》라는 소설로 널리 알려져 있다. 중국의 삼국 시대 이야기인 《삼국지》는 촉나라의 군주인 유비와 위나라의 군주인 조조를 중심으로 이야기가 진행된다. 하지만 오나라의 군주인 손권도 매우 훌륭한 군주였다. 이 세 나라 중 천하를 통일하여 삼국 시대를 끝낸 나라는 위나라이다.

다음 낱말의 알맞은 뜻을 찾아 선으로 이으세요.

용맹 •   • 지나친 칭찬.

과찬 •   • 정성을 다하여 노력함.

정진 •   • 용감하며 날쌔고 기운찬 것.

학식 •   • 윗사람의 곁에서 그의 일을 돕는 것.

보좌 •   • 배워서 얻은 고급 지식. 또는 전문적 지식.

1 다음 문장의 빈칸에 들어갈 알맞은 말을 오늘의 어휘 에서 찾아 쓰세요.

• 그분은 미술에 대한 [   ]이 매우 높다.

• 선생님께 [   ]의 말을 들으니 몸 둘 바를 모르겠다.

• 그는 선생님의 마음에 보답하기 위해 학업에 [   ]하였다.

• 죽음을 무릅쓰고 [   ]하게 싸운 군인들은 훈장을 받았다.

• 대통령이 나랏일을 잘 수행하기 위해서는 비서실의 성실한 [   ]가 필요
하다.

2 다음 글에서 밑줄 친 말과 뜻이 반대되는 말을 찾아 두 글자로 쓰세요.

누군가가 불법적인 폭력을 행사하는 것을 보았을 때는 당연히 그것을 막아야 한다.
그런데 자신에게 피해가 생길 것을 두려워하여 모른 체하는 사람도 있다. 이는 <u>비겁한</u>
행동이다. 당장 용맹하게 나서서 막지는 못하더라도 주변 사람들에게 알리거나 바로 경
찰에 신고하는 태도를 가져야 한다. 그래야 사회 질서가 올바르게 유지될 수 있다.

(   )

유럽 문화의 뿌리인 그리스 문명

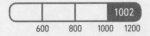
KEY WORD

그리스 문명

글자 수

1002
600 800 1000 1200

1 그리스는 유럽의 지중해와 에게해에 접해 있는 나라로, 우리나라처럼 삼면이 바다로 둘러싸여 있는 반도 국가이다. 고대 그리스는 이런 자연 조건을 이용하여 유럽과 아프리카, 아시아 등 주변 여러 지역과 **교역**하면서 찬란한 문명을 이룩하였다.

2 그리스에는 수많은 신화를 간직한 올림포스산을 비롯하여 험준한 산이 많다. ⃞⃞⃞⃞⃞⃞ ㉠ ⃞⃞⃞⃞⃞⃞ 고대 그리스 사람들은 골짜기나 해안의 좁은 들판에 폴리스라고 불리는 도시 국가를 이루어 살았다. 아테네와 스파르타가 대표적인 폴리스이며, 그리스 본토에만 200여 개의 폴리스가 세워지기도 하였다.

3 성벽으로 둘러싸인 폴리스의 한가운데 있는 언덕에는 아크로폴리스라는 **성채**가 있었고, 그 아래에는 아고라라는 광장이 있었다. 전쟁 때 피난처로 이용된 아크로폴리스에는 폴리스의 수호신을 모시는 **신전**을 세웠다. 화려하고 웅장한 신전 건물은 2000여 년이 지난 지금까지 남아 있어 현대 건축에 많은 영향을 주었다.

4 아고라는 폴리스에 거주하는 시민들이 이용하는 시장이면서 자유롭게 **집회**를 여는 장소였다. 특히 아테네는 시민들이 아고라에서 '민회(民會)'를 열어 나랏일을 토론하고 투표로 정책을 결정하는 직접 민주주의를 실시하였다. ⃞⃞⃞⃞⃞⃞ ㉡ ⃞⃞⃞⃞⃞⃞ 여자와 노예는 민회에 참가할 수 없었다.

5 각각의 폴리스는 독립적이었지만, 언어와 종교, 문화적 **토대**가 동일하여 같은 민족이라는 **유대감**을 지니고 있었다. 그래서 다른 민족이 침입할 때는 힘을 합치기도 하였다. 그리스 민족은 이런 유대감을 강화하기 위해 4년에 한 번씩 올림피아의 제우스 신전에 모여 5일간 운동 경기를 즐겼다. 그리스 민족이면 누구나 올림피아 **제전**에 참여할 수 있었지만 다른 민족은 참여할 수가 없었다. 이 제전은 오늘날 올림픽의 **시초**가 되었다.

6 건축, 민주주의, 올림픽 외에도 그리스는 전 세계에서 많은 국가가 사용하는 문자인 알파벳이 만들어진 곳이기도 하며, 소크라테스, 플라톤, 아리스토텔레스 등 뛰어난 철학자를 배출하여 서양의 고대 철학을 꽃피웠던 곳이기도 하다. 고대 그리스가 이룬 문명은 유럽 문화의 뿌리가 되었으며 아시아까지 큰 영향을 미쳤다.

5

10

15

20

25

● **교역**(交 사귈 교, 易 바꿀 역) 나라와 나라 사이에 서로 물건을 사고팔고 하는 일.

● **성채** 성과 요새(적이 침입하지 못하도록 튼튼히 만든 방어 시설.)를 아울러 이르는 말.

● **신전** (주로 서양이나 인도에서) 신을 모신 큰 건물.

● **집회**(集 모을 집, 會 모일 회) 여러 사람이 어떤 공동 목적을 위하여 일시적으로 모이는 것.

● **토대**(土 흙 토, 臺 대 대) 일의 바탕이나 기초.

● **유대감** 서로 밀접하게 연결되어 있는 공통된 느낌.

● **제전** 크게 벌이는 예술·문화·체육 등의 행사.

● **시초**(始 비로소 시, 初 처음 초) 맨 처음.

지문 독해

글의 특징

1 이 글의 특징으로 알맞은 것은 무엇인가요? (   )

① 그리스 문명이 발전하고 쇠퇴한 과정을 순차적으로 밝히고 있다.

② 그리스 문명의 특징과 그리스 문명이 끼친 영향을 소개하고 있다.

③ 고대 그리스가 세계적 국가가 될 수 있었던 까닭을 설명하고 있다.

④ 현대 올림픽과 올림피아 제전의 공통점과 차이점을 제시하고 있다.

⑤ 사례를 활용하여 고대 그리스 사회의 장점과 단점을 분석하고 있다.

내용 이해

2 이 글의 내용과 일치하는 것은 무엇인가요? (   )

① 그리스는 평지가 많아서 도시 국가를 건설하기 쉬웠다.

② 아테네의 민회에는 아테네 시민 모두 참가할 수 있었다.

③ 각각의 폴리스는 언어와 종교가 달라 서로 독립적이었다.

④ 그리스 민족은 4년마다 같은 장소에서 운동 경기를 열었다.

⑤ 아크로폴리스에는 폴리스 시민들이 이용하는 시장이 있었다.

추론하기

3 이 글을 통해 답을 알 수 있는 질문이 <u>아닌</u> 것은 무엇인가요? (   )

① 그리스와 우리나라의 공통점은 무엇인가?

② 고대 그리스는 왜 올림피아 제전을 열었나?

③ 고대 그리스 문명과 유럽 문화는 어떤 관계인가?

④ 고대 그리스의 폴리스는 공간적으로 어떤 구조였나?

⑤ 고대 그리스의 폴리스들은 각각 어떤 수호신을 섬겼나?

어휘·어법

4 ㉠과 ㉡에 들어갈 이어 주는 말을 보기 에서 찾아 각각 쓰세요.

> **보기**
>
> 또한,   그래서,   그러나,   그리고,   왜냐하면

(1) ㉠: (   )   (2) ㉡: (   )

지문 분석

1 정보 확인   다음은 이 글의 주제입니다. 빈칸에 들어갈 알맞은 말을 쓰세요.

· 고대 (   )의 (   )과 그 영향

2 문단 요약   이 글에 나타난 각 문단의 중심 내용으로 알맞은 것을 찾아 선으로 이으세요.

1 문단 ·	· 고대 그리스가 끼친 여러 긍정적 영향
2 문단 ·	· 고대 그리스의 올림피아 제전과 올림픽
3 문단 ·	· 그리스의 지형으로 인한 폴리스 건립
4 문단 ·	· 폴리스에 있는 아고라의 기능
5 문단 ·	· 지리적 특성을 이용한 고대 그리스의 교역
6 문단 ·	· 폴리스에 있는 아크로폴리스의 기능

배경지식   고대 그리스의 주요 폴리스와 그 구조

오늘의 어휘

다음 낱말의 알맞은 뜻을 찾아 선으로 이으세요.

교역 •   • 신을 모신 큰 건물.

신전 •   • 일의 바탕이나 기초.

집회 •   • 서로 밀접하게 연결되어 있는 공통된 느낌.

토대 •   • 나라와 나라 사이에 서로 물건을 사고팔고 하는 일.

유대감 •   • 여러 사람이 어떤 공동 목적을 위하여 일시적으로 모이는 것.

1 다음 문장의 빈칸에 들어갈 알맞은 말을 오늘의 어휘 에서 찾아 쓰세요.

- 환경 단체는 환경 보호를 촉구하는 [   ]를 열었다.
- 같은 취미를 가진 사람들끼리는 [   ]을 느끼기 쉽다.
- 우리나라는 세계 여러 나라와 [   ] 활동이 활발하다.
- 신도들은 신의 축복을 바라며 [   ]에 제물을 바쳤다.
- 현대 사회의 여러 분야는 과학 기술을 [   ]로 이루어져 있다.

2 다음 글에서 밑줄 친 말과 뜻이 비슷한 말을 찾아 두 글자로 쓰세요.

> 김 박사는 시골에서 지냈던 어린 시절의 경험을 토대로 어린이들을 대상으로 하는 농촌 체험 교실을 시작하였다. 어린이들이 딸기나 토마토, 수박 같은 모종을 직접 심은 뒤에 정기적으로 찾아와 가꾸고 수확까지 하는 체험을 중심으로 하는 그의 체험 교실은 많은 어린이들의 호응을 받고 있다. 체험 교실에 참여한 어린이들이 즐거워하는 모습을 보던 그는 "이런 체험이 농촌과 먹거리에 대한 인식을 바꾸는 밑바탕이 되었으면 좋겠다."라고 말하였다.

(   )

커피의 역사

1 우리나라에서 커피 전문점을 포함한 카페의 수는 2020년을 기준으로 약 8만 4천 개로 미국의 2배에 이른다. 커피 소비량도 세계 최상위권이다. 이렇게 많은 사람이 즐겨 마시는 ㉠커피는 어떤 과정을 거쳐 세계적인 음료가 되었을까?

2 흔히 커피의 **원산지**는 에티오피아의 고지대로 본다. 에티오피아에는 '**목동** 칼디와 춤추는 염소들'이라는 전설이 있다. 이 전설에 따르면, 목동인 칼디는 어느 날 산에서 **자생**하는 나무의 붉은 열매를 먹은 염소들이 흥분해서 마치 춤추는 것처럼 날뛰는 것을 보았다. 호기심이 생긴 칼디도 그 열매를 먹어 보았다. **과육**에서 단맛이 느껴지더니 걸쭉한 점액으로 싸인 씨가 나왔다. 그것을 씹으니 그 안에 둥글납작한 진짜 씨앗이 있었다. 이 열매를 먹은 칼디는 갑자기 기운이 났고, 밤이 되어도 잠이 오지 않았다. 칼디는 수도원 원장에게 이 사실을 알렸다. 이후 수도원에서는 기도할 때 이 붉은 열매로 만든 음료, 즉 커피를 마시며 잠을 쫓았다고 한다.

3 신기한 붉은 열매에 관한 소문은 점차 퍼져 나갔고, 12세기 무렵 아라비아의 예멘에서 최초로 커피나무를 재배하기 시작하였다. 아라비아 전역으로 퍼져 나간 커피는 처음에는 **성직자**만 마실 수 있는 **음료**로 정해졌었지만 곧 일반인도 즐겨 마실 수 있게 되었다. 그리고 15세기 중반 '아라비아 와인'이라는 이름으로 유럽에 소개되면서 유럽에서도 **선풍적인** 인기를 끌었다. 커피의 **수요**가 늘자 아라비아의 커피 상인들은 커피 **종자**가 다른 지역으로 나가지 않도록 엄격하게 관리하였다.

4 그러다가 17세기 말에 네덜란드 상인이 아라비아반도에서 빼돌린 커피나무를 인도네시아 자바섬으로 가져왔고, 그곳에서 커피나무를 대량으로 재배하는 데 성공하였다. 이어서 18세기에 아시아와 아프리카의 유럽 식민지, 중남미 등지에서도 커피나무를 재배하게 되면서 커피가 전 세계로 퍼졌다.

5 우리나라에는 19세기 말 고종 시절에 러시아를 통해 커피가 들어왔다. 당시에는 커피를 '가배'나 '양탕국'이라고 불렀다. 그리고 일제 강점기에 '다방'이라는 커피숍이 생기며 점차 대중화되기 시작하였다. 이후 인스턴트커피가 개발되면서 커피는 우리나라 사람들이 가장 즐기는 음료가 되었다.

- **원산지**(原 근원 원, 産 낳을 산, 地 땅 지) ① 물건의 생산지. ② 동물이나 식물이 맨 처음 자라난 곳.
- **목동** 소·양·말 등 풀을 먹는 가축을 돌보는 아이.
- **자생**(自 스스로 자, 生 날 생) 사람이 심지 않고 식물이 저절로 나서 자라는 것.
- **과육**(果 열매 과, 肉 고기 육) 열매에서 씨를 둘러싸고 있는 살.
- **성직자** (목사·신부·스님 같은) 종교적 직업을 가진 사람.
- **음료** 사람이 마실 수 있도록 만든 액체.
- **선풍적인** 갑자기 발생하여, 사회에 큰 영향을 끼치거나 관심의 대상이 되는.
- **수요**(需 구할 수, 要 중요할 요) 어떤 재화나 용역을 일정한 가격으로 사려는 욕구.
- **종자** 식물에서 나온 씨 또는 씨앗.

주제

1 다음 빈칸에 들어갈 말을 보기 에서 찾아 순서대로 쓰세요.

보기

카페,   커피,   과정,   음료,   효과

• 이 글은 (   )가 전 세계로 퍼져 나간 (   )을 설명하고 있다.

전개 방식

2 이 글에서 찾아볼 수 있는 글쓰기 전략이 <u>아닌</u> 것은 무엇인가요? (   )

① 독자에게 질문을 하는 방식으로 이어질 내용을 제시한다.

② 중심 소재가 지닌 효능을 과학적으로 밝혀 설득력을 높인다.

③ 시간의 흐름에 따라 내용을 전개하여 독자의 이해를 돕는다.

④ 통계 수치를 제시하며 시작하여 글에 대한 독자의 호기심을 유발한다.

⑤ 중심 소재와 관련된 구체적인 전설을 인용하여 독자에게 재미를 준다.

내용 이해

3 ㉠에 대한 설명으로 알맞은 것은 무엇인가요? (   )

① 네덜란드 상인이 우리나라에 최초로 소개하였다.

② 에티오피아와 아라비아반도의 예멘이 원산지이다.

③ 아라비아의 상인들이 종자를 전 세계에 널리 퍼뜨렸다.

④ 우리나라에 처음 들어왔을 때는 다른 이름으로도 불렸다.

⑤ 에티오피아의 목동이 최초로 재배하여 염소에게 먹이로 주었다.

추론하기

4 2 문단을 통해 추론할 수 있는 내용으로 알맞은 것은 무엇인가요? (   )

① 수도원에서는 원장만 커피나무 열매의 특성을 알고 있었다.

② 커피나무는 에티오피아의 고지대에서만 열매를 맺을 수 있다.

③ 에티오피아의 목동들은 평소 커피나무 열매를 자주 따 먹었다.

④ 커피는 기운이 나게 하고 잠이 잘 오지 않게 하는 효과가 있다.

⑤ 커피는 열매를 직접 먹지는 못하므로 음료로 만들어 먹어야 한다.

지문 분석

정답과 해설 06쪽

1 문단 요약 다음은 이 글에 나타난 각 문단의 중심 내용입니다. 글의 내용에 맞게 순서대로 기호를 쓰세요.

> ㉮ 커피가 우리나라에 보급된 역사
> ㉯ 우리나라의 카페 수와 커피 소비량
> ㉰ 커피의 원산지인 에티오피아의 전설
> ㉱ 아라비아반도에서 전 세계로 퍼져 나간 커피
> ㉲ 아라비아 전역에서 사람들이 즐기게 된 커피

(   ) → (   ) → (   ) → (   ) → (   )

2 글의 구조 다음 표의 빈칸을 채워 이 글의 내용을 정리해 보세요.

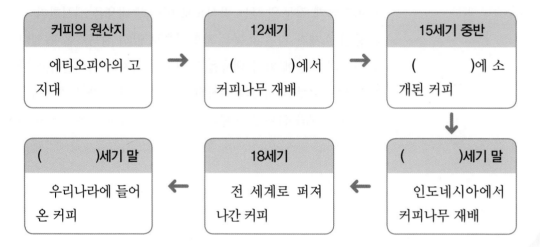

커피의 원산지		12세기		15세기 중반
에티오피아의 고지대	→	( )에서 커피나무 재배	→	( )에 소개된 커피

( )세기 말		18세기		( )세기 말
우리나라에 들어온 커피	←	전 세계로 퍼져 나간 커피	←	인도네시아에서 커피나무 재배

배경지식 우리나라에서 최초로 만든 스틱형 1회용 커피믹스

1회용 커피믹스는 인스턴트커피와 크림, 설탕을 일정한 비율로 배합한 것으로, 간편하게 커피를 타서 마실 수 있어서 많은 사람들이 즐기는 제품이다. 커피믹스는 1976년 우리나라에서 세계 최초로 개발되었다. 그래서 외국에서는 1회용 커피믹스를 '코리아 커피'라고 부르기도 한다.

인스턴트커피
(원두 가루를 혼합하기도 함.)

설탕
(커피에 없는 단맛을 더해 줌.)

크림
(커피의 신맛과 쓴맛을 줄여 줌.)

다음 낱말의 알맞은 뜻을 찾아 선으로 이으세요.

자생 •	• 열매에서 씨를 둘러싸고 있는 살.
과육 •	• 사람이 마실 수 있도록 만든 액체.
음료 •	• 사람이 심지 않고 식물이 저절로 나서 자라는 것.
선풍적인 •	• 어떤 재화나 용역을 일정한 가격으로 사려는 욕구.
수요 •	• 갑자기 발생하여, 사회에 큰 영향을 끼치거나 관심의 대상이 되는.

1 다음 문장의 빈칸에 들어갈 알맞은 말을 `오늘의 어휘` 에서 찾아 쓰세요.

- 여름철에는 얼음의 [   ]가 폭발적으로 늘어난다.
- 사과는 껍질이 매끄럽고 [   ]이 단단한 것이 좋다.
- 한라산을 비롯한 높은 산에는 여러 종의 식물이 [   ]한다.
- 내가 목이 마르다고 하자 누나는 가게에서 [   ]를 사 왔다.
- 그 아이돌 그룹은 [   ] 인기를 얻으며 한류의 주역이 되었다.

2 다음 글에서 밑줄 친 말을 모두 포함하는 말을 찾아 두 글자로 쓰세요.

우리나라에서 여름철에 가장 많이 팔리는 음료는 생수로 나타났다. 이어서 탄산음료, 커피, 주스 등의 순서로 많이 팔렸다. 그러나 판매 금액으로 따지면 커피가 1등으로 나타났다. 커피는 전 세계에서 가장 많이 팔리는 음료이기도 하다.

(   )

KEY WORD

동양과 서양의 도덕

글자 수

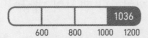

1036
600 800 1000 1200

동양과 서양의 도덕 차이

1 칭찬을 들었을 때 우리나라를 비롯한 ㉠동양 사람들은 대개 "과찬입니다." 나 "별말씀을……."이라고 겸손하게 반응한다. 이와 달리 미국을 비롯한 ㉡서양 사람들은 칭찬을 들었을 때 "Thank you!"나 "저도 그렇게 생각합니다."라 며 자신의 유능함을 스스로 인정하거나 자랑하는 반응을 보인다. 그리고 동양 과 서양에서는 모두 그런 반응을 당연하게 여긴다. 만약 동양 사람과 서양 사 람 사이에 이런 대화를 나누게 되면 서로 이상하게 여길 것이다. 이는 동서양 이 도덕에 대해 갖고 있는 생각이 다르기 때문이다.

2 도덕은 한 사회에서 옳고 그름의 기준이 되는 **규범**으로, 전 세계에서 **보편적**으로 나타나는 것도 있고, 지역이나 민족에 따라 다른 것도 있다. 예를 들어, 법으로 정해진 특별한 경우가 아니라면 사람이 사람을 죽이면 안 된다는 것은 동양과 서양에서 모두 나타나는 도덕규범이다. 이와 달리 동양에서는 나이가 어린 사람이 나이가 많은 사람의 이름을 부르거나 반말하는 것을 부도덕하게 여기지만 서양에서는 이를 부도덕하게 여기지 않는 것과 같이 지역이나 민족 에 따라 다르게 나타나는 도덕규범도 있다.

3 나이나 지위, **혈연** 등에 따른 **상하 관계**를 중시하는 인간관계는 동양 대부 분의 국가에서 나타나며, 이 때문에 동양에서는 부모나 윗사람을 공경하는 예 절이 발달해 있다. 우리나라에서도 웃어른을 공경하고 부모에게 효도하는 것 을 최고의 **미덕**이자 도덕의 근본으로 삼는다. 이와 달리 서양은 개인 간의 평 등한 관계를 중시하므로 나이나 지위, 혈연 등에 따른 상하 관계나 우리의 효 같은 도덕관념을 찾아보기 어렵다. 또한 동양에서는 공동체를 위한 개인의 역 할을 강조하는 반면, 서양에서는 공동체보다 개인의 독립성을 강조한다. 동양 과 서양의 도덕에는 이런 가치관이 **반영**되어 있다.

4 동양과 서양의 도덕은 공통점도 많지만 차이점도 많다. 따라서 상대의 도덕 을 무시한 채 자신이 옳다고 여기는 대로만 행동하면 상대에게 불쾌감을 줄 수 도 있다. 또한 자신의 도덕을 강요해서도 안 된다. 도덕은 그 민족이나 지역만 의 역사와 문화, 가치관을 바탕으로 형성된 것이므로 상대의 도덕을 이해하려 는 태도가 필요하다.

5

10

15

20

25

- **규범**(規 법 규, 範 법 범) 마땅히 따르고 지켜야 할 판단의 기준.
- **보편적** 두루 널리 퍼져 있고 모 든 것에 공통되는 것.
- **혈연** 같은 핏줄에 의하여 연결된 인연.
- **상하 관계** 윗사람과 아랫사람의 관계.
- **미덕**(美 아름다울 미, 德 덕 덕) 칭찬을 받을 만큼 아름답고 훌륭 한 태도나 행위.
- **반영**(反 돌이킬 반, 映 비출 영) 다른 것에 영향을 받아 어떤 현상 이 나타남. 또는 어떤 현상을 나 타냄.

지문 독해

1 글쓴이가 이 글을 쓴 목적은 무엇인가요? (   )

① 윗사람에게 칭찬을 들었을 때 취해야 할 태도를 설명하려고
② 동양과 서양이 도덕적인 면에서는 차이가 없음을 주장하려고
③ 갈수록 심화되고 있는 노인 문제를 해결할 방안을 찾아보려고
④ 공동체와 개인의 올바른 관계는 어떠해야 하는지를 알려 주려고
⑤ 동서양의 도덕이 다른 이유를 설명하고 대응 방식을 알려 주려고

전개 방식

2 다음 중 **1**문단에서 내용을 효과적으로 전달하기 위해 사용한 방법이 알맞게 짝 지어진 것은 무엇인가요? (   )

> ㉮ 문제 상황을 지적한 뒤 그 해결 방안을 제시하고 있다.
> ㉯ 예시의 방법을 활용하여 독자의 흥미를 유발하고 있다.
> ㉰ 서로 다른 두 대상을 대조하여 차이점을 드러내고 있다.
> ㉱ 중요한 용어의 뜻을 풀이하여 독자의 이해를 돕고 있다.

① ㉮, ㉯   ② ㉮, ㉰   ③ ㉯, ㉰   ④ ㉯, ㉱   ⑤ ㉮, ㉱

내용 이해

3 ㉠과 ㉡에 대한 설명으로 알맞지 <u>않은</u> 것은 무엇인가요? (   )

① ㉠은 ㉡과 달리 칭찬을 받았을 때 대부분 겸손하게 반응한다.
② ㉡은 ㉠과 달리 대부분 공동체보다 개인의 독립성을 중시한다.
③ ㉠은 ㉡과 달리 나이 많은 사람에게 대부분 높임말을 사용한다.
④ ㉡은 ㉠과 달리 대부분 개인 간은 서로 평등한 관계라고 생각한다.
⑤ ㉠과 ㉡ 모두 대부분 부모에 대한 효를 도덕의 근본이라고 여긴다.

적용하기

4 다음에서 설명하는 것을 이 글에서 찾아 두 글자로 쓰세요.

> 한 사회에서 그 구성원의 행위가 옳은지 그른지를 판단하는 기준이 되는 규범으로, 법과 달리 강제성을 지니지 않는다. 사회마다 다른 점도 있고 같은 점도 있다. 따라서 자신이 속한 사회와 다른 사회의 사람을 만날 때는 서로 불쾌감을 주지 않도록 유의해야 한다.

(   )

지문 분석

1 문단 요약 다음은 이 글에 나타난 각 문단의 중심 내용입니다. 알맞은 것에 ○표, 틀린 것에 ×표를 하세요.

1 문단	칭찬하는 말에 대한 반응이 다른 동양과 서양	( )
2 문단	동양과 서양에서 공통적으로 나타나는 도덕규범	( )
3 문단	개인 간의 상하 관계가 발달한 서양의 인간관계	( )
4 문단	상대의 도덕을 이해하려는 태도의 필요성	( )

2 중심 내용 다음은 이 글의 중심 내용입니다. 빈칸에 들어갈 알맞은 말을 쓰세요.

동양과 서양은 개인 간의 관계나 공동체와 개인의 관계 등에서 서로 다른 가치관을 지니고 있다. 그리고 이런 가치관은 각각의 (   )에 반영되었다. 이 때문에 동양과 서양의 도덕은 공통점도 많지만 (   )도 많다. 그러므로 동양과 서양 모두 상대의 도덕을 (   )하려는 태도를 지녀야 한다.

배경지식 | 나라별로 의미가 다른 손짓

손바닥을 보이는 V자 표시	손등을 보이는 V자 표시
 • 한국, 미국: 승리의 긍정적 의미임. • 그리스, 터키: 욕설이나 경멸을 의미함. • 인도: '대변(똥)이 마렵다'를 의미함.	 • 영국, 프랑스: 심한 욕설이나 모욕적인 뜻을 의미함. • 그리스: 승리를 의미함.
엄지를 치켜올리는 표시	OK 사인 표시
 • 대부분의 나라: '최고'나 '훌륭함' 등의 긍정적 의미임. • 태국: 매우 심한 욕을 의미함. • 그리스: '입을 다물어'라는 위협을 의미함.	 • 우리나라, 일본: 돈이나 알겠다는 의미의 긍정적 의미임. • 프랑스: '0'을 뜻하여 '형편없다'를 의미함.

오늘의 어휘

다음 낱말의 알맞은 뜻을 찾아 선으로 이으세요.

규범 •

보편적 •

혈연 •

미덕 •

반영 •

• 같은 핏줄에 의하여 연결된 인연.

• 마땅히 따르고 지켜야 할 판단의 기준.

• 두루 널리 퍼져 있고 모든 것에 공통되는 것.

• 칭찬을 받을 만큼 아름답고 훌륭한 태도나 행위.

• 다른 것에 영향을 받아 어떤 현상이 나타남. 또는 어떤 현상을 나타냄.

1 다음 문장의 빈칸에 들어갈 알맞은 말을 오늘의 어휘 에서 찾아 쓰세요.

• 가족은 [   ]과 결혼으로 이루어진 관계이다.

• 법은 국가의 강제력이 따르는 사회 [   ]이다.

• 풍물놀이는 우리 농촌의 가장 [   ]인 놀이이다.

• 유행어에는 당시 사회의 모습이 [   ]되어 있다.

• 우리 세대는 어른에게 순종하는 것을 [   ]으로 알고 자랐다.

2 다음 글에서 밑줄 친 말과 뜻이 반대되는 말을 찾아 두 글자로 쓰세요.

우리나라의 옛날이야기나 고전 소설은 대부분 착한 사람은 복을 받고 악한 사람은 벌을 받는 것으로 끝난다. 이를 '권선징악'이라고 한다. 이런 점은 우리 선조들이 선함을 중시하여 착한 행동을 권장했음을 보여 준다. 실제로도 일상생활에서 나타나는 미덕에는 그것에 맞는 보상을 하였고, 악덕에는 그것에 맞는 벌을 내렸다.

(   )

설화

1 설화는 언제 누가 지었는지 알 수 없는 이야기가 오래전부터 입에서 입으로 전해진 것으로, 그 민족의 문화나 **고유**한 **가치관**을 담고 있다. 또한 재미있는 이야기를 통해 조상들이 깨달은 삶의 지혜와 교훈을 전달하기도 한다. 다만 그 이야기들은 비현실적인 점이 많으며 **허구적**이다. 설화는 크게 신화, 전설, 민 담으로 나뉜다. 세 가지 모두 일정한 구조에 따라 사건이 전개되지만 전달하는 사람에 따라 이야기가 조금씩 달라지기도 한다. ⁵

2 신화는 한 민족 내에서 전해 내려오는 신적인 존재에 대한 이야기이다. 아 주 오랜 옛날을 배경으로 하는데, 우리나라의 '단군 신화', 유럽의 '그리스·로 마 신화' 등이 대표적이다. 신화는 옛날 사람들이 신비하게 여긴 자연 현상이 나타나게 된 **기원**이나, 누가 세상을 만들고 나라를 세웠는지를 알려 주는 내용 ¹⁰ 이 많다. 신화는 신성함을 지니고 있기에 그 신화가 **전승**되는 민족의 구성원에 게 자부심을 느끼게 하는 효과도 있다.

3 전설은 특정 지역에서 자연물이나 건축물, **지명**, 인물 등과 관련해서 전해 내려오는 이야기이다. 구체적 배경이 있어 "옛날 ○○ 시절 ○○ 마을에 ○○ (이)라는 사람이 살았는데……."라는 식으로 이야기가 시작된다. 시작 부분에 ¹⁵ 나오지 않더라도 이야기 속에서 시간과 공간이 드러난다. 또한 구체적 증거물 이 있어 사람들이 진실이라고 믿게 만든다. 꼬리가 아홉 개 달린 여우가 나오 는 구미호 이야기는 우리나라에 널리 알려진 전설이다. 전설의 주인공은 대개 **비범한** 존재이지만, 비극적 결말로 끝나는 경우가 많다.

4 민담은 흔히 옛날이야기라고 부르는 흥미 위주의 교훈적인 이야기이다. 대 ²⁰ 부분 평범한 인물이 등장하여 착한 사람이 악한 사람을 물리치거나 착한 주인 공이 누군가의 도움으로 행복해진다는 내용이 많다. 배경이 명확하지 않아 대 개 '옛날 옛적에 어느 마을에'로 이야기가 시작된다. 그리고 전 세계에 비슷한 이야기가 존재한다. 예를 들어 소설로 알려진 '콩쥐팥쥐' 이야기는 원래 민담인 데, '신데렐라' 이야기처럼 비슷한 줄거리를 지닌 민담을 세계 곳곳에서 찾을 ²⁵ 수 있다.

KEY WORD

설화, 신화, 전설, 민담

글자 수

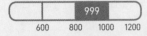

999

600 800 1000 1200

- **고유**(固 굳을 고, 有 있을 유) 본 래부터 지니고 있는 특유한 것.

- **가치관**(價 값 가, 値 값 치, 觀 볼 관) 무엇의 가치를 판단하는 사 람의 일정한 생각이나 기준.

- **허구적** 사실이 아닌 것을 사실처 럼 꾸며 만들어 낸 성질을 띤 것.

- **기원** 사물이나 현상이 처음으로 생기게 된 시초.

- **전승**(傳 전할 전, 承 받들 승) 이 전의 전통·문화 등을 물려받아 이어 가는 것.

- **지명**(地 땅 지, 名 이름 명) 마을 이나 지방, 지역 등의 이름.

- **비범한** 보통 수준보다 훨씬 뛰어 난.

지문 독해

1 이 글의 제목을 바꾸어 쓸 때 가장 알맞은 것은 무엇인가요? (   )

① 비극적 결말로 끝나는 옛이야기
② 평범한 사람이 등장하는 옛이야기
③ 전 세계에 존재하는 유사한 이야기들
④ 신적인 존재의 활약을 전하는 옛이야기
⑤ 입에서 입으로 전해 내려오는 옛이야기들

전개 방식

2 이 글에서 찾아볼 수 있는 글쓰기 전략을 두 가지 찾아 기호를 쓰세요.

> ㉮ 대상에 대한 여러 이론을 서로 비교하며 소개했다.
> ㉯ 대상을 기준에 따라 나누어 각각의 특징을 설명했다.
> ㉰ 구체적인 예를 들어 관련 내용에 대한 이해를 높였다.
> ㉱ 대상이 지닌 문제점을 지적한 뒤 해결 방안을 제시했다.

(,   )

추론하기

3 이 글을 통해 추론할 수 있는 내용이 아닌 것은 무엇인가요? (   )

① 역사가 긴 국가에는 그 나라를 세웠다는 신화가 있겠군.
② 특정 민족의 설화를 연구하면 그 민족의 문화를 알 수 있겠군.
③ 착한 사람이 복을 받는다는 옛날이야기는 전 세계에 존재하겠군.
④ 전설은 사람들이 진실하다고 믿으니 비현실적인 점이 거의 없겠군.
⑤ 우리나라에서 유명한 '구미호 이야기'에는 구체적 증거물이 있겠군.

적용하기

4 다음 보기 에서 설명하는 것은 무엇인지 이 글에서 찾아 두 글자로 쓰세요.

> **보기**
>
> 옛날 사람들은 자연에 대한 과학적 지식이 부족하여 자연 현상을 제대로 이해할 수 없었다. 이 때문에 신비하게 여겨지는 자연 현상을 전지전능한 신의 뜻이나 행동으로 여겼다. 그래서 그와 관련된 이야기를 만들어 후손에게 전했다. 오늘날 우리가 볼 때는 비현실적인 이야기이지만, 당시 사람들은 이를 신성하게 받아들였다.

(   )

지문 분석

1 정보 확인 다음에 대한 설명으로 알맞은 것을 찾아 각각 선으로 이으세요.

| 전설 | • | • | 천지 만물의 창조나 건국 등과 관련된 신성한 이야기 |

| 민담 | • | • | 구체적인 증거물이 있어 믿게 하는 비극적인 이야기 |

| 신화 | • | • | 흥미 위주의 교훈적인 이야기 |

2 글의 구조 다음 표의 빈칸을 채워 이 글의 내용을 정리해 보세요.

( )

- 입에서 입으로 전해 오는 옛날이야기
- ( )이고 비현실적이나, 삶의 지혜와 교훈을 전달함.

신화
- ( )적인 존재
- 신성성
- 자연 현상 기원과 건국

( )
- 비범한 존재
- 증거물, 진실성
- 비극적 결말

( )
- 평범한 인물
- 흥미성, 교훈성
- 행복한 결말

배경지식 영웅 신화에 나타나는 '영웅 서사 구조'

영웅이 등장하는 신화는 대개 '고귀한 혈통 → 특이한 출생 → 1차 위기 및 극복 → 비범한 능력 → 2차 위기 및 극복 → 위업 달성'이라는 구조를 지닌다. 다음 '주몽 신화'를 통해 이를 확인해 보자.

고귀한 탄생 → 특이한 출생 → 1차 위기 → 위기 극복

위업 달성 ← 위기 극복 ← 2차 위기 ← 비범한 능력

오늘의 어휘

다음 낱말의 알맞은 뜻을 찾아 선으로 이으세요.

고유 •   • 보통 수준보다 훨씬 뛰어난.

가치관 •   • 본래부터 지니고 있는 특유한 것.

기원 •   • 사물이나 현상이 처음으로 생기게 된 시초.

전승 •   • 이전의 전통·문화 등을 물려받아 이어 가는 것.

비범한 •   • 무엇의 가치를 판단하는 사람의 일정한 생각이나 기준.

1 다음 문장의 빈칸에 들어갈 알맞은 말을 오늘의 어휘 에서 찾아 쓰세요.

• 한글은 우리말을 적는 우리 [   ]의 글자이다.

• 에디슨은 발명하는 데에 [   ] 재능을 가지고 있었다.

• 청소년기에는 올바른 [   ]을 확립하는 것이 중요하다.

• 입에서 입으로 [   ] 되어 온 문학을 구비 문학이라고 한다.

• 흔히 직접 민주주의 정치의 [   ]을 고대 그리스로 보고 있다.

2 다음 글에서 밑줄 친 말과 뜻이 반대되는 말을 찾아 세 글자로 쓰세요.

우리는 <u>평범한</u> 능력을 지니고 태어난 것을 억울하게 여기고 노력하지 않는 사람을 종종 볼 수 있다. 하지만 이는 노력의 가치를 알지 못하는 것이다. 물론 어떤 분야에 비범한 능력을 지닌 사람은 그 분야에서 성공하기 쉽다. 하지만 아무리 비범한 재능을 가졌어도 노력을 이길 수 없다. 세상에는 재능으로 성공한 사람보다 노력으로 성공한 사람이 훨씬 많다.

(   )

지문분석

KEY WORD

정당, 여당, 야당

글자 수

999

600 800 1000 1200

'여당'과 '야당'은 무엇일까?

1 '정당(政黨)'에서 '정'은 정치, '당'은 무리나 동아리라는 뜻이다. 따라서 정당은 정치적 집단을 뜻한다. **구체적**으로는 정치적으로 비슷한 생각을 지닌 사람들이 모여 만든 단체이다. 정당은 **정권**을 차지하려는 목적을 지닌다. 정권을 차지한다는 것은 대통령제에서는 대통령을 **배출**하는 것을, 대통령이 통치하지 않는 의원 내각제에서는 국회 의원을 절반 이상 배출하여 **다수당**이 되는 것을 의미한다. 우리나라와 미국 등은 대통령제를, 영국과 일본 등은 의원 내각제를 채택하고 있다.

2 정당 정치를 하고 있는 나라에서 정권을 차지한 정당을 여당이라고 한다. 대통령제에서는 현직 대통령을 배출한 정당이 여당이 된다. 국회의 의석수, 즉 국회 의원 수가 적더라도 현직 대통령이 속해 있는 정당이면 여당이 된다. 그리고 의원 내각제에서는 국회에서 가장 많은 의석을 지닌 정당인 다수당이 여당이 된다.

3 이와 달리 야당은 여당을 제외한 나머지 정당을 말하는 것으로, 정권을 차지하지 못한 정당을 의미한다. 대통령제에서는 현직 대통령을 배출하지 못한 정당은 국회 의원 수와 상관없이 야당이 된다. 즉 국회 의원이 다른 정당보다 많더라도 대통령을 배출하지 못하면 야당이다. 그리고 의원 내각제에서는 다수당이 아닌 정당은 모두 야당이 된다. 대통령제이든 의원 내각제이든 기본적으로 여당은 하나이지만 야당은 여러 개가 될 수 있다. 우리나라에는 여러 개의 정당이 있으므로 하나의 여당에 여러 개의 야당이 존재한다.

4 여당은 정부와 **긴밀하게** 협력하며 나라의 **정책**을 마련한다. 나랏일에 자신들의 **의도**를 반영하기 쉬우므로 각 정당은 모두 여당이 되려고 노력한다. 한편, 야당은 여당의 반대편에 서서 정부와 여당을 감시하고 비판하여 민주 정치가 이루어지도록 **견제**하는 역할을 한다. 만약 대통령제인 국가에서 여당의 국회 의원 수가 야당보다 적으면 대통령이 원하는 정책을 제대로 펼 수 없어 혼란을 겪기도 한다. 하지만 여당과 야당이 늘 다투기만 하는 것은 아니다. 국가의 발전과 국민의 안전을 위해서 서로 협력하는 경우도 많다.

5

10

15

20

25

- **구체적** 실제적이고 세밀한 부분까지 담고 있는 것.
- **정권(政** 정사 정, **權** 권세 권) 정부를 구성하여 정치를 행할 수 있는 권력.
- **배출(輩** 무리 배, **出** 날 출) 쓸 만한 사람이 되도록 교육하여 사회에 내보내는 것.
- **다수당** 의회에서 의석이 많은 정당.
- **긴밀하게** 서로의 관계가 매우 가까워 빈틈이 없게.
- **정책** 사회적인 문제를 해결하거나 정치적 목적을 실현하기 위한 방법.
- **의도(意** 뜻 의, **圖** 그림 도) 어떤 일을 하고자 하는 생각이나 계획.
- **견제(牽** 이끌 견, **制** 억제할 제) 한쪽이 지나치게 세력을 가지지 못하도록 다른 한쪽이 통제하는 것.

지문 독해

1 목적

글쓴이가 이 글을 쓴 목적은 무엇인가요? (   )

① 반드시 투표해야 한다고 주장하기 위하여
② 우리나라의 정치 제도를 설명하기 위하여
③ 여당과 야당의 차이점을 설명하기 위하여
④ 정당과 대통령의 관계를 설명하기 위하여
⑤ 정당의 목적이 무엇인지 설명하기 위하여

2 내용 이해

이 글의 내용과 일치하는 것은 무엇인가요? (   )

① 여당과 달리 야당은 여러 개의 정당이 있을 수 있다.
② 대통령을 한 번이라도 배출한 정당을 여당이라고 한다.
③ 전 세계의 모든 민주 국가는 대통령제를 채택하고 있다.
④ 야당은 정부와 긴밀하게 협력하며 국가 정책을 마련한다.
⑤ 정당은 정치적 생각이 다른 사람들이 모여 있는 집단이다.

3 추론하기

이 글을 통해 추론할 수 있는 내용을 알맞게 말하지 **못한** 친구는 누구인가요? (   )

① 승훈: 여당과 야당은 서로 다투기도 하고 힘을 합하기도 하겠군.
② 미래: 야당이 제 역할을 못 하면 민주 정치가 이루어지기 어렵겠군.
③ 재준: 여당과 야당은 다음 선거에서 정권을 차지하기 위해 노력하겠군.
④ 나정: 우리나라에서는 국회 의원을 가장 많이 배출해야만 여당이 되겠군.
⑤ 소하: 여당의 국회 의원 수가 야당보다 많으면 나랏일을 이끌어 나가기 쉽겠군.

4 적용하기

다음에서 설명하는 것을 이 글에서 찾아 두 글자로 쓰세요.

> 대통령제에서는 현재 재임하고 있는 대통령을 배출한 정당을 말하며, 의원 내각제에서는 가장 많은 국회 의석수를 가진 정당을 말한다. 즉 정권을 차지하여 정부와 협력하며 나라의 정책을 주도적으로 마련하는 역할을 한다.

(   )

지문 분석

1 문단 요약 이 글에 나타난 각 문단의 중심 내용으로 알맞은 것을 찾아 선으로 이으세요.

1 문단 •	• 여당은 정권을 차지한 정당을 말한다.
2 문단 •	• 여당은 정부와 협력하고, 야당은 정부와 여당을 견제한다.
3 문단 •	• 정당은 정권을 차지하기 위해 만든 정치적 집단이다.
4 문단 •	• 야당은 정권을 차지하지 못한 정당을 말한다.

2 중심 내용 다음은 이 글의 중심 내용입니다. 빈칸에 들어갈 알맞은 말을 쓰세요.

> (   )에는 여당과 야당이 있다. (   )은 정권을 차지한 정당으로, 정부와 협력하여 나라의 정책을 주도한다. 이와 달리 (   )은 정권을 차지하지 못한 정당으로, 정부와 여당을 견제하는 역할을 한다. 여당과 야당은 서로 다투는 관계이지만, 국가와 국민을 위하여 협력하기도 한다.

배경지식 우리나라 대통령 휘장의 그림과 의미

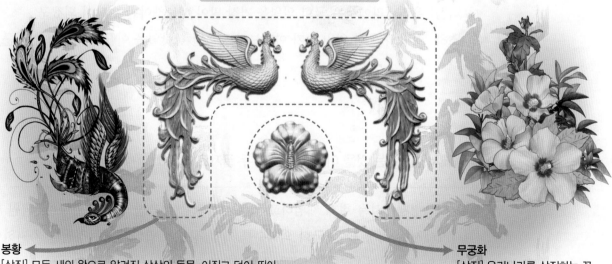

대한민국의 대통령을 나타내는 표시

봉황
[상징] 모든 새의 왕으로 알려진 상상의 동물. 어질고 덕이 뛰어난 임금이 태어나거나 덕이 있는 나라에 나타남.
[생김새] 머리는 닭, 목은 뱀, 턱은 제비, 등은 거북, 꼬리는 물고기의 모습이며 용의 무늬와 빛나는 오색의 깃털을 지님.

무궁화
[상징] 우리나라를 상징하는 꽃.
[꽃말] '영원히 피고 또 피어서 지지 않는 꽃'이라는 뜻. 실제로는 100일 동안 계속 피고 진다고 함.

오늘의 어휘

다음 낱말의 알맞은 뜻을 찾아 선으로 이으세요.

구체적 • • 어떤 일을 하고자 하는 생각이나 계획.

정권 • • 실제적이고 세밀한 부분까지 담고 있는 것.

배출 • • 정부를 구성하여 정치를 행할 수 있는 권력.

의도 • • 쓸 만한 사람이 되도록 교육하여 사회에 내보내는 것.

견제 • • 한쪽이 지나치게 세력을 가지지 못하도록 다른 한쪽이 통제하는 것.

1 다음 문장의 빈칸에 들어갈 알맞은 말을 오늘의 어휘 에서 찾아 쓰세요.

- 여당과 야당은 보통 [   ]을 차지하기 위해 다툰다.
- 우리 학교는 사회에 도움이 되는 인재를 많이 [   ]하였다.
- 우리는 단편 영화를 만들기 위한 [   ]인 계획을 마련하였다.
- 시험을 잘 보려면 선생님의 출제 [   ]를 정확하게 파악해야 한다.
- 그 선수는 상대 팀의 집중적인 [   ]에도 불구하고 역전 골을 넣었다.

2 다음 글에서 밑줄 친 말과 뜻이 반대되는 말을 찾아 세 글자로 쓰세요.

듣는 이의 수준에서 이해하기 어려운 단어를 많이 사용하거나 너무 <u>추상적</u>으로 말을 하게 되면 듣는 이는 내가 어떤 내용을 전달하려고 하는지 알기 어렵다. 따라서 말을 할 때는 상대방이 이해하기 쉽게 일상적인 단어를 사용하여 구체적으로 말해야 한다.

(   )

KEY WORD

언론, 진실 보도, 역할

글자 수

957

600 800 1000 1200

㉠

① 매년 5월 3일은 국제 연합(UN)이 **지정**한 '세계 언론 자유의 날'이다. 신문, 잡지, 방송, 인터넷 등의 **매체**를 통해 사회 곳곳에서 일어난 일을 알리거나, 사회적 문제에 대한 여론을 만드는 활동을 언론이라고 한다. 여론은 어떤 일에 대해 대부분의 사람들이 비슷하게 가지는 생각이다. 결국 언론은 중요한 소식이나 사람들의 생각을 매체를 통해 세상에 널리 알리는 일을 의미한다고 할 수 있다.

② 학교 누리집 게시판에 학교 근처에 있는 문구점에서 파는 학용품이 다른 곳보다 훨씬 비싸다는 내용의 글이 올라왔다고 가정해 보자. 이때 그런 내용을 누리집에 올려 공개적으로 알리는 일은 언론, 그 글을 본 학생들의 반응은 여론이라고 할 수 있다. 그리고 학교 누리집은 매체가 된다.

③ 언론은 **공정**한 태도로 **진실**만 **보도**해야 한다. 오늘날에는 이런 점이 특히 중요하다. 인터넷의 발달로 불공정하거나 사실이 아닌 정보가 널리 퍼지는 경우가 종종 있기 때문이다. 잘못된 뉴스가 퍼지면 피해를 보는 사람이 생기고 사회가 혼란스러워진다. 앞의 예에서 학교 누리집에 올라온 내용이 가짜 뉴스라면 해당 문구점은 억울하게 피해를 볼 것이고, 학생들도 혼란스러울 것이다. 따라서 뉴스를 보도할 때는 반드시 사실 여부를 확인하고 공정하게 보도해야 한다.

④ 언론은 진실을 보도함으로써 권력을 감시하고 견제하는 역할을 한다. 일반인들을 대신하여 정부나 대기업, 고위 **공직자** 등 사회적 권력을 지닌 집단이나 개인을 감시하여 나쁜 일을 하지 않게 막는 것이다. 만약 언론이 없다면 그들이 나쁜 짓을 하더라도 사람들은 알 수 없다. 언론의 이런 역할 때문에 대부분의 나라에서는 언론의 자유를 법으로 **보장**하고 있다.

⑤ 사회의 구석구석을 살펴서 힘없는 사람들의 목소리를 전달하는 것도 언론의 중요한 역할이다. 현대 사회는 매우 복잡하고 수많은 일이 일어나기 때문에 언론이 계속해서 보도하지 않으면 힘없는 사람들에 대한 사회의 관심이 줄어들 수 있기 때문이다.

5

10

15

20

25

- **지정** 특별한 지위나 자격을 가지도록 정하는 것.
- **매체**(媒 중매 매, 體 몸 체) 어떤 사실을 한쪽에서 다른 쪽으로 전달하는 수단이 되는 것.
- **공정**(公 공평할 공, 正 바를 정) 어느 한쪽에게 이익이나 손해가 치우치지 않고 올바른 것.
- **진실**(眞 참 진, 實 열매 실) 거짓이 없이 바르고 참된 것.
- **보도**(報 갚을 보, 道 길 도) 어떤 사실을 신문, 방송 등 매체를 통해 여러 사람에게 알리는 것.
- **공직자** 공무원이나 국회 의원과 같이 공직에 종사하는 사람.
- **보장** 어떤 일이 어려움 없이 이루어지게 할 확실한 약속이나 제도.

지문 독해

1 ㉠에 들어갈 이 글의 제목으로 가장 알맞은 것은 무엇인가요? (   )

제목

① 인터넷의 발달과 거짓 뉴스

② 잘못된 보도로 생기는 문제

③ 언론의 자유가 법으로 보장된 까닭

④ 진실 보도의 필요성과 언론의 역할

⑤ 어떤 일이 뉴스거리가 될 수 있는 조건

전개 방식

2 2 문단에서 찾아볼 수 있는 글쓰기 전략은 무엇인가요? (   )

① 언론이 변화되어 온 과정을 시간 순서에 따라 설명하고 있다.

② 전문가의 견해를 인용하여 주장하는 내용을 뒷받침하고 있다.

③ 언론 보도에 대한 상반된 주장을 소개하고 둘을 분석하고 있다.

④ 언론을 일정한 기준에 따라 나눈 뒤에 장단점을 비교하고 있다.

⑤ 언론 보도와 유사한 상황을 예시로 활용하여 내용 이해를 돕고 있다.

추론하기

3 이 글을 통해 답을 알 수 있는 질문이 <u>아닌</u> 것은 무엇인가요? (   )

① 거짓 뉴스는 사회에 어떤 영향을 미치는가?

② 뉴스를 보도할 때는 어떤 태도를 지녀야 하나?

③ '세계 언론 자유의 날'을 지정한 계기는 무엇인가?

④ 언론의 자유가 보장되지 않으면 어떤 문제가 생기나?

⑤ 언론이 힘없는 사람들의 소식을 전하는 까닭은 무엇인가?

적용하기

4 다음에서 설명하는 것을 이 글에서 찾아 두 글자로 쓰세요.

> 사회 곳곳에서 일어나는 중요한 일을 매체를 통해 정확하고 빠르게 알려 주고, 사회적으로 중요한 문제에 대한 여론을 형성하는 활동을 의미한다. 항상 어느 한 쪽으로 치우치지 않는 태도로 진실만을 보도해야 한다.

(   )

지문 분석

1 중심 내용   다음은 이 글의 중심 내용입니다. 빈칸에 들어갈 알맞은 말을 쓰세요.

> 언론은 (　　　　　)를 통해 사회 곳곳에서 일어난 일을 알리거나, 사회적 문제에 대한 여론을 만드는 활동이다. 언론은 공정한 태도로 (　　　　　)만 보도해야 한다. 또한 언론은 (　　　　　)을 감시하고, 사회적 약자의 목소리를 전달하는 역할을 한다.

2 문단 요약   이 글에 나타난 각 문단의 중심 내용으로 알맞은 것을 찾아 선으로 이으세요.

1 문단 •	• 공정하고 진실해야 하는 언론의 태도
2 문단 •	• 권력을 감시하는 언론의 역할
3 문단 •	• 언론의 개념
4 문단 •	• 일상에서 볼 수 있는 언론의 예
5 문단 •	• 힘없는 사람들을 대변하는 언론의 역할

배경지식   **일상에서 쉽게 접할 수 있는 언론 매체**

어떤 사실을 한쪽에서 다른 쪽으로 전달하는 수단을 매체라고 한다. 매체는 정보를 전달하는 방법에 따라 인쇄 매체, 음성 매체, 영상 매체, 뉴 미디어 등으로 나눌 수 있다. 최근에는 디지털을 기반으로 하는 뉴 미디어의 활용이 증가하고 있는데, 뉴 미디어는 기존 매체들과 달리 시간이나 공간의 제약 없이 쌍방향 소통이 가능하다는 장점이 있다.

인쇄 매체
신문, 잡지 등

음성 매체
라디오, 전화 등

영상 매체
텔레비전 등

뉴 미디어
인터넷, 스마트폰 등

오늘의 어휘

다음 낱말의 알맞은 뜻을 찾아 선으로 이으세요.

지정 •

• 거짓이 없이 바르고 참된 것.

매체 •

• 특별한 지위나 자격을 가지도록 정하는 것.

공정 •

• 어느 한쪽에게 이익이나 손해가 치우치지 않고 올바른 것.

진실 •

• 어떤 사실을 한쪽에서 다른 쪽으로 전달하는 수단이 되는 것.

보도 •

• 어떤 사실을 신문, 방송 등 매체를 통해 여러 사람에게 알리는 것.

1 다음 문장의 빈칸에 들어갈 알맞은 말을 **오늘의 어휘** 에서 찾아 쓰세요.

- 그 기자의 노력으로 사건의 [   ]이 만천하에 밝혀졌다.
- 우리 동네에 있는 오래된 한옥이 문화재로 [   ]되었다.
- 지난번 시합은 심판이 [   ]하지 않았다는 뒷말이 많다.
- 그 사람은 신문에 [   ]된 내용이 사실이 아니라고 주장하였다.
- 요즘은 많은 사람들이 인터넷을 소통의 [   ]로 사용하고 있다.

2 다음 글에서 밑줄 친 말과 뜻이 반대되는 말을 찾아 두 글자로 쓰세요.

혈액형이 성격을 결정한다고 믿는 사람들이 있다. 예를 들어 A형은 꼼꼼하고, B형은 자유분방하며, AB형은 주관이 뚜렷하고, O형은 리더십이 강하다고 판단하는 것이다. 하지만 이는 모두 <u>거짓</u> 정보이다. 혈액형으로 성격을 판단하는 것은 일본에서 상업적으로 만들어진 것일 뿐이다. 더 이상 진실이 아닌 것을 옳다고 믿는 어리석음에 빠져서는 안 된다.

(   )

헌법의 내용

1 매년 7월 17일은 제헌절이다. 제헌절은 우리나라에 헌법이 만들어진 것을 기념하는 국경일이다. 우리나라의 헌법은 1948년 7월 17일에 처음 만들어졌으며, 지금까지 총 9번의 **개정**이 이루어졌다. 그런데 헌법이 무엇이고, 얼마나 중요하기에 기념일까지 정해 축하하는 것일까?

2 헌법은 '법 중의 법'이라고 불린다. 국민이 안전하게 살아가기 위해서는 국가를 이끌어 나가는 원칙이 분명해야 하는데, 이러한 역할을 하는 것이 법이다. 법은 사람들 사이에서 일어나는 **갈등**을 **중립**적인 위치에서 해결하여 사회 질서를 유지하고, 이를 통해 사람들이 편안하고 행복한 삶을 누릴 수 있도록 도와준다. 그래서 사회에는 여러 가지 법이 존재한다. 헌법은 이런 법들의 근본이 되는 법이면서 가장 으뜸이 되는 법이다. 어떤 법도 헌법에 어긋나서는 안 된다.

3 헌법은 국민의 자유와 권리를 보장하는 원리를 제시한다. 이때 ㉠기본적인 국민의 권리에는 자유권, 평등권, 참정권, 청구권, 사회권이 있다. 자유권은 자유롭게 행동할 수 있는 권리, 평등권은 법 앞에 평등하여 차별받지 않을 권리, 참정권은 정치에 참여할 권리, 청구권은 어려운 점을 국가에 **호소**할 권리, 사회권은 인간다운 생활을 요구할 권리를 말한다. 우리나라 사람이면 누구나 이런 기본권이 보장된다.

4 우리나라 헌법은 총 130개 **조항**으로 이루어져 있다. 그중에서 제1조 1항은 헌법이 여러 번 개정되었음에도 변하지 않은 조항이다. 제1조 1항에는 "대한민국은 민주 공화국이다."라고 되어 있다. 이 조항은 우리나라의 이름이 '대한민국'이라는 것과 '민주주의'의 **사상**으로 '공화국'이라는 **체제**를 지닌다는 것을 **규정**한다. 구체적으로 '민주 공화국'에서 '민주'는 민주주의를 의미한다. 민주주의는 국민이 **주권**을 가지고 국민을 위한 정치를 목표로 하는 사상이나 제도를 말한다. 그리고 '공화국'은 국민이 뽑은 대표가 정치를 하는 나라를 말한다. 따라서 '민주 공화국'은 주권이 국민에게 있고, 국민들이 뽑은 대표가 법으로 정해진 기간 동안 국민을 위한 정치를 한 뒤 교체되는 체제를 지닌 국가를 뜻한다.

5

10

15

20

25

- **개정**(改 고칠 개, 正 바를 정) 지금 있는 법이나 제도를 고쳐 바르게 하는 것.
- **갈등** 서로 대립되는 입장·견해·이해 때문에 충돌하는 것.
- **중립** 어느 편에도 치우치지 않고 중간적인 입장에 섬. 또는 그런 입장.
- **호소**(呼 부를 호, 訴 하소연할 소) 어렵거나 억울한 사정을 다른 사람에게 알리는 것.
- **조항** 법률이나 규정 등의 조목이나 항목.
- **사상**(思 생각 사, 想 생각 상) 사회나 정치에 대한 일정한 생각.
- **체제** 사회적인 제도나 조직이 이루어진 짜임새.
- **규정**(規 법 규, 定 정할 정) 규칙으로 정한 것.
- **주권**(主 주인 주, 權 권세 권) 국가의 정책을 결정하고 실시하는 최고의 권력.

지문 독해

핵심어

1 이 글에서 가장 중심이 되는 낱말은 무엇인가요? (   )

① 국민   ② 자유   ③ 헌법

④ 제헌절   ⑤ 민주 공화국

내용 이해

2 이 글의 내용과 일치하지 <u>않는</u> 것은 무엇인가요? (   )

① 헌법은 여러 가지 법 중에서 가장 으뜸이 되는 법이다.

② 헌법에는 국민이면 마땅히 누려야 할 권리가 담겨 있다.

③ 매년 7월 17일은 헌법이 만들어진 것을 기념하는 날이다.

④ 헌법에 규정된 우리나라의 공식적인 이름은 '대한민국'이다.

⑤ 헌법 제1조 1항은 처음 만들어지고 나서 총 9번 개정되었다.

내용 이해

3 다음 중 이 글을 통해 답을 알 수 있는 질문을 두 가지 찾아 ○표를 하세요.

(1) 우리나라의 헌법은 언제 만들어졌을까?   (   )

(2) 다른 나라의 헌법 제1조 1항은 무엇일까?   (   )

(3) 우리나라 이름인 '대한민국'은 어떤 뜻일까?   (   )

(4) 여러 가지 법이 있는데 헌법이 왜 필요할까?   (   )

추론하기

4 다음은 ㉠에 포함되는 것입니다. 관련 있는 것을 찾아 각각 선으로 이으세요.

(1) 자유권 •   • ㉮ 법 앞에 평등하여 차별받지 않을 권리

(2) 평등권 •   • ㉯ 인간다운 생활을 요구할 권리

(3) 참정권 •   • ㉰ 자유롭게 행동할 수 있는 권리

(4) 청구권 •   • ㉱ 정치에 참여할 권리

(5) 사회권 •   • ㉲ 어려운 점을 국가에 호소할 권리

지문 분석

1 중심 내용

다음은 이 글의 중심 내용입니다. 빈칸에 들어갈 알맞은 말을 쓰세요.

> (   )은 가장 으뜸이 되는 법으로, 국민의 권리를 보장하는 근본 원리를 제시한다. 우리나라는 헌법 제1조 1항에 "(   )은 민주 공화국이다."라고 규정하여, 국민이 (   )을 가지고 있으며, 국민이 뽑은 대표가 (   )을 위한 정치를 하는 나라임을 규정하고 있다.

2 글의 구조

다음 표의 빈칸을 채워 이 글의 내용을 정리해 보세요.

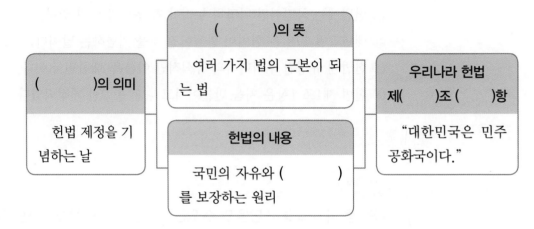

( )의 의미	( )의 뜻	우리나라 헌법 제( )조 ( )항
헌법 제정을 기념하는 날	여러 가지 법의 근본이 되는 법	"대한민국은 민주 공화국이다."
	헌법의 내용 국민의 자유와 ( )를 보장하는 원리	

배경지식   법원 앞에 서 있는 정의의 여신상

많은 나라의 법원 앞에는 '정의의 여신상'이 서 있다. 이 여신은 그리스 신화에 나오는 디케(Dike)이다. 구체적인 형태는 조금씩 다르지만 대부분 한 손에는 저울을, 한 손에는 칼을 들고 있으며, 눈을 가리거나 감고 있다.

눈을 가리거나 감음.
→ 선입견이나 편견을 갖지 않음.

저울을 들고 있음.
→ 옳고 그름을 공정하게 판단함.

칼을 들고 있음.
→ 옳지 못한 행위를 엄격하게 처벌함.

오늘의 어휘

다음 낱말의 알맞은 뜻을 찾아 선으로 이으세요.

갈등	•	• 규칙으로 정한 것.
호소	•	• 사회나 정치에 대한 일정한 생각.
사상	•	• 국가의 정책을 결정하고 실시하는 최고의 권력.
규정	•	• 어렵거나 억울한 사정을 다른 사람에게 알리는 것.
주권	•	• 서로 대립되는 입장·견해·이해 때문에 충돌하는 것.

1 다음 문장의 빈칸에 들어갈 알맞은 말을 오늘의 어휘 에서 찾아 쓰세요.

- 서로 바라는 바가 다르면 [   ]이 발생하기 쉽다.

- [   ]대로 하지 않은 사람은 벌금을 내기로 정하였다.

- 우리나라에는 아직도 유교 [   ]이 뿌리 깊게 남아 있다.

- 1945년 8월 15일, 우리는 일본에 **빼앗겼던** [   ]을 되찾았다.

- 그는 선생님 앞에서 눈물을 흘리며 억울하다고 [   ]를 하였다.

2 다음 글에서 밑줄 친 말과 뜻이 비슷한 말을 찾아 두 글자로 쓰세요.

최근 개봉한 한 영화는 어린 학생들 간의 사소한 <u>다툼</u>이 어른들의 갈등으로 번지는 상황을 활용하여 우리 사회에 남아 있는 지역감정을 잘 다루었다는 평가를 받고 있다. 감독은 수십 년 동안 우리 사회를 괴롭혀 온 지역감정이 실제로는 서로에 대한 오해에서 빚어진 것일 뿐이라는 점을 전달하고 싶었다는 제작 의도를 밝혔다.

(   )

사회 **04**

동물 실험, 계속해야 하나?

1 동물 실험은 동물을 대상으로 의학적 실험을 하여 그 결과를 연구하는 것이다. 주로 의약품이나 화장품의 **효능**과 안전성을 확인하기 위해 행해진다. 그런데 최근 동물 복지에 대한 인식이 높아지면서 동물 실험을 중지해야 한다는 주장이 늘고 있다. 반면 **난치병** 치료를 위해 동물 실험은 **불가피하다**는 주장도 제기되고 있다.

2 ㉠동물 실험을 찬성하는 사람들은 동물 실험을 대체할 실험 방법이 없음을 내세운다. 의약품의 효능과 안전성은 사용할 인간을 대상으로 확인해야 하는데, 연구 과정에서 인간을 실험 대상으로 삼기에는 너무 위험하고 시간도 오래 걸려 **비효율적**이기 때문이다. 그래서 인간과 공통점이 많은 동물에게 실험한 결과를 인간에게 적용할 수밖에 없다.

3 또한 그들은 동물 실험을 통해 의학과 생물학이 발전할 수 있음을 이야기한다. 동물 실험을 통해 천연두, 소아마비, 홍역 같은 전염병을 예방하는 약을 개발하였으며, 당뇨병 환자에게 필요한 인슐린을 발견하기도 하였다. 이런 약은 인간의 삶의 질을 높여 주고 수명 연장에 도움을 준다.

4 이와 달리 ㉡동물 실험을 반대하는 사람들은 동물 실험이 비윤리적이라는 점을 지적한다. 실험 과정에서 동물에게 큰 고통을 주고 생명을 **빼앗기**도 하기 때문이다. 우리나라에서 **연간** 사용되는 실험용 동물은 약 370만 마리이고, 전 세계적으로는 연간 5억 마리가량의 동물이 실험으로 희생당하고 있는 것으로 **추정**된다.

5 또한 그들은 동물 실험을 거쳤더라도 안전성이 보장되지는 않는다고 주장한다. 인간이 앓는 약 3만 가지의 질병 중에서 동물에게 나타날 수 있는 질병은 1.16% 정도에 불과하며, 동물 실험의 결과가 인간에게 그대로 나타날 확률도 5~10%에 그친다. 실제로 동물 실험에서는 문제가 없었지만 사람에게는 **치명적**인 부작용을 보인 의약품도 있었다.

6 동물의 생명은 귀중하므로 동물 실험은 가급적 하지 않는 것이 좋다. 그러나 현실적인 **대안**이 없는 상황에서 동물 실험을 당장 중단하기는 어렵다. 따라서 연구자들은 동물 실험을 대체할 방법을 서둘러 찾아야 하며, 실험동물이 느끼는 고통도 최소화하도록 노력해야 한다.

KEY WORD

동물 실험

글자 수

1012
600 800 1000 1200

- **효능**(效 본받을 효, 能 능할 능) (주로 약품의) 원하는 결과를 내는 기능.
- **난치병** 고치기 어려운 병.
- **불가피하다** 피할 수가 없다.
- **비효율적** 들인 노력에 비하여 얻은 결과가 만족스럽지 못한 것.
- **연간**(年 해 년, 間 사이 간) 한 해 동안.
- **추정**(推 옮길 추, 定 정할 정) 미루어 짐작으로 판단하는 것.
- **치명적** 병·상처·피해 등이 생명을 잃게 할 만큼 큰 것.
- **대안**(代 대신할 대, 案 책상 안) 어떤 것을 대신하는 다른 방법.

지문 독해

중심 내용

1 이 글의 중심 내용으로 알맞은 것은 무엇인가요? (   )

① 동물 실험과 동물 복지
② 동물 실험이 지닌 문제점
③ 동물 실험을 대체할 방법
④ 동물 실험에 대한 찬반 의견
⑤ 동물 실험을 통해 얻은 이익

내용 이해

2 이 글의 내용과 일치하지 <u>않는</u> 것은 무엇인가요? (   )

① 동물 실험을 통해 인간에게 도움이 되는 의약품들이 개발되었다.
② 동물 실험은 동물을 대상으로 의약품이나 화장품 등을 실험한다.
③ 동물 실험에 이용되는 동물은 큰 고통을 겪고 생명을 잃기도 한다.
④ 우리나라에서 연간 5억 마리 이상의 동물이 실험에 이용되고 있다.
⑤ 동물 실험을 거친 의약품이 인간에게 부작용을 일으킨 경우도 있다.

내용 이해

3 다음에서 ㉠과 ㉡이 주장의 근거로 삼을 수 있는 것을 세 가지씩 골라 각각 기호를 쓰세요.

> ㉮ 동물 실험을 통해 의학과 생물학 등이 크게 발전하였다.
> ㉯ 현실적으로 동물을 대체할 만한 실험 대상을 찾기 어렵다.
> ㉰ 인간의 이익을 위해 동물을 희생시키는 것은 비윤리적이다.
> ㉱ 인간의 질병 중에서 동물에게도 나타나는 것은 1% 남짓이다.
> ㉲ 인간을 실험 대상으로 삼기에는 매우 위험하고 비효율적이다.
> ㉳ 동물 실험의 결과가 인간에게 그대로 나타날 확률은 매우 낮다.

(1) ㉠: (,   ,   )   (2) ㉡: (,   ,   )

적용하기

4 다음에서 설명하는 것을 이 글에서 찾아 두 어절로 쓰세요.

> 동물을 대상으로 다양한 의학적인 실험을 하여 동물의 생체 반응을 관찰하며 연구하는 것으로, 주로 의약품이나 화장품 등을 개발하는 과정에서 효능과 안전성을 확인하기 위해 이루어진다.

(   )

지문 분석

1 중심 내용   다음은 이 글의 중심 내용입니다. 빈칸에 들어갈 알맞은 말을 쓰세요.

> 동물 실험은 의약품 개발을 앞당겨 (   )의 삶의 질을 높이는 데 도움이 되지만 실험 과정에서 (   )이 희생된다는 점에서 비윤리적인 면이 있다. 따라서 동물 실험을 대체할 방법을 찾아야 하며 실험동물이 느끼는 (   )도 최소화하도록 노력해야 한다.

2 글의 구조   다음 표의 빈칸을 채워 이 글의 내용을 정리해 보세요.

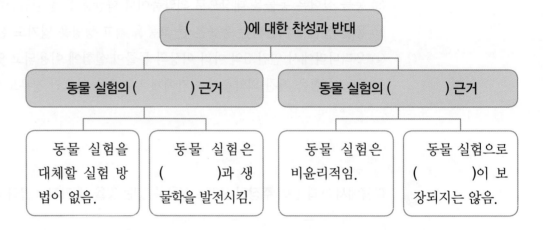

```
                    (        )에 대한 찬성과 반대
            ┌──────────────────┴──────────────────┐
    동물 실험의 (      ) 근거              동물 실험의 (      ) 근거
     ┌────────┴────────┐              ┌────────┴────────┐
 동물 실험을        동물 실험은        동물 실험은        동물 실험으로
 대체할 실험 방     (      )과 생      비윤리적임.       (      )이 보
 법이 없음.        물학을 발전시킴.                    장되지는 않음.
```

배경지식   ## 동물 실험에 설치류가 많이 사용되는 까닭

전 세계적으로 실험에 사용되는 동물의 80% 이상이 생쥐(마우스), 래트, 햄스터, 기니피그(모르모트) 같은 설치류이다. 실험용 동물로 사용되는 설치류는 대부분 사람들이 만들어 낸 동물로, 여러 면에서 실험에 적합하게 개량되었다.

다른 포유류에 비해 수명이 짧아 결과 확인이 빠름.

번식력이 매우 좋아 실험 개체를 확보하기 쉬움.

다른 실험동물에 비해 유지 비용이 적음.

유전학, 생리학 및 해부학적 특성이 인간과 유사함.

몸 크기가 작아 연구 과정에서 다루기 쉬움.

오늘의 어휘

다음 낱말의 알맞은 뜻을 찾아 선으로 이으세요.

효능 •	• 피할 수가 없다.
난치병 •	• 고치기 어려운 병.
불가피하다 •	• 미루어 짐작으로 판단하는 것.
추정 •	• 어떤 것을 대신하는 다른 방법.
대안 •	• (주로 약품의) 원하는 결과를 내는 기능.

1 다음 문장의 빈칸에 들어갈 알맞은 말을 **오늘의 어휘** 에서 찾아 쓰세요.

- 그 학생은 잘못이 너무 커서 처벌이 [   ].
- 벌꿀은 피로 회복에 [   ]이 있다고 알려져 있다.
- 이 그림은 조선 후기의 작품으로 [   ]되고 있다.
- 그 사람은 [   ]에 걸렸으나 강인한 의지로 병을 이겨 내었다.
- 그 방법이 썩 좋지는 않지만 다른 [   ]이 없으니 어쩔 수 없다.

2 다음 글에서 밑줄 친 말과 뜻이 비슷한 말을 찾아 두 글자로 쓰세요.

대부분의 사람들은 누군가를 처음 만났을 때 겉모습이나 행동을 통해 그 사람에 대해 어림짐작한다. 첫인상만으로 그 사람의 성격이나 됨됨이 등을 추정하는 것이다. 따라서 우리는 항상 자신이 다른 사람들에게 어떻게 보일지를 생각하며 행동해야 한다.

(   )

KEY WORD

이집트의 상형 문자

글자 수

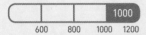

			1000
600	800	1000	1200

고대 이집트의 상형 문자, 히에로글리프

1 이집트라고 하면 대부분의 사람들은 거대한 피라미드나 황금관 안에 들어 있는 미라, 스핑크스 등을 떠올린다. 하지만 이집트에는 상형 문자도 있다. 이집트의 **상형** 문자는 인류 역사에서 매우 가치가 큰 보물이다. 고대 이집트의 **신전**이나 상류층의 무덤인 피라미드 안의 벽에는 당시 이집트인의 **일상**을 그린 **벽화**와 뱀, 부엉이, 독수리, 사자, 작은 새, 연꽃, 손, 큰 망치, 야자나무잎, 여러 가지 도형 같은 것을 그린 조각 그림이 화려한 **문양**과 함께 새겨져 있다.

2 이 조각 그림이 바로 인류 최초의 상형 문자로 평가되는 고대 이집트의 문자이다. 이 상형 문자는 '히에로글리프'라고 불리는데, 이는 '성스러운 기록'이라는 뜻이다. 이집트 신화에서는 지혜의 신이 인류에게 준 선물이라고 나오며, 신들에게 바치는 언어로 섬겨져 **신관**들이 사용하였다. 히에로글리프는 기원전 3200년부터 서기 394년까지 약 3600여 년 동안 고대 이집트에서 사용되었다. 공식적으로는 고대 이집트의 마지막 파라오(왕)였던 클레오파트라가 죽은 뒤 이집트가 로마로 넘어가면서 히에로글리프의 사용이 금지되었다.

3 많은 학자들이 히에로글리프를 **해독**하려고 노력하였으나 수백 년이 지나도록 성공하지 못했었다. 그러다 1799년 이집트의 로제타라는 마을에서 '로제타석'이 발견되면서 해독의 **실마리**를 찾았다. 이 돌에는 같은 내용의 글이 히에로글리프와 그리스어로 각각 새겨져 있었다. 그리고 그리스어에 능통했던 프랑스의 언어학자 샹폴리옹이 1822년 이 두 문자를 대조하여 히에로글리프가 소리글자의 성격을 지니고 있음을 밝혀내었다.

4 이후 **지속적**인 연구가 이루어져 ㉠고대 이집트의 상형 문자는 그림 자체가 특정한 뜻을 나타내기도 하고, 하나의 그림이 뜻은 없는 소리만 나타내기도 한다는 것이 밝혀졌다. 예를 들어 심장이 3개 그려진 그림은 '아름답다'라는 뜻을 나타내지만, 사자 그림은 영어 알파벳의 'L' 발음을 나타낸다. 고대 이집트의 상형 문자는 이렇게 초기에는 뜻글자와 소리글자의 성격이 혼용되다가 점차 소리를 나타내는 문자로 바뀌었다. 이는 문자의 일반적인 발달 과정을 보여 준다는 점에서 커다란 가치를 가지는 것이다.

5

10

15

20

25

- **상형**(象 코끼리 상, 形 모양 형) 어떤 물건의 모양을 본뜸.
- **신전** (주로 서양이나 인도에서) 신을 모신 큰 건물.
- **일상**(日 날 일, 常 항상 상) 날마다 반복되는 생활.
- **벽화** 건물이나 동굴, 무덤 등의 벽에 그린 그림.
- **문양** 주로 건물이나 공예품 등의 무늬.
- **신관** 신을 받들어 모시는 일을 맡은 관직. 또는 그런 일을 하는 사람.
- **해독**(解 풀 해, 讀 읽을 독) 어려운 문장 등을 읽어서 뜻을 알아내는 것.
- **실마리** 문제나 사건을 해결할 수 있는 사실이나 정보.
- **지속적** 어떤 일이나 상태가 오래 계속 이어지는 것.

지문 독해

설명 대상

1 이 글에서 설명하는 것으로 알맞은 것은 무엇인가요? (　　　)

① 고대 이집트의 문명

② 고대 이집트의 문자

③ 고대 이집트의 역사

④ 히에로글리프의 해독

⑤ 히에로글리프가 끼친 영향

내용 이해

2 이 글의 내용과 일치하지 <u>않는</u> 것은 무엇인가요? (　　　)

① 고대 이집트의 마지막 파라오는 클레오파트라이다.

② 고대 이집트의 상형 문자는 문자의 발달 과정을 보여 준다.

③ 언어학자 샹폴리옹이 프랑스에서 '로제타석'을 발견하였다.

④ '로제타석' 발견 이전에는 히에로글리프를 해독하지 못하였다.

⑤ 이집트 피라미드 안의 벽에는 벽화와 조각 그림이 새겨져 있다.

추론하기

3 ⊙에 대해서 짐작한 내용으로 알맞은 것은 무엇인가요? (　　　)

① 중국의 한자처럼 하나의 글자가 하나의 뜻을 나타내는 뜻글자야.

② 클레오파트라가 죽은 뒤에는 로마로 전파되어서 사용되었을 거야.

③ 3600년이나 사용된 문자이니 해독하는 것이 어렵지 않았을 거야.

④ 우리의 한글처럼 일반인들도 누구나 사용하기 쉬운 문자였을 거야.

⑤ 샹폴리옹은 그리스어를 바탕으로 히에로글리프를 대조하며 해독했겠군.

적용하기

4 다음에서 설명하는 것을 이 글에서 찾아 두 어절로 쓰세요.

> 사물의 모양을 본떠 그 사물이나 그것에 관련 있는 뜻을 나타낸 문자로, 초기의 중국 한자와 고대 이집트 문자를 말한다. 고대 이집트의 경우 로마 시대가 시작될 때까지 3600여 년 동안 주로 왕의 업적, 신이나 사후 세계에 관한 내용을 신전이나 피라미드의 벽면에 조각하는 데 사용하였다.

(　　　　　　　　　)

지문 분석

1 문단 요약

다음은 이 글에 나타난 각 문단의 중심 내용입니다. 알맞은 것에 ○표, 틀린 것에 ✕표를 하세요.

1 문단	고대 이집트에 대한 일반적인 이미지	( )
2 문단	인류 최초의 상형 문자인 고대 이집트 상형 문자	( )
3 문단	고대 이집트 상형 문자의 해독 계기가 된 '로제타석'	( )
4 문단	문자의 발달 과정을 보여 주는 고대 이집트 상형 문자	( )

2 중심 내용

다음은 이 글의 중심 내용입니다. 빈칸에 들어갈 알맞은 말을 쓰세요.

> '히에로글리프'로 불리는 고대 이집트의 (   ) 문자는 기원전 3200년부터 약 3600여 년 동안 (   )에서 사용된 문자이다. 조각 그림 같은 이 문자는 뜻글자와 소리글자의 성격을 모두 지니고 있어 (   )의 발달 과정을 보여 준다는 점에서 큰 가치가 있다.

배경지식 | 고대 이집트 상형 문자 중 알파벳에 대응되는 문자들

이집트 상형 문자는 약 750여 개이다. 하나의 그림이 하나의 발음을 나타내기도 하고, 하나의 낱말을 나타내기도 한다. 또한 하나의 그림이 여러 가지 음을 나타내기도 하고, 서로 다른 그림이 하나의 음을 나타내기도 한다. 알파벳과 이집트 상형 문자 간의 대응 관계는 학자마다 의견이 조금씩 다르다.

A (독수리)	B (다리)	C (바구니)	D (손)	E (팔)	F (뿔 달린 뱀)	G (앞치마 모양)
H (도면 모양)	I (야자나무잎)	J (큰 뱀)	K (바구니)	L (사자)	M (부엉이)	N (물결 모양)
O (매듭)	P (네모난 가구)	Q (언덕 모양)	R (입 모양)	S (접힌 막대)	T (빵 모양)	U (밧줄 모양)
V (뿔 달린 뱀)	W (노란 새)	X (언덕+문빗장)	Y (야자나무잎 두 개)	Z (문빗장 모양)		

오늘의 어휘

다음 낱말의 알맞은 뜻을 찾아 선으로 이으세요.

일상 •　　• 날마다 반복되는 생활.

벽화 •　　• 주로 건물이나 공예품 등의 무늬.

문양 •　　• 건물이나 동굴, 무덤 등의 벽에 그린 그림.

실마리 •　　• 어떤 일이나 상태가 오래 계속 이어지는 것.

지속적 •　　• 문제나 사건을 해결할 수 있는 사실이나 정보.

1 다음 문장의 빈칸에 들어갈 알맞은 말을 **오늘의 어휘** 에서 찾아 쓰세요.

- 현대인은 시간에 쫓기며 바쁜 　　　　　　을 살고 있다.

- 일이 복잡하게 꼬여서 해결할 　　　　　　가 보이지 않는다.

- 오랜 기간 　　　　　　으로 인기를 누리는 스타는 많지 않다.

- 그녀는 도자기에 전통적인 그림과 　　　　　　을 새겨 넣었다.

- 고구려의 옛 무덤에는 수렵, 무용, 씨름 등을 그린 　　　　　　가 있다.

2 다음 글에서 밑줄 친 말과 뜻이 비슷한 말을 찾아 세 글자로 쓰세요.

엊그제 우리 마을에 절도 사건이 일어났다. 햇볕에 말리기 위해 마을 공터에 다 같이 널어놓았던 고추를 누군가가 모두 훔쳐 간 것이다. 이 때문에 마을 사람들이 큰 피해를 보았다. 경찰이 집집마다 다니며 사건을 해결할 실마리를 찾고 있지만, 특별한 <u>단서</u>를 찾지는 못하고 있는 상황이다.

(　　　　　　　　)

티베트의 문화

1 히말라야 북쪽, 중국 남서부의 산악 지대에 '신의 땅'이라고 불리는 곳이 있다. 평균 **고도**가 4000미터에 이르는 **고원** 지대라서 사람이 살기에 매우 **척박한** 땅이다. ⟨ ㉠ ⟩ 이곳에는 종교적 믿음으로 가득한 사람들이 살고 있다. 그곳은 바로 티베트이다.

2 티베트는 기후가 건조해서 농사가 잘되지 않는다. 이 때문에 도시에 사는 사람들을 제외한 대부분의 티베트 사람들은 우리나라의 미숫가루와 비슷한 '짬바'와 야크 고기 또는 양고기 등 간단한 음식을 주식으로 삼는다. 이와 함께 야크 버터와 차, 소금 등을 섞어서 만든 버터차를 하루에 수십 잔씩 마신다.

3 티베트의 집은 대부분 흙벽돌로 짓는데, 지붕은 편평하고 담은 두텁다. 이는 강한 바람을 막기 위한 것이다. 집은 보통 2층이나 3층으로 지어서 야생 동물로부터 가축을 보호하기 위해 1층은 가축들의 거처로 사용하고, 2층과 3층에는 사람들이 산다.

4 ㉮티베트인들은 대부분 불교를 믿는다. 이 때문에 티베트 사람들은 죽은 사람이 다시 태어난다는 **환생**을 믿는다. ⟨ ㉡ ⟩ 평소에 어려운 처지에 있는 이웃을 적극적으로 돕는다. 착한 일을 많이 해야만 죽은 뒤에 **부귀**한 집안에서 다시 태어날 수 있다고 생각하기 때문이다.

5 티베트인들의 종교적 믿음을 보여 주는 대표적인 상징물은 곳곳에 **만국기**처럼 걸려 있는 오색 천들이다. 이 오색 천에는 불교 경전이 인쇄되어 있다. 바람이 불면 오색 천이 휘날리는데, 티베트 사람들은 이것을 바람이 경전을 읽는 것이라고 여긴다. 이런 생각에는 불교의 가르침이 널리 퍼지기를 바라는 마음이 담겨 있다. 오색 천은 파란색, 노란색, 빨간색, 하얀색, 초록색으로 구성되며, 각각 순서대로 하늘, 땅, 불, 구름, 바다를 상징한다.

6 티베트 사람들은 티베트의 수도인 라싸까지 **순례**하는 것을 평생의 소원으로 여긴다. 라싸는 티베트 불교의 **성지**로, 티베트 사람들이 매우 **신성시**하는 곳이기 때문이다. 실제로 라싸에서 매우 먼 곳에 사는 사람들은 몇 달 동안 온몸을 던져 기도를 하면서 라싸까지 오기도 한다.

KEY WORD

티베트의 문화

글자 수

980
600 800 1000 1200

- **고도**(高 높을 고, 度 법도 도) 수평선부터 측정한 물체의 높이.
- **고원**(高 높을 고, 原 근원 원) 높은 데에 있는 넓은 벌판.
- **척박한** (땅이) 기름지지 못하고 몹시 메마른.
- **환생** 죽었다가 형상을 바꾸어 다시 태어나는 것.
- **부귀**(富 부유할 부, 貴 귀할 귀) 재산이 많고 지위가 높음.
- **만국기** 세계 여러 나라의 국기.
- **순례** 종교의 발생지나 성인의 무덤, 거주지 등 종교적 의미가 있는 곳을 찾아다니며 방문하여 참배함.
- **성지** ① 특정 종교에서 신성시하는 장소. ② 종교적인 유적이 있는 곳.
- **신성시** 어떤 대상을 매우 위대하게 여김.

지문 독해

글의 특징

1 이 글에 대한 설명으로 알맞은 것은 무엇인가요? (   )

① 티베트의 역사를 시간의 흐름에 따라 순차적으로 설명하고 있다.

② 티베트의 불교문화가 지닌 현대적 가치와 한계를 살펴보고 있다.

③ 티베트 문화와 우리나라 문화의 공통점과 차이점을 제시하고 있다.

④ 티베트의 환경과 종교를 바탕으로 티베트의 문화를 설명하고 있다.

⑤ 티베트에 불교가 번성하게 된 원인을 여러 차원에서 분석하고 있다.

내용 이해

2 이 글을 통해 알 수 있는 내용이 <u>아닌</u> 것은 무엇인가요? (   )

① 티베트 사람들이 주로 먹는 주식

② 티베트 사람들이 사는 주택의 재료

③ 티베트 사람들이 평소에 입는 옷차림

④ 티베트 곳곳에 걸려 있는 오색 천의 의미

⑤ 티베트 사람들이 라싸까지 순례하려는 이유

내용 이해

3 ㉮로 인한 행동으로 볼 수 있는 것에는 ○표, 볼 수 없는 것에는 ×표를 하세요.

(1) 곳곳에 오색 천을 만국기처럼 걸어 둔다.   (   )

(2) 짬바와 버터차 같은 간단한 음식을 먹는다.   (   )

(3) 티베트의 수도인 라싸까지 순례하기를 바란다.   (   )

(4) 어려운 처지에 있는 이웃을 적극적으로 돕는다.   (   )

(5) 집을 2층이나 3층으로 지어 1층에 가축을 둔다.   (   )

어휘·어법

4 다음에서 ㉠과 ㉡에 들어갈 이어 주는 말을 각각 찾아 쓰세요.

그래서,	그러나,	아무튼,	요컨대,	왜냐하면

(1) ㉠: (   )   (2) ㉡: (   )

지문 분석

1 정보 확인   이 글에서 다음 질문의 답을 찾을 수 있는 문단을 찾아 번호를 쓰세요.

티베트 사람들이 어려운 이웃을 돕는 까닭은 무엇인가?	( )문단
티베트 사람들의 식사에 과일이나 채소가 없는 까닭은 무엇인가?	( )문단

2 글의 구조   다음 표의 빈칸을 채워 이 글의 내용을 정리해 보세요.

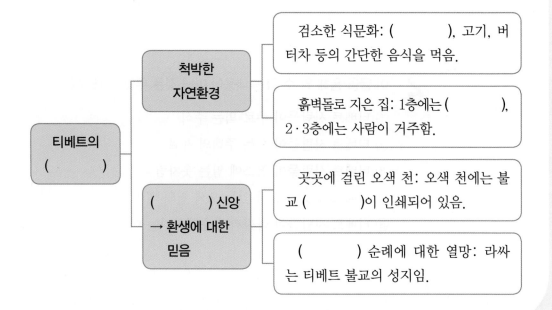

티베트의 (   )

- 척박한 자연환경
  - 검소한 식문화: (   ), 고기, 버터차 등의 간단한 음식을 먹음.
  - 흙벽돌로 지은 집: 1층에는 (   ), 2·3층에는 사람이 거주함.
- (   ) 신앙 → 환생에 대한 믿음
  - 곳곳에 걸린 오색 천: 오색 천에는 불교 (   )이 인쇄되어 있음.
  - (   ) 순례에 대한 열망: 라싸는 티베트 불교의 성지임.

배경지식   티베트의 주요 가축 '야크'의 효용

야크(Yak)는 긴 털을 가진 소의 한 종류로, 수컷 기준으로 몸길이는 약 3.25m이며 어깨높이는 약 2m, 몸무게는 500~1000kg 정도 된다. 어깨·옆구리·꼬리의 털이 길고 매끄러우며, 빛깔은 흑갈색이나 하얀색도 있다.

야크 똥
말려서 불을 피우는 연료로 사용.

이동 수단
짐을 나르는 운송 수단으로 활용됨.

가죽과 털
유목민들이 거주하는 텐트나 그들의 옷을 만드는 재료로 사용.

야크 젖
버터차를 만드는 데 사용하는 버터기름, 야크 젖 치즈 등을 제조.

야크 고기
티베트 사람들의 주식이 됨.

오늘의 어휘

다음 낱말의 알맞은 뜻을 찾아 선으로 이으세요.

고원 •　　　　• 재산이 많고 지위가 높음.

척박한 •　　　　• 높은 데에 있는 넓은 벌판.

환생 •　　　　• (땅이) 기름지지 못하고 몹시 메마른.

부귀 •　　　　• 죽었다가 형상을 바꾸어 다시 태어나는 것.

순례 •　　　　• 종교의 발생지나 성인의 무덤, 거주지 등 종교적 의미가 있는 곳을 찾아다니며 방문하여 참배함.

1 다음 문장의 빈칸에 들어갈 알맞은 말을 오늘의 어휘 에서 찾아 쓰세요.

- 그곳은 성지를 [　　　　　]하려는 사람들이 끊임없이 찾아왔다.
- 가파른 숲속 길을 몇 시간 올라가니 넓은 [　　　　　]이 펼쳐졌다.
- 누구나 [　　　　　]와 권세를 얻으면 자랑하고 싶어지기 마련이다.
- 그 사람은 자신이 [　　　　　]할 수 있다면 나무가 되고 싶다고 하였다.
- 그 지역은 나무 한 그루 제대로 자라지 못할 정도로 [　　　　　]곳이다.

2 다음 글에서 밑줄 친 말과 뜻이 반대되는 말을 찾아 두 글자로 쓰세요.

　공자는 "많은 재산과 높은 지위는 사람들이 바라는 것이지만 정당한 방법을 거치지 않고 얻었다면 그것을 거부하겠다. 가난과 낮은 지위는 사람들이 싫어하는 것이지만 정당한 방법을 거치지 않고 얻었더라도 그것을 거부하지 않겠다."라고 말했다. 이는 정당하지 못한 부귀보다 양심에 꺼릴 것 없는 빈천을 택하는 것이 옳다는 말이다.

(　　　　　　　)

로컬 푸드를 이용하자

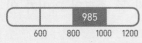

지문분석

KEY WORD

로컬 푸드

글자 수

985

600 800 1000 1200

1 전 세계에서 생산된 먹을거리가 우리나라로 수입되고 있다. 닭고기, 돼지고기, 소고기 같은 육류를 비롯하여 바나나, 파인애플, 포도 같은 과일, 연어, 낙지, 갈치, 고등어 같은 수산물, 옥수수, 감자 같은 **곡물**에 이르기까지 외국산 식품이 넘쳐 난다. 이렇게 외국에서 들어온 먹을거리를 글로벌 푸드라고 한다.

2 글로벌 푸드는 우리에게 다양한 먹을거리를 제공한다는 장점이 있다. 하지만 문제점도 있다. 무엇보다 장거리를 **운송**하는 과정에서 **온실가스**가 많이 **배출**되어 지구 환경을 파괴한다. 예를 들어 칠레산 포도는 20400km, 뉴질랜드산 키위는 9600km, 노르웨이산 연어는 8200km, 호주산 소고기는 8300km나 이동하여 우리나라에 들어온다. 그리고 이 과정에서 살충제나 **방부제** 등을 사용해 소비자의 건강을 위협하기도 한다.

3 로컬 푸드 운동은 이런 문제를 해결하기 위한 좋은 방법이다. 로컬 푸드란 소비자가 거주하는 지역 내에서 생산된 농산물을 의미한다. 구체적으로는 소비자가 있는 곳에서 50km 이내에서 생산되거나, 같은 시·군에서 생산된 농산물을 일컫는다. 농산물만이 아니라 축산물이나 수산물도 포함된다.

4 로컬 푸드는 다양한 장점이 있다. 첫째, 안전하고 신선하다. 장기간 보관하거나 장거리를 운송할 필요가 없으므로 방부제나 살충제 등을 사용하지 않으며, 적당히 익은 뒤에 수확하므로 글로벌 푸드보다 안전하고 신선하다. 둘째, 친환경적이다. 이동 거리가 짧아 운송 과정에서 배출되는 온실가스가 **감소**되어 지구 온난화 현상을 줄일 수 있다. 셋째, 농민 같은 생산자의 소득을 늘린다. ㉠생산사와 소비자가 직거래를 하는 등 중간 **유통** 과정을 최소화함으로써 소비자는 농산물을 싸게 살 수 있고, 생산자는 중간 유통 상인에게 파는 것보다 더 많은 수익을 올릴 수 있다.

5 세계화 시대에서 수입 식품을 전혀 먹지 않을 수는 없다. 그러나 될 수 있으면 우리나라에서 생산된 식품을 먹는 것이 좋다. 작게는 개인의 건강을 위해서, 크게는 지구 환경을 위해서 로컬 푸드를 이용하는 것이 어떨까?

5

10

15

20

25

- **곡물(穀** 곡식 곡, **物** 만물 물) 사람의 식량이 되는 쌀·보리·밀·콩 등을 통틀어 이르는 말.
- **운송(運** 옮길 운, **送** 보낼 송) 사람이나 물건을 일정한 장소로 실어 보내는 것.
- **온실가스** 지구 대기를 오염시켜 온실 효과를 일으키는 가스. 이산화 탄소, 메탄 등의 가스를 말함.
- **배출(排** 물리칠 배, **出** 날 출) 안에서 밖으로 내보내는 것.
- **방부제** 먹을거리에 넣어 썩지 않게 하는 화학 물질.
- **감소(減** 덜 감, **少** 적을 소) 양이나 수치가 줄어드는 것.
- **유통(流** 흐를 유, **通** 통할 통) 상품이 생산에서 상인을 거쳐 소비자에게로 옮겨 가는 것.

지문 독해

글의 목적

1 글쓴이가 이 글을 쓴 목적은 무엇인가요? (   )

① 글로벌 푸드의 장단점을 설명하기 위해
② 로컬 푸드를 이용하자고 설득하기 위해
③ 농산물을 직접 재배하자고 설득하기 위해
④ 글로벌 푸드와 로컬 푸드를 비교하기 위해
⑤ 지구 환경을 지켜야 한다고 설득하기 위해

내용 이해

2 이 글의 내용과 일치하지 <u>않는</u> 것은 무엇인가요? (   )

① 글로벌 푸드는 다양한 먹을거리를 제공하는 효과가 있다.
② 우리나라는 다양한 국가에서 글로벌 푸드를 수입하고 있다.
③ 로컬 푸드는 운송 과정에서 배출되는 온실가스의 양이 적다.
④ 로컬 푸드는 농산물의 유통 과정이 복잡해지는 문제점이 있다.
⑤ 로컬 푸드는 글로벌 푸드에 비해 신선하고 안전한 먹을거리이다.

어휘·어법

3 ㉠을 나타내기에 적절한 한자 성어는 무엇인가요? (   )

① 일석이조: 동시에 두 가지 이득을 봄을 이르는 말.
② 설상가상: 난처한 일이나 불행한 일이 잇따라 일어남을 이르는 말.
③ 새옹지마: 인생의 길흉화복은 변화가 많아서 예측하기가 어렵다는 말.
④ 어부지리: 두 사람이 이해관계로 서로 싸우는 사이에 엉뚱한 사람이 애쓰지 않고 가로챈 이익을 이르는 말.
⑤ 타산지석: 본이 되지 않은 남의 말이나 행동도 자신의 지식과 인격을 수양하는 데에 도움이 될 수 있음을 비유적으로 이르는 말.

적용하기

4 다음에서 설명하는 것을 이 글에서 찾아 두 어절로 쓰세요.

> 소비자가 거주하는 지역이나 가까운 곳에서 생산하여 장거리 운송 과정을 거치지 않는 농산물을 이르는 말이다. 생산지에서 소비지까지 이동하는 거리가 짧아 온실가스 배출이 적으며, 수입되는 먹을거리보다 신선하고 안전한 상태로 소비자에게 제공된다.

(   )

지문 분석

1 정보 확인   이 글에서 다음 질문의 답을 찾을 수 있는 문단을 찾아 번호를 쓰세요.

로컬 푸드의 장점은 무엇인가?	( )문단

글로벌 푸드의 문제점은 무엇인가?	( )문단

2 중심 내용   다음은 이 글의 중심 내용입니다. 빈칸에 들어갈 알맞은 말을 쓰세요.

> (   ) 푸드는 장거리 운송 때문에 환경을 해치고 식품의 안전성도 떨어진다. (   ) 푸드는 이런 문제를 해결할 수 있다. 이동 거리가 짧아 (   ) 배출이 적고, 식품의 안전성이나 신선도도 글로벌 푸드보다 높기 때문이다.

배경지식 ## 푸드 마일과 푸드 마일리지

푸드 마일(food miles)은 먹을거리가 생산자의 손을 떠나 소비자의 식탁에 오르기까지의 이동 거리를 뜻하며, 푸드 마일리지(food mileage)는 곡물과 축산물, 수산물 등 아홉 개 수입 품목을 대상으로 식품 운송량(톤)에 운송 거리(km)를 곱해 계산한다. 일반적으로 푸드 마일리지가 높을수록 지구 환경에 해롭다고 본다.

미국산 오렌지 9604km

글로벌 푸드

미국

칠레

칠레산 포도 20480km

로컬 푸드

오늘의 어휘

다음 낱말의 알맞은 뜻을 찾아 선으로 이으세요.

곡물 •

운송 •

방부제 •

감소 •

유통 •

• 양이나 수치가 줄어드는 것.

• 먹을거리에 넣어 썩지 않게 하는 화학 물질.

• 사람이나 물건을 일정한 장소로 실어 보내는 것.

• 상품이 생산지에서 상인을 거쳐 소비자에게로 옮겨 가는 것.

• 사람의 식량이 되는 쌀·보리·밀·콩 등을 통틀어 이르는 말.

1 다음 문장의 빈칸에 들어갈 알맞은 말을 오늘의어휘 에서 찾아 쓰세요.

• 배보다 비행기를 통한 [   ]이 훨씬 빠르다.

• 외국산 농산물이 시중에 많이 [   ]되고 있다.

• 채소는 [   ]과 달리 저장하기가 매우 까다롭다.

• 올해 양파 수확량이 [   ]하여 양파 가격이 올랐다.

• 이 식품은 [   ]를 전혀 첨가하지 않은 천연 식품이다.

2 다음 글에서 밑줄 친 말들을 모두 포함하는 말을 찾아 두 글자로 쓰세요.

　　우리나라의 대표적인 곡물은 쌀, 보리, 콩, 밀, 옥수수 등이다. 그런데 이 중에서 쌀만 우리나라에서 소비되는 양을 충당할 수 있고, 쌀을 제외한 다른 곡물은 필요한 양의 5% 정도밖에 생산되지 않는다. 보리는 전체 소비량의 24.3%, 밀은 0.9%, 옥수수는 0.9%, 콩은 10%에 불과하다. 이 때문에 부족한 양을 모두 수입하고 있는 실정이다.

(　　　　　　　　)

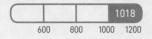
(㉠)

1 사람과 사람 사이에 생각이나 정보를 전달하는 수단을 미디어라고 한다. 신문, 잡지, 라디오, 전화, 텔레비전 등은 모두 미디어이다. 최근에는 컴퓨터나 스마트폰처럼 인터넷을 활용하는 뉴 미디어가 등장하였다. 뉴 미디어의 등장으로 거의 모든 사람들이 하루 종일 미디어와 접하는 미디어 시대가 되었다. 이런 미디어 시대의 장점과 단점에 대해 알아보자.

2 우선, 개인적 차원에서 미디어 시대에는 정보를 쉽게 얻을 수 있다. 소수만 알고 있던 정보가 공유되면서 누구나 시간과 공간을 초월하여 필요한 정보를 어렵지 않게 찾을 수 있게 된 것이다. 예를 들어 처음 가 본 지역에서도 '맛집'을 쉽게 검색하여 방문할 수 있는 것이다. 또 직접 경험하기 어려운 일을 간접 경험할 수 있게 하여 지식의 폭을 넓혀 준다.

3 사회적 차원에서는 사회적 갈등을 줄여 준다. 쌍방향 소통이 가능한 뉴 미디어를 활용하면 직접 만나 보지 못한 사람과도 친구가 될 수 있다. 가령, 우리나라 어린이가 인터넷을 통해 아프리카 어린이와 친구가 되어 대화를 나눌 수 있는 것이다. 이런 관계의 확대는 자신과는 다른 삶을 사는 사람들에 대한 이해를 높여 가치관이나 문화의 차이로 생길 수 있는 사회적 갈등을 줄여 준다.

4 하지만 부정적인 면도 존재한다. 개인적 차원에서는 개인 정보 유출이나 사생활 침해가 발생할 수 있다. 누구나 접근할 수 있는 누리 소통망에 올린 글에 자신도 모르게 자신이나 다른 사람의 개인 정보나 사생활이 담겨 있을 수 있는 것이다. 블로그나 동영상 플랫폼 같은 1인 미디어가 활성화되면서 이러한 문제가 더욱 심각해지고 있다.

5 사회적 차원으로는 거짓 정보로 인해 사회적 혼란이 초래될 수 있다. 특히 1인 방송에서 다른 사람의 관심을 끌기 위해 거짓 정보를 퍼뜨리는 경우가 있다. 이런 거짓 정보는 인터넷의 속성상 매우 짧은 시간에 널리 퍼지기 때문에 바로잡기 어렵다.

6 좋든 싫든 우리는 24시간을 미디어와 함께하는 시대에 살고 있다. 미디어는 활용하는 사람에 따라 ㉡문명의 이기로 쓰일 수도 있고 흉기로 쓰일 수도 있다. 그러므로 우리는 미디어를 현명하게 활용해야 할 것이다.

지문 독해

1 다음을 참고하여 ㉠에 들어갈 이 글의 제목을 정할 때, 알맞은 것은 무엇일까요?

( )

> 글의 제목은 글 전체의 주제를 함축해서 전달할 수 있어야 합니다. 이를 위해서 비유적 표현을 활용하기도 합니다.

① 미디어 시대의 인간관계
② 미디어 시대의 빛과 그늘
③ 우리의 집사 같은 미디어
④ 현대인을 지배하는 미디어
⑤ 정보가 공유되는 미디어 시대

전개 방식

2 이 글에서 찾아볼 수 있는 글쓰기 전략은 무엇인가요? ( )

① 대상에 대한 다양한 이론을 소개하고 각각을 비교하고 있다.
② 대상을 구성 요소들로 쪼개어 각각을 자세하게 설명하고 있다.
③ 대상의 상반되는 측면을 설명한 뒤 대응 자세를 제시하고 있다.
④ 문제가 되는 현상을 제시하고 그것의 발생 원인을 분석하고 있다.
⑤ 대상의 변화 과정을 살펴본 뒤 미래의 변화 방향을 예측하고 있다.

내용 이해

3 ㉡의 예로 들기에 알맞지 <u>않은</u> 것은 무엇인가요? ( )

① 미처 경험하지 못한 것을 직접 경험할 수 있게 한다.
② 다양한 사람들을 연결하여 사회적 갈등을 줄여 준다.
③ 소수만 알고 있던 정보가 사회적으로 널리 공유된다.
④ 일상생활에서 필요한 정보를 쉽게 찾을 수 있게 한다.
⑤ 자신과 다른 삶을 사는 사람들에 대한 이해를 높인다.

추론하기

4 다음에서 설명하는 것이 무엇인지 이 글에서 찾아 두 어절로 쓰세요.

> 사람과 사람 사이에 생각이나 정보를 전달하는 수단의 일종으로, 인터넷을 이용하며 쌍방향 소통이 가능한 것을 통틀어 가리키는 명칭이다. 이것이 등장한 최근의 현대 사회를 미디어 시대라고 한다.

( )

지문 분석

1 문단 요약

이 글에 나타난 각 문단의 중심 내용으로 알맞은 것을 찾아 선으로 이으세요.

1 문단 •　　　　　• 개인적 차원에서 미디어 시대의 긍정적인 면

2 문단 •　　　　　• 미디어 시대에 우리가 지녀야 할 자세

3 문단 •　　　　　• 개인적 차원에서 미디어 시대의 부정적인 면

4 문단 •　　　　　• 미디어 시대가 된 현대 사회

5 문단 •　　　　　• 사회적 차원에서 미디어 시대의 부정적인 면

6 문단 •　　　　　• 사회적 차원에서 미디어 시대의 긍정적인 면

2 중심 내용

다음은 이 글의 중심 내용입니다. 빈칸에 들어갈 알맞은 말을 쓰세요.

> (　　　　) 시대가 되면서 누구나 필요한 (　　　　)를 쉽게 찾을 수 있고, 다른 사람에 대한 이해의 폭을 높일 수 있다. 그러나 개인 정보 유출이나 (　　　　) 침해 같은 문제가 발생하기도 하고, 거짓 정보가 퍼지기도 한다. 따라서 미디어를 현명하게 활용해야 한다.

배경지식　미디어의 발전 과정

미디어는 어떤 기준으로 구분하느냐에 따라 매우 다양하게 나뉜다. 그렇지만 일반적으로 초기에는 일대일로 말(음성)을 통해 전달하다가, 시간이 흐르면서 글(문자)로 다수에게 전달하는 것으로 바뀌고, 이후 통신을 이용해 단시간에 널리 전달하는 것으로 발달되어 왔다고 본다.

벽화·조각　　　편지·책　　　사진　　　모스 부호

모바일 기기　　　개인용 컴퓨터　　　라디오·텔레비전　　　전화

오늘의 어휘

다음 낱말의 알맞은 뜻을 찾아 선으로 이으세요.

초월 •   • 어떤 한계를 뛰어넘는 것.

쌍방향 •   • 실제 생활에 쓰기에 편리한 기계나 도구.

유출 •   • 함부로 남의 정보나 재산, 신분 등에 해를 끼치는 것.

침해 •   • 한쪽으로만 향하는 것이 아니라 양쪽을 서로 향하는 것.

이기 •   • (비밀 등이) 새어 나와 밖으로 나가 버림. 또는 그것을 내보냄.

1 다음 문장의 빈칸에 들어갈 알맞은 말을 오늘의 어휘 에서 찾아 쓰세요.

- 인터넷은 유용한 [   ] 매체로 각광받고 있다.
- 텔레비전은 과연 '바보상자'일까, 문명의 [   ]일까?
- 시험 문제지가 외부로 [   ]되어 시험이 취소되었다.
- 그들은 이기고 지는 것을 [   ]하여 멋진 경기를 펼쳤다.
- 많은 학생이 자신도 모르는 사이에 저작권을 [   ]하고 있다.

2 다음 글에서 밑줄 친 말과 뜻이 반대되는 말을 찾아 세 글자로 쓰세요.

수업에 대한 학생의 흥미와 참여를 높이기 위해서는 쌍방향 수업이 진행되어야 한다. 그런데 일부 과목은 선생님의 설명만 이루어지는 <u>일방향</u> 수업으로 진행되는 경우가 있다. 효과적인 수업을 위해서는 모든 과목에서 학생의 적극적인 참여를 유도할 수 있어야 한다.

(   )

'국내 총생산(GDP)'이란 무엇일까?

1 어떤 마을에 세 집만 산다고 가정해 보자. 한 집은 농사를 짓고, 다른 집은 **방앗간**을, 마지막 한 집은 제과점을 한다. 농부는 밀을 농사지어 방앗간을 하는 집에 1000만 원을 받고 팔았다. 농부에게서 밀을 산 방앗간은 그 밀의 껍질을 벗긴 뒤 가루로 만들어 제과점에 1200만 원을 받고 팔았다. 그리고 방앗간에서 밀가루 1200만 원어치를 산 제과점은 그것으로 다양한 종류의 빵과 과자를 만들어 총 2000만 원의 매출을 올렸다. 이 모두가 1년 동안에 일어난 일이다.

2 이 세 집은 1년 동안 각각 얼마를 벌었을까? 농부는 1000만 원, 방앗간은 200만 원, 제과점은 800만 원을 벌었다. 모두 합하면 2000만 원이다. 이 금액은 제과점에서 **최종적**으로 만들어 낸 빵과 과자의 가격과 **일치**한다. 세 집이 사는 이 마을을 하나의 국가라고 보고 다른 비용이 들지 않는다고 가정할 때, 세 집이 1년 동안 벌어들인 총 **순수입** 2000만 원을 '국내 총생산'이라고 한다. 국내 총생산은 한 국가 내에서 1년 동안 새롭게 생산한 최종 생산물의 시장 가격을 모두 합한 값이다.

3 국내 총생산을 계산하려면 국민 개개인이 1년 동안 번 순수입을 모두 합쳐도 되고, 국민들이 최종적으로 생산해서 시장에서 **거래**되는 **재화**나 서비스의 가격을 모두 더해도 된다. 두 방법의 결과는 같다. 다만, 한 나라 안에서 새롭게 생산되어 시장에서 거래되는 최종 생산물만 계산해야 한다. 예를 들어 국내 자동차 회사가 새로 만들어 낸 자동차는 국내 총생산에 포함되지만, **중고차**는 시장에서 거래되더라도 국내 **총**생신에 포함되지 않는다.

4 국내 총생산은 한 나라의 경제력과 경제의 발전 상황을 나타낸다. 작년보다 국내 총생산이 늘어나면 경제가 작년에 비해서 성장했다고 한다. 신문이나 텔레비전 등에서 작년 우리나라의 경제가 5% 성장했다고 하면, 재작년에 비해 국내 총생산이 5% 증가한 것을 의미한다. 반대로 작년보다 국내 총생산이 줄어들면 경제가 작년에 비해서 **퇴보**했다고 하거나 마이너스 성장을 했다고 한다. 경제가 계속 퇴보하면 국민들의 삶이 그만큼 힘들어짐을 뜻한다.

- **방앗간** 방아를 놓고 곡식을 찧거나 빻는 가게.
- **최종적** 가장 나중의 것.
- **일치**(— 하나 일, 致 이를 치) 무엇이 무엇과 서로 어긋나지 않고 꼭 맞는 것.
- **순수입** 벌어들인 돈에서 들어간 비용을 뺀 나머지 금액. 이익.
- **거래**(去 갈 거, 來 올 래) 물건을 서로 주고받거나 사고파는 일.
- **재화**(財 재물 재, 貨 재화 화) 돈과 값이 나가는 물건.
- **중고차** 어느 기간 동안 사용하여 조금 낡은 차.
- **퇴보**(退 물러날 퇴, 步 걸음 보) 상태가 지금보다 못하게 되거나 뒤떨어지는 것.

지문 독해

중심 내용

1 이 글의 중심 내용은 무엇인가요? (　　　)

① 국가의 경제 성장과 쇠퇴 과정

② 국민 수와 국내 총생산의 관계

③ 시장에서 가격이 정해지는 과정

④ 국내 총생산의 개념과 경제적 의미

⑤ 한 마을에서 이루어지는 경제 활동

전개 방식

2 **1**문단과 **2**문단에서 찾아볼 수 있는 글쓰기 전략으로 알맞은 것을 두 가지 고르세요.

(　　, 　　)

① 설명하는 대상에 대한 상반되는 이론을 자세하게 제시하였다.

② 구체적 사례를 들어 어려운 내용을 이해하기 쉽게 설명하였다.

③ 독자에게 질문을 하는 방식으로 내용에 대한 관심을 유도하였다.

④ 전문가의 말과 통계 자료를 인용하여 내용에 대한 신뢰를 주었다.

⑤ 객관적인 기준에 따라 대상을 구분하고 각각의 특성을 설명하였다.

내용 이해

3 **1**문단에 대한 설명으로 알맞지 <u>않은</u> 것은 무엇인가요? (　　　)

① 마을을 한 국가로 본다면 국내 총생산은 2000만 원이다.

② 농부는 밀 농사를 지어서 1000만 원어치의 밀을 수확하였다.

③ 방앗간은 밀가루 1200만 원어치를 팔아서 200만 원을 벌었다.

④ 마을은 1년 동안 모두 4200만 원의 최종 생산물을 만들어 냈다.

⑤ 제과점은 1200만 원어치의 밀가루를 이용하여 800만 원을 벌었다.

적용하기

4 다음에서 설명하는 말을 이 글에서 찾아 두 어절로 쓰세요.

> 일정한 기간 동안 한 나라 안에서 새롭게 생산된 최종 생산물의 가치를 시장에서 거래되는 가격으로 계산하여 모두 더한 값을 의미하는 용어이다. 보통 1년을 기준으로 계산하며, 한 국가의 경제력과 경제의 발전 과정을 보여 준다.

(　　　　　　　　　)

지문 분석

1 문단 요약 이 글에 나타난 각 문단의 중심 내용으로 알맞은 것을 찾아 선으로 이으세요.

1문단 •   • 국내 총생산의 개념

2문단 •   • 국내 총생산의 계산 방법

3문단 •   • 국내 총생산의 경제적 의미

4문단 •   • 작은 마을에서의 상품 생산 예시

2 중심 내용 다음은 이 글의 중심 내용입니다. 빈칸에 들어갈 알맞은 말을 쓰세요.

> (   )은 한 나라에서 1년 동안 새롭게 만들어 낸 최종 (   )의 시장
> 가격을 합한 값이다. 한 국가의 국내 총생산은 그 나라의 (   )과 경제의 발
> 전 상황을 나타낸다.

배경지식 '국내 총생산(GDP)'의 측정 방법

국내 총생산(GDP)은 일정 기간 동안 국내에서 생산된 최종 생산물의 시장 가격을 합산하여 측정한다. 농부, 제분 업자, 제빵업자 가족만 사는 국가의 최종 생산물은 제빵업자가 만들어 낸 빵과 과자이다. 따라서 이 국가의 국내 총 생산은 2000만 원이다. 또 다른 방법은 각 생산 단계에서 새로 만들어 내거나 이전 생산물에 추가한 가치를 더해도 된다. 농부는 1000만 원, 제분업자는 200만 원, 제빵업자는 800만 원의 가치를 만들어 냈다. 이를 더하면 역시 2000만 원이 된다. 이때 예로 가정한 국가는 세 집밖에 없으므로 각 단계에서 만들어 낸 가치가 곧 그 집의 순수입 이 된다.

시장 가격: 1000만 원
만들어 낸 가치: 1000만 원

시장 가격: 1200만 원
만들어 낸 가치: 200만 원

시장 가격: 2000만 원
만들어 낸 가치: 800만 원

오늘의 어휘

다음 낱말의 알맞은 뜻을 찾아 선으로 이으세요.

최종적 •

일치 •

순수입 •

거래 •

퇴보 •

• 가장 나중의 것.

• 물건을 서로 주고받거나 사고파는 일.

• 무엇이 무엇과 서로 어긋나지 않고 꼭 맞는 것.

• 상태가 지금보다 못하게 되거나 뒤떨어지는 것.

• 벌어들인 돈에서 들어간 비용을 뺀 나머지 금액. 이익.

1 다음 문장의 빈칸에 들어갈 알맞은 말을 오늘의 어휘 에서 찾아 쓰세요.

• 늘 말과 행동이 [   ] 하도록 노력해야 한다.

• 물건은 많이 팔았는데 정작 [   ] 은 생각보다 적었다.

• 우리 회사는 작년에 [   ] 를 잘못하여 큰 손해를 보았다.

• 전쟁이 나면 그 나라의 경제는 심각하게 [   ] 하게 된다.

• 아이들을 가르치는 선생님이 되는 것이 나의 [   ] 목표이다.

2 다음 글에서 밑줄 친 말과 뜻이 비슷한 말을 찾아 두 글자로 쓰세요.

  가격은 시장에서 거래되는 어떤 물건을 사려고 하는 사람이 많으면 올라가고, 사려는 사람이 적으면 내려간다. 즉 가격은 그 물건이 <u>사고팔리는</u> 과정에서 자연스럽게 정해지는 것이다.

(   )

금리란 무엇일까?

KEY WORD

원금, 이자, 금리

글자 수

997

600 800 1000 1200

1 **기업**이나 개인이 돈이 필요하게 되면 은행 같은 **금융** 기관이나 다른 사람에게서 빌린다. 또, 반대로 자신의 돈을 은행에 예금하거나 다른 사람에게 빌려주기도 한다. 그리고 돈을 빌렸을 때는 빌린 돈에 대한 **대가**를 덧붙여서 갚고, 돈을 빌려주었을 때는 빌려준 돈 외에 빌려준 대가를 추가로 받는다. 이때 빌리거나 빌려준 돈을 원금이라 하고, 그 대가로 덧붙여지는 돈을 이자라고 한다. 그리고 이자의 원금에 대한 비율을 금리라고 한다. 우리나라에서는 금융 기관이나 개인이 받을 수 있는 최대 금리를 법으로 정해 두었다.

2 금리는 보통 1년을 기준으로 정한다. 즉 금리 10%로 돈을 빌리면 1년 뒤에 빌린 원금에다가 그 원금의 10%에 해당하는 이자를 덧붙여 갚아야 한다. 예를 들어 은행에서 10%의 금리로 100만 원을 빌렸다면, 1년 뒤에는 원금 100만 원과 이에 대한 이자 10만 원을 더한 110만 원을 갚아야 한다. 반대로 은행에 일정 기간 이상 돈을 예금하면 약속한 금리만큼 이자를 받을 수 있다. 은행에 예금하는 것은 자신이 가진 돈을 은행에 빌려주는 것과 같기 때문이다.

3 그렇다면 금융 거래를 할 때 왜 이자를 주고받아야 할까? 그냥 원금만 돌려주더라도 상대방은 빌려준 만큼 돌려받았으니 손해 본 것이 없지 않은가? 하지만 그것은 잘못된 생각이다. 일반적으로 시간이 흐르면 **물가**가 오른다. 그리고 물가가 오른 만큼 돈의 가치는 떨어진다. 즉 1년 뒤의 만 원은 지금보다 물가가 오른 만큼 가치가 떨어지는 것이다. 따라서 지금 만 원을 빌리고 1년 뒤에 만 원만 갚으면 돈을 빌려준 사람이 **실질적**으로는 손해를 보는 셈이 된다. 그러므로 돈을 갚을 때 원금에다가 최소한 물가가 오른 만큼의 금액을 더 주어야 빌려준 사람이 손해를 보지 않는다. 또한 돈을 빌려준 쪽이 빌려준 기간 동안 그 돈을 쓰지 못한 것도 **보상**해야 한다. 돈을 쓰지 못한 것도 손해이기 때문이다. 만약 이자가 전혀 없다면 은행에서는 돈을 빌려주지 않을 것이며, 그렇게 되면 경제가 **원활하게** 돌아가지 않을 것이다.

5

10

15

20

- **기업** 돈을 벌기 위한 목적으로 물건을 생산하고 판매하는 단체.
- **금융**(金 쇠 금, 融 녹을 융) (경제에서) 필요한 돈을 원활하게 공급하는 일.
- **대가**(代 대신할 대, 價 값 가) 어떤 것에 치러야 하는 값.
- **물가**(物 만물 물, 價 값 가) 여러 가지 상품이나 서비스의 평균 가격.
- **실질적** 실제로 있어서 그 자체를 이루는 것.
- **보상** 남에게 끼친 손해를 갚음.
- **원활하게** (일의 진행이) 막히거나 거침이 없이 매끄럽고 순조롭게.

지문 독해

1 이 글의 내용과 일치하지 <u>않는</u> 것은 무엇인가요? (   )

① 물가가 오르면 돈의 가치는 물가가 오르기 전보다 떨어진다.

② 은행에서 돈을 빌리면 약속한 금리에 따른 이자를 내야 한다.

③ 우리나라에서는 돈을 빌려주는 쪽이 금리를 마음대로 정한다.

④ 돈을 빌리거나 빌려줄 때 금리는 보통 1년을 기준으로 정한다.

⑤ 은행에 예금하는 것은 자신의 돈을 은행에 빌려주는 것과 같다.

2 이 글에서 찾아볼 수 있는 글쓰기 전략으로 알맞은 것을 두 가지 찾아 기호를 쓰세요.

> ㉮ 구체적인 예를 활용하여 내용을 쉽게 전달하고 있다.
>
> ㉯ 대상을 유사한 것끼리 분류한 뒤 각각 설명하고 있다.
>
> ㉰ 전문가의 말을 인용하여 내용의 신뢰성을 높이고 있다.
>
> ㉱ 핵심적인 용어의 뜻을 풀이하여 내용의 이해를 돕고 있다.

(,   )

3 다음 중 이 글을 바르게 이해하지 <u>못한</u> 사람은 누구인가요? (   )

① 가은: 같은 금리라도 돈을 오래 빌릴수록 이자를 더 많이 내겠군.

② 나영: 내 돈을 은행에 저금해 두면 은행이 나에게 이자를 주겠군.

③ 다솜: 물가가 오르지 않으면 돈을 빌려도 이자를 안 줘도 되겠군.

④ 라희: 금리가 오르면 같은 돈을 빌려도 이자를 더 많이 줘야겠군.

⑤ 마야: 지금 만 원과 물가가 오른 1년 뒤의 만 원은 가치가 다르겠군.

4 다음에서 설명하는 것이 무엇인지 이 글에서 찾아 두 글자로 쓰세요.

> 돈을 빌리거나 빌려주었을 때, 원금에 대가로 덧붙여지는 돈을 이르는 말이다. 일반적으로 원금에 대한 비율이, 빌린 기간만큼 물가가 오른 것 이상이 되어야 빌려준 사람이 실질적으로 손해를 보지 않는다.

(   )

지문 분석

1 문단 요약

다음은 이 글에 나타난 각 문단의 중심 내용입니다. 알맞은 것에 ○표, 틀린 것에 ×표를 하세요.

1문단	금융 거래를 할 때 은행의 역할	( )
2문단	금융 거래를 할 때 금리를 계산하는 방법	( )
3문단	금융 거래를 할 때 이자가 필요한 까닭	( )

2 중심 내용

다음은 이 글의 중심 내용입니다. 빈칸에 들어갈 알맞은 말을 쓰세요.

일반적으로 금융 기관에서 돈을 빌리면 (　　　)를 덧붙여 갚아야 한다. 이때 원금에 대한 이자의 비율을 (　　　)라고 한다. 이자는 (　　　)가 올라 원금의 가치가 떨어진 것과, 돈을 빌려준 쪽이 빌려준 기간만큼 원금을 쓰지 못한 것에 대한 보상이다.

배경지식 우리나라 지폐의 위·변조 방지 장치

오늘의 어휘

다음 낱말의 알맞은 뜻을 찾아 선으로 이으세요.

기업 •　　　　• 어떤 것에 치러야 하는 값.

대가 •　　　　• 실제로 있어서 그 자체를 이루는 것.

물가 •　　　　• 여러 가지 상품이나 서비스의 평균 가격.

실질적 •　　　　• (일의 진행이) 막히거나 거침이 없이 매끄럽고 순조롭게.

원활하게 •　　　　• 돈을 벌기 위한 목적으로 물건을 생산하고 판매하는 단체.

---

1 다음 문장의 빈칸에 들어갈 알맞은 말을 (오늘의 어휘)에서 찾아 쓰세요.

- 신라는 통일의 [　　　　]로 요동 일대의 영토를 잃었다.
- 내가 기울인 노력에 비하면 [　　　　] 성과는 적은 편이다.
- 어머니께서는 하루가 다르게 [　　　　]가 오른다며 걱정하셨다.
- 칼슘은 뼈와 이를 튼튼히 만들고 세포가 하는 일을 [　　　　]한다.
- 그는 동네의 작은 가게를 30년 만에 세계적인 [　　　　]으로 키웠다.

---

2 다음 글에서 밑줄 친 부분과 바꿔 쓸 수 있는 말을 찾아 세 글자로 쓰세요.

　　그저 오랫동안 책상 앞에 앉아 있기만 한 것은 실질적 공부라고 할 수 없다. 짧은 시간이라도 자신이 모르는 내용을 스스로 찾아보고, 집중해서 그것을 익혀야 한다. 그래야만 군더더기 없이 실속 있게 공부를 한 것이다.

(　　　　　　)

무역을 하는 까닭

1 우리가 **일상생활**을 하는 데에는 식료품, 학용품, 가방, 옷, 냉장고, 컴퓨터 등 엄청나게 많은 물건이 필요하다. 그런데 그 물건들 중 일부는 외국에서 생산된 제품이다. 그리고 그 외국 제품은 모두 우리나라가 사 온 것들이다. 이처럼 국가 간에 **재화**나 서비스, 기술 등을 사고팔거나 교환하는 일을 무역이라고 한다. 자기 나라의 상품을 파는 것을 수출이라고 하고, 다른 나라의 상품을 사오는 것을 수입이라고 한다.

2 무역은 국가마다 가진 자원이나 만들 수 있는 물건이 달라서 시작되었다. 예를 들어 우리나라는 석유가 꼭 필요하지만 우리나라에서 나지 않기 때문에 석유가 풍부한 사우디아라비아 같은 국가에서 수입할 수밖에 없다. 물론 사우디아라비아도 자기 나라에 없거나 부족한 물품은 우리나라나 다른 국가에서 수입해야 한다.

3 그런데 생활에 필요한 거의 모든 것이 풍족하게 생산되는 국가도 무역을 하는 것을 볼 때, 반드시 이런 이유만으로 무역이 이루어지는 것은 아니다. 그렇다면 무역을 하는 **근본적** 이유는 무엇일까? 그것은 무역을 하는 국가 모두에게 이익이 되기 때문이다.

4 우리나라와 칠레의 예를 들어 보자. 우리나라는 **정밀** 기술이 발달하여 칠레보다 적은 **비용**으로 스마트폰을 만들 수 있다. 대신 칠레는 우리나라보다 과일을 생산하기에 유리하다. 그래서 우리나라는 칠레에 스마트폰을 수출하여 그 **대금**으로 과일을 수입하는 것이 과일을 직접 생산하는 것보다 이익이다. 칠레 또한 자기 나라에서 비싸게 스마트폰을 만드는 것보다는 생산하기 쉬운 과일을 수출하여 그 대금으로 우리나라의 스마트폰을 사는 것이 유리하다. 이렇게 서로 값싸게 만들 수 있는 것을 사고팔면 우리나라와 칠레 모두 직접 생산하는 것보다 더 적은 비용으로 더 좋은 과일과 스마트폰을 서로 얻을 수 있다.

5 무역은 국가만이 아니라 개인에게도 이익이 된다. 무역이 활발하게 이루어져 다양한 물건이 수입되면 같은 물건을 **저렴하게** 살 수 있기 때문이다. 만약 무역을 하지 않는다면 소비자가 필요한 물건을 구하기 어렵고, 물건이 있더라도 더 비싸게 구입해야 한다.

5

10

15

20

25

● **일상생활** 늘 하는 생활.

● **재화**(財 재물 재, 貨 재화 화) 돈과 값이 나가는 물건.

● **근본적**(根 뿌리 근, 本 근본 본, 的 과녁 적) 무엇의 본질·바탕·기본을 이루는 것.

● **정밀** 작은 부분까지 빈틈이 없고 자세한 것.

● **비용**(費 쓸 비, 用 쓸 용) 어떤 일을 하는 데 드는 돈.

● **대금**(代 대신할 대, 金 쇠 금) 물건이나 일의 값으로 치르는 돈.

● **저렴하게**(기본형: 저렴하다) (물건 등의) 값이 싸게.

지문 독해

1 글쓴이가 이 글을 쓴 목적은 무엇인가요? ( )

① 무역이 소비자에게 이익이 된다는 것을 설득하기 위해

② 무역이 이루어지는 까닭에 대한 정보를 전달하기 위해

③ 우리나라가 무역 규모를 더 늘려야 한다고 설득하기 위해

④ 우리나라는 무역을 해야만 하는 국가라는 정보를 전달하기 위해

⑤ 우리나라에서 수출에 유리한 제품에 대한 정보를 전달하기 위해

내용 이해

2 이 글의 내용과 일치하는 것은 무엇인가요? ( )

① 우리가 일상생활에서 사용하는 모든 물건은 수입된 것들이다.

② 우리나라는 가난한 나라인 칠레를 돕기 위해 칠레와 무역을 한다.

③ 무역을 할 때는 자기 나라에서 비싼 것을 수출하는 것이 유리하다.

④ 무역은 자기 나라에 없거나 부족한 물품을 구하기 위해 시작되었다.

⑤ 생활에 필요한 물품이 풍족하게 생산되는 나라는 무역을 하지 않는다.

추론하기

3 다음 중 이 글을 읽고 추론한 내용을 알맞게 말하지 <u>못한</u> 친구는 누구인가요? ( )

① 수지: 무역은 수출을 많이 하는 나라에게만 이익이 되겠군.

② 우영: 필요한 것을 구하려면 수입과 수출을 모두 해야겠군.

③ 다미: 내가 사용하는 물건 중에도 수입된 외국 제품이 있겠군.

④ 선호: 무역을 안 하면 필요한 물건을 구하지 못할 수도 있겠군.

⑤ 가윤: 각 나라마다 잘 만드는 상품을 거래하는 것이 효율적이겠군.

적용하기

4 다음과 서로 관련 있는 것을 찾아 각각 선으로 이으세요.

(1) 수입 •   • ㉮ 나라와 나라 사이에서 재화나 서비스를 사고파는 것

(2) 수출 •   • ㉯ 다른 나라에서 재화나 서비스를 사 오는 것

(3) 무역 •   • ㉰ 자기 나라의 재화나 서비스를 다른 나라에 파는 것

1 정보 확인 다음 보기에서 이 글의 핵심어를 찾아 ○표를 하세요.

보기
| 수입, | 수출, | 무역, | 비용, | 재화, | 소비자 |

2 글의 구조 다음 빈칸을 채워 이 글의 내용을 정리해 보세요.

(   )의 개념

국가 간에 재화나 서비스를 사고파는 일

무역의 발생

국가에서 필요한 것을 구하기 위해 무역이 시작됨.

국가의 이익	( )의 이익
무역을 하는 국가 모두 더 적은 ( )을 들여 필요한 것을 구할 수 있음.	• 같은 물건을 더 저렴하게 살 수 있음. • 필요한 물건을 구하기 쉬움.

배경지식 **무역을 할 때 사용하는 돈, 기축 통화**

서로 화폐가 다른 나라끼리 무역 대금을 결제하기 위해서는 통일된 화폐 단위가 필요한데, 이때 사용되는 화폐를 '기축 통화'라고 한다. 현재 전 세계적으로 통용되는 기축 통화는 미국의 달러이다. 달러 이외에도 유로화나 엔화 같은 화폐도 무역에서 종종 사용된다.

	달러	유로	엔
발행 국가	미국의 화폐 단위	유럽 연합의 화폐 단위	일본의 화폐 단위
통화 기호	$	€	¥
화폐 예시			
보조 단위	다임(dime), 쿼터 달러, 센트(페니), 밀 [1달러 = 2.5쿼터 달러 = 10다임 = 100센트 = 1000밀]	센트 [1유로 = 100센트]	센, 린 [1엔 = 100센 = 1000린]

오늘의 어휘

다음 낱말의 알맞은 뜻을 찾아 선으로 이으세요.

일상생활 •   • 늘 하는 생활.

근본적 •   • (물건 등의) 값이 싸게.

정밀 •   • 어떤 일을 하는 데 드는 돈.

비용 •   • 무엇의 본질·바탕·기본을 이루는 것.

저렴하게 •   • 작은 부분까지 빈틈이 없고 자세한 것.

1 다음 문장의 빈칸에 들어갈 알맞은 말을 오늘의 어휘 에서 찾아 쓰세요.

- [   ]에서 꼭 필요한 물건들을 생필품이라고 한다.
- 처음에 계획하였던 것보다 여행 [   ]이 많이 들었다.
- 전통 시장에 가면 백화점보다 훨씬 [   ] 물건을 살 수 있다.
- 할아버지께서는 손에 혹이 생겨서 병원에서 [   ] 검사를 받으셨다.
- 외국처럼 자유로운 교육 환경이 되기 위해서는 [   ] 개혁이 필요하다.

2 다음 글에서 밑줄 친 말과 뜻이 반대되는 말을 찾아 보기 를 참고하여 기본형으로 쓰세요.

보기

기본형은 동사나 형용사의 기본이 되는 꼴로, 모두 '-다'로 끝난다.

무조건 <u>비싼</u> 것만 사려는 사람들이 있다. 그들은 비싸면 그만큼 품질이 좋다고 주장한다. 하지만 이런 소비 형태는 과소비로 이어질 가능성이 높다. 그러므로 우리는 저렴하면서도 품질이 좋은 것을 고르는 안목을 길러야 한다.

(   )

복지 정책은 왜 필요할까?

KEY WORD

복지 정책

글자 수

			1000
600	800	1000	1200

1 다리를 크게 다친 사람과 **건장한** 청년이 백 미터 달리기 시합을 한다고 가정해 보자. 과연 이 경기가 **공정**한 것일까? 그렇다고 보기 어렵다. 건장한 청년이 이길 것이 뻔하기 때문이다. 이 경기가 공정하려면 다리를 다친 사람이 다친 다리를 치료하고 난 뒤에 경기를 해야 한다. 아니면 다친 사람이 출발선보다 조금 앞에 서서 출발하거나 다친 다리를 **보완**할 수 있는 장치라도 마련해 준 뒤에 경기를 해야 할 것이다.

2 이처럼 사회적으로 좋지 못한 상황에 처해 있는 사람들에게 국가가 최소한의 생활을 보장하면서 공정한 경쟁이 이루어지도록 **제도적**으로 지원하는 것을 ㉠복지 정책이라고 한다. 그래서 복지 정책의 대부분은 저소득층, 노인, 장애인, **조손** 가정의 아동 같은 사회적 약자를 돕는 데 **치중하고** 있다. 사람은 누구나 사람답게 살 권리가 있는데, 타고난 조건이나 **불의**의 사고 등으로 그렇지 못하다면 최소한의 인간다운 삶을 살 수 있도록 국가가 돕는 것이 옳기 때문이다. 구체적으로는 기초 교육, 의료 보험, 공공 임대 주택, 최저 **생계**에 필요한 물품 등을 아주 싸게 또는 무료로 제공한다. 또한 일정 금액의 생활비나 주거비 등을 직접 지원하기도 한다.

3 복지 정책을 비판하는 사람들도 있다. 열심히 일한 사람들이 낸 세금으로 세금을 거의 내지 않는 사람들을 도우면 성실하게 일하는 사람들의 근로 의욕이 떨어져 사회에 부정적인 영향을 미치게 된다는 것이다.

4 하지만 복지 정책은 사회적 약자만이 아니라 실질적으로 전 국민을 대상으로 하는 것이다. 어려움에 처한 사람은 누구나 혜택을 받을 수 있기 때문이다. 복지 정책이 매우 잘되어 있는 나라는 국민이 어떤 상황에 처하더라도 인간다운 삶이 **훼손**되지 않도록 여러 가지 제도를 마련해 놓고 있다. 그래서 그런 나라의 국민은 생계에 대한 불안감을 거의 느끼지 않아도 되기에 자신이 하고 싶은 것을 하면서 살 수 있다. 이는 결국 복지 정책이 사회 구성원 모두의 행복감을 높일 수 있음을 의미한다. 그러므로 우리들의 더 나은 삶을 위해서 복지 정책을 더 적극적으로 시행해야 한다.

- **건장한**(기본형: 건장하다) 몸집이 크고 기운이 센.
- **공정**(公 공평할 공, 正 바를 정) 공평하고 올바름.
- **보완** 모자라는 것을 채워 완전하게 하는 것.
- **제도적** 사회생활에 필요한 일정한 방식이나 기준 등을 법률이나 제도로 규정하는 것.
- **조손**(祖 할아버지 조, 孫 손자 손) 할아버지, 할머니와 손자, 손녀를 함께 이르는 말.
- **치중하고** 어떤 것을 특히 중요하게 여기고.
- **불의**(不 아닐 불, 意 뜻 의) 미처 생각하지 못한 것.
- **생계**(生 날 생, 計 계획 계) 먹고 살 방법이나 형편.
- **훼손**(毁 헐 훼, 損 덜 손) (체면·명예 등을) 손상시키는 것.

5
10
15
20
25

지문 독해

1 주제

이 글의 주제로 가장 알맞은 것은 무엇인가요? (   )

① 복지 정책이 잘 마련되어 있는 나라의 특징
② 복지 정책을 비판적으로 보는 사람들의 주장
③ 복지 정책을 적극적으로 시행해야 하는 까닭
④ 사회적 약자에게 제공되는 복지 정책의 종류
⑤ 복지 정책이 지닌 긍정적인 면과 부정적인 면

2 전개 방식

1문단에서 읽는 이의 흥미를 끌기 위해 사용하고 있는 방법은 무엇인가요? (   )

① 문제가 되는 상황이 나타나게 된 원인을 다각도로 분석하고 있다.
② 개인적 경험을 언급하여 내용에 대한 독자의 공감을 유도하고 있다.
③ 널리 알려진 통념을 제시하고 그것이 지닌 문제점을 비판하고 있다.
④ 중심 화제와 관련된 상황을 가정하여 독자의 흥미를 자극하고 있다.
⑤ 독자와 직접적인 관련이 있는 내용을 제시하여 독자의 참여를 이끌어 내고 있다.

3 내용 이해

㉠에 대한 설명으로 알맞지 <u>않은</u> 것은 무엇인가요? (   )

① 누구나 사람답게 살 권리가 있다는 것을 실현하려 한다.
② 사회적 약자가 최소한의 인간다운 삶을 살 수 있도록 돕는다.
③ 경제적으로 어려운 계층에게 생활에 필요한 물품을 지원한다.
④ 누구나 하고 싶은 것을 하며 살 수 있도록 직업을 마련해 준다.
⑤ 공정한 경쟁이 이루어지는 사회가 되도록 제도적으로 지원한다.

4 적용하기

다음에서 설명하는 것을 **2**문단에서 찾아 두 어절로 쓰세요.

> 저소득층이나 노인, 장애인, 보호자가 없는 아동 등 사회적 재화나 지위를 획득할 수 있는 경쟁에서 뒤처져 있거나 사회적으로 소외된 사람들을 아울러 이르는 말로, 복지 정책의 주된 대상이 된다.

(   )

지문 분석

1 글의 특징 · 다음은 이 글의 특징입니다. 빈칸에 들어갈 알맞은 말을 쓰세요.

> 이 글은 (   )에 대한 자신의 주장을 알리고, 읽는 사람을 설득하는 논설문입니다. 글쓴이는 복지 정책은 (   )를 제도적으로 지원함으로써 사회에서 (   ) 경쟁이 이루어질 수 있도록 한다고 하였습니다. 또한 적극적인 복지 정책은 사회 구성원 전체의 행복감을 높인다고 주장하고 있습니다.

2 글의 구조 · 다음 표의 빈칸을 채워 이 글의 내용을 정리해 보세요.

> **1문단**
> (   )한 백 미터 달리기 시합을 가정
> • 다리를 다친 사람을 배려해야 함.

↓

> **2문단**
> 복지 정책의 필요성
> • (   ) 약자에게 최소한의 인간다운 삶 보장
> • 공정한 경쟁의 가능성 높임.

↑ 반론

> **3문단**
> 복지 정책에 대한 비판
> • (   )하게 일하는 사람들의 근로 의욕을 떨어뜨림.

↑ 반박

> **4문단**
> 적극적인 복지 정책
> • 사회 구성원 모두의 (   )을 높일 수 있음.

배경지식 '형식적 평등'과 '실질적 평등'

아래 두 그림 중에서 어느 것이 모두의 행복을 더 높일 수 있을까? 일반적으로 첫 번째 그림과 같은 상황을 '법 앞의 평등' 또는 '형식적 평등'이라고 하고, 두 번째 그림과 같은 상황을 '실질적 평등' 또는 '공정'이라고 한다. '실질적 평등'은 사회 구성원들의 합의와 적극적 참여에 의해서 가능하며, 사회 복지 정책은 대개 '실질적 평등'을 추구한다.

오늘의 어휘

다음 낱말의 알맞은 뜻을 찾아 선으로 이으세요.

건장한 •　　　　• 몸집이 크고 기운이 센.

보완 •　　　　• 미처 생각하지 못한 것.

치중하고 •　　　　• 어떤 것을 특히 중요하게 여기고.

불의 •　　　　• (체면·명예 등을) 손상시키는 것.

훼손 •　　　　• 모자라는 것을 채워 완전하게 하는 것.

1 다음 문장의 빈칸에 들어갈 알맞은 말을 **오늘의 어휘** 에서 찾아 쓰세요.

- 키가 크고 어깨가 떡 벌어진 [　　　　] 남자가 앞에 서 있었다.
- 여름 방학에 노는 데만 [　　　　] 공부는 하지 않아서 후회된다.
- 교사의 어이없는 행동 때문에 학교의 명예가 크게 [　　　　]됐다.
- 이 제도는 예상치 못한 부작용이 많아서 서둘러 [　　　　]해야 한다.
- 우리는 [　　　　]의 사고로 다친 철수를 위로하는 자리를 마련하였다.

2 다음 글에서 밑줄 친 말과 뜻이 반대되는 말을 찾아, **보기** 를 참고하여 기본형으로 쓰세요.

> **보기**
>
> 기본형은 동사나 형용사의 기본이 되는 꼴로, 모두 '-다'로 끝난다.

> 　그는 원래 1년에 몇 번씩 마라톤 대회에 나가 완주를 할 정도로 건장하였다. 그런데 불의의 병에 걸리면서 겨우 몇 년 사이에 혼자 외출하는 것도 힘들 만큼 허약해져 버렸다. 하지만 그는 포기하지 않고 병과 싸우고 있다.

(　　　　　　　　)

KEY WORD
체세포 복제

글자 수
922
600 800 1000 1200

⊙

① 1996년 7월 5일, **과학사**에 한 획을 긋는 사건이 일어났다. 바로 **복제** 양 '돌리'가 태어난 것이다. 돌리는 인간이 인위적으로 살아 있는 동물을 그대로 복제한 최초의 동물이다. 복제 양 돌리는 어미 양과 생김새, 울음소리, 몸의 구성 요소 등 모든 면이 똑같았다.

② 돌리는 '체세포 복제'로 탄생하였다. 먼저 복제하려는 동물의 체세포를 준비한다. 체세포는 정자나 난자 같은 생식 세포가 아니라 피부 조직이나 머리카락 등을 구성하는 세포이다. 이 체세포에서 DNA가 들어 있는 핵을 **빼낸**다. 이때, 복제하려는 동물과 같은 종류의 암컷에서 난자를 **채취**하여 핵을 미리 제거해 둔다. 그리고 이 난자에 체세포에서 빼낸 핵을 집어넣어 '복제 수정란'을 만든다. 이 복제 수정란을 같은 종의 다른 암컷의 몸속에 넣어 자라게 하면 복제 동물이 태어난다.

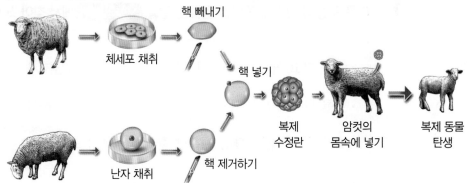

③ 자연적으로 동물은 난자와 정자가 만나 만들어진 수정란이 **분화**하면서 태어난다. 이 때문에 난자와 정자의 유전자를 절반씩 가지게 된다. 자녀가 부모를 모두 닮는 것은 이 때문이다. 그러나 체세포 복제 기술로 태어난 동물은 핵을 제공한 동물의 유전자만 복제 동물에게 전달된다. 따라서 핵을 제공한 동물과 똑같은 동물을 **무한정** 만들어 낼 수 있다.

④ 동물 복제 연구는 사회적으로는 인류의 식량난이나 **난치병** 같은 질병을 해결하는 데 **기여**할 것으로 기대된다. 또한 개인적으로는 반려동물이 죽었을 때, 그것과 똑같은 반려동물을 만들어 낼 수도 있을 것이다.

⑤ 그러나 체세포 복제 기술은 인간 복제도 가능하다는 문제가 있다. 실제로 2018년에는 원숭이 복제가 이루어졌다. 인간과 가까운 유인원의 복제에 성공했다는 것은 마음만 먹으면 인간도 복제할 수 있음을 의미한다. 하지만 인간 복제는 인간의 삶과 관계된 거의 모든 분야에서 예상치 못한 문제를 일으킬 수 있다. 그렇기 때문에 인간 복제를 전 세계 모든 나라에서 엄격하게 금지하고 있다.

5
10
15
20
25

• **과학사** 자연 과학의 변화와 발달에 관한 역사.

• **복제** 본래의 것과 똑같은 것을 만듦. 또는 그렇게 만든 것.

• **채취**(採 캘 채, 取 가질 취) 연구나 조사에 필요한 것을 찾거나 얻는 것.

• **분화**(分 나눌 분, 化 될 화) (본래 하나이던 것이) 여러 갈래로 나누어지는 것.

• **무한정** 끝이나 제한이 없는 것. 또는 끝이나 제한이 없이.

• **난치병** 고치기 어려운 병.

• **기여**(寄 부칠 기, 與 더불 여) 도움이 되도록 이바지함.

지문 독해

제목

1 ㉠에 들어갈 이 글의 제목으로 가장 알맞은 것은 무엇인가요? (   )

① 복제 양 '돌리'의 과학적 가치
② 생명체 복제 기술의 발전 과정
③ 체세포 복제 기술과 동물 복제
④ 일반적 동물과 복제 동물의 차이
⑤ 인간 복제의 긍정적 면과 부정적 면

내용 이해

2 이 글의 내용과 일치하지 <u>않는</u> 것은 무엇인가요? (   )

① 인간 복제는 전 세계에서 엄격하게 금지하고 있다.
② 체세포 복제 기술은 난자의 핵을 이용하지 않는다.
③ 동물 복제를 통해 질병이나 식량난을 해결할 수 있다.
④ 인간이 인위적으로 탄생시킨 최초의 복제 동물은 양이다.
⑤ 체세포 복제를 이용하면 부모의 유전자가 절반씩 전달된다.

내용 이해

3 다음 ㉮~㉱를 '체세포 복제' 과정에 맞게 순서대로 쓰세요.

> ㉮ 생식 세포인 난자와 체세포를 준비한다.
> ㉯ 복제 수정란을 다른 암컷의 몸속에 넣는다.
> ㉰ 난자의 핵을 제거하고, 체세포에서 핵을 빼낸다.
> ㉱ 핵을 제거한 난자에 빼낸 체세포의 핵을 집어넣는다.

(   ) → (   ) → (   ) → (   )

추론하기

4 다음 ㉮에 들어갈 관용어를 **1**문단에서 찾아 기본형으로 쓰세요.

> 둘 이상의 낱말이 결합하여, 각각의 단어들이 지닌 뜻과 다른 특별한 뜻으로 사용되는 관습적인 말을 관용어라고 한다. ' ㉮ '는 '어떤 범위나 시기를 분명하게 구분 짓다.'라는 뜻을 지닌 관용어로, 어떤 분야에서 큰 의미를 지닌 일이 일어났을 때 주로 사용된다.

(   )

지문 분석

1 문단 요약 다음은 이 글에 나타난 각 문단의 중심 내용입니다. 알맞은 것에 ○표, 틀린 것에 ×표를 하세요.

1문단	어미의 유전자와 동일한 최초의 복제 양 '돌리'	( )
2문단	체세포 복제를 통한 복제 동물의 탄생 과정	( )
3문단	자녀가 부모를 모두 닮을 수 있는 까닭	( )
4문단	반려동물을 잃은 사람들을 위해 생긴 동물 복제 기술	( )
5문단	인간 복제의 위험성을 지닌 체세포 복제 기술	( )

2 글의 구조 다음 표의 빈칸을 채워 이 글의 내용을 정리해 보세요.

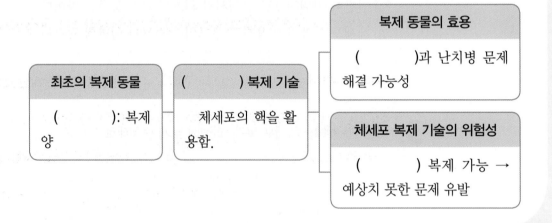

최초의 복제 동물
( ): 복제 양

( ) 복제 기술
체세포의 핵을 활용함.

복제 동물의 효용
( )과 난치병 문제 해결 가능성

체세포 복제 기술의 위험성
( ) 복제 가능 → 예상치 못한 문제 유발

배경지식 ## 체세포 복제 기술을 이용한 주요 '복제 동물'

1996년 복제 양을 최초로 탄생시킨 이후 과학자들은 인간을 제외한 거의 모든 동물에 대해 복제 실험을 하고 있다. 최근에는 멸종되었거나 멸종 위기에 처한 동물을 복제하려는 실험이 널리 이루어지고 있다.

1996년 양 → 1998년 소 → 2000년 돼지 → 2002년 고양이

2018년 원숭이 ← 2011년 흑우 ← 2005년 늑대 ← 2003년 말

오늘의 어휘

다음 낱말의 알맞은 뜻을 찾아 선으로 이으세요.

과학사 •   • 도움이 되도록 이바지함.

복제 •   • 자연 과학의 변화와 발달에 관한 역사.

채취 •   • 연구나 조사에 필요한 것을 찾거나 얻는 것.

분화 •   • (본래 하나이던 것이) 여러 갈래로 나누어지는 것.

기여 •   • 본래의 것과 똑같은 것을 만듦. 또는 그렇게 만든 것.

1 다음 문장의 빈칸에 들어갈 알맞은 말을 〈오늘의 어휘〉에서 찾아 쓰세요.

- 이 그림은 유명 화가의 작품을 [   ] 한 것이다.
- 마리 퀴리는 [   ] 에 길이 남을 업적을 남겼다.
- 과학 수사대가 사건 현장에 와서 지문을 [   ] 하였다.
- 그는 세계 평화에 [   ] 하여 노벨 평화상을 수상하였다.
- 직업이 [   ] 되고 전문화됨에 따라 그 종류 또한 다양해졌다.

2 다음 글에서 밑줄 친 말과 뜻이 비슷한 말을 찾아 두 글자로 쓰세요.

수학은 어렵기만 하지 우리의 삶에 별다른 기여를 하지 않는 것처럼 느껴진다. 하지만 수학은 컴퓨터의 개발에 큰 역할을 하기도 했고, 사회 정책을 펼치는 데도 수학의 통계를 빼놓을 수 없으며, 도로나 터널 공사에서도 수학은 필수적이다. 이처럼 수학은 인류의 삶의 질을 높이는 데 보이지 않게 <u>이바지</u>하고 있다.

(   )

지구의 자전이 멈추면 어떻게 될까?

1 지구는 남극점과 북극점을 직선으로 잇는 **가상**의 축을 중심으로 23.5° 기울어진 채 시계 반대 방향으로 돌고 있다. 이것을 자전이라고 하는데, 지구가 한 번 자전하는 데는 24시간이 걸린다. **극지방**을 제외한 지역에서 낮과 밤이 매일 반복되는 것은 지구가 자전하기 때문이다.

2 지구의 자전 속력은 약 시속 1670km이다. 이것은 지구 위에 있는 모든 것이 자전 속력만큼 움직이고 있음을 의미한다. 다만 우리가 그것을 느끼지 못하고 있을 뿐이다. 이는 빠르게 이동하는 버스 안에 있는 승객이 자신이 이동하고 있다는 것을 잘 느끼지 못하는 것과 같다. 버스의 바깥 풍경을 보면서 간접적으로 알 수 있을 뿐이다. 엄청난 속력으로 자전하는 지구에서 우리가 볼 수 있는 바깥 풍경은 해와 달, 별 들이다. 따라서 하늘을 계속 바라보면 해와 달, 별 들이 한쪽 방향으로 이동하는 것처럼 보인다.

3 그런데 지구의 자전이 멈추면 어떤 일이 생길까? 지구의 자전이 멈추는 순간 지구상의 모든 것이 최대 시속 1670km의 속력으로 튕겨 나갈 것이다. 빠른 속력으로 달리던 버스가 갑자기 **급정거**하면 그 버스 안에 서 있던 승객들이 버스가 달리던 방향으로 튕겨 나가는 것과 같다. 이렇게 되면 지구상의 거의 모든 건축물과 자연환경이 파괴될 것이고 많은 사람들이 죽을 것이다.

4 이후에는 곧장 최대 시속 1670km의 강력한 바람이 불어올 것이다. 지구상의 공기도 우리와 함께 움직이고 있었기 때문이다. 태풍의 최대 속력이 시속 200km **내외**라는 점을 **고려**할 때, 최대 시속 1670km의 바람의 파괴력은 상상하기도 어렵다. 그리고 거대한 **해일**이 육지를 덮칠 것이다. 바람과 해일이 덮친 결과 남아 있던 건축물과 자연환경마저 모두 파괴될 것이고, 대부분의 사람은 죽게 될 것이다.

5 바람과 해일 등에서 운 좋게 살아남더라도 기후 변화가 이어질 것이다. 지구의 자전이 멈추면서 낮과 밤이 몇 달 혹은 1년을 기준으로 바뀌게 될 것이다. 그런데 낮에는 **열탕**같이 기온이 올라가고 밤에는 냉동 창고같이 기온이 떨어질 것이다. 그나마 살아남은 사람들도 이런 **극심한** 기온 차는 견디기 어려워 결국 모두 죽게 될 것이다.

5

10

15

20

25

• **가상**(假 거짓 가, 想 생각 상) 사실이 아닌 것을 사실처럼 지어낸 것.

• **극지방**(極 지극할 극, 地 땅 지, 方 모 방) 남극 지방과 북극 지방.

• **급정거** 자동차나 기차 등이 급히 멈추어 서는 것. 또는 차를 급히 세우는 것.

• **내외**(內 안 내, 外 바깥 외) (수를 나타내는 말 뒤에 써서) 약간 덜하거나 넘는 것.

• **고려** 관련된 여러 가지 사정을 자세히 따져서 생각하는 것.

• **해일** 갑자기 파도가 크게 일어 육지로 넘쳐 들어오는 현상.

• **열탕**(熱 더울 열, 湯 끓일 탕) ① 40도 정도의 뜨거운 물. ② 100도에 가까운 온도의 물.

• **극심한** (주로 나쁜 일의 정도가) 매우 심한.

지문 독해

1 목적

글쓴이가 이 글을 쓴 목적은 무엇인가요? ( )

① 해와 달이 동쪽에서 떠서 서쪽으로 지는 까닭을 설명하려고

② 언젠가는 지구상의 모든 생명체가 사라질 것이라고 주장하려고

③ 인간의 욕심이 지구의 자전을 멈추게 할 수도 있음을 경고하려고

④ 지구의 자전이 멈추면 지구에 어떤 일이 일어나는지를 설명하려고

⑤ 지구의 자전이 멈추었을 때 어떻게 행동해야 하는지를 알려 주려고

2 전개 방식

1문단과 2문단에서 각각 사용된 설명 방식을 보기에서 골라 기호를 쓰세요.

보기

㉮ 두 가지 이상의 대상을 견주어 공통점을 드러내는 방법

㉯ 어려운 내용을 친숙한 다른 상황에 빗대어 설명하는 방법

㉰ 어떤 개념의 내용이나 용어의 뜻을 명확하게 제시하는 방법

㉱ 전체를 그 구성 요소나 여러 부분으로 나누어 설명하는 방법

(1) 1문단: ( ) (2) 2문단: ( )

3 추론하기

이 글을 읽고 짐작한 것으로 알맞지 <u>않은</u> 것은 무엇인가요? ( )

① 지구가 자전할 때 햇빛이 비치지 않는 지역이 밤이 되겠군.

② 지구의 자전이 멈추면 인간이 지구에서 살아남기 어렵겠군.

③ 지구의 자전이 멈추어도 낮과 밤의 길이는 지금과 동일하겠군.

④ 해가 아침에 뜨고 저녁에 지는 것은 지구의 자전을 증명하는군.

⑤ 자전이 멈추는 순간 사람들이 시계 반대 방향으로 튕겨 나가겠군.

4 내용 이해

다음은 지구의 자전이 멈추었을 때 일어날 수 있는 현상들입니다. 일어나는 순서대로 기호를 쓰세요.

㉮ 최대 시속 1670km의 바람이 불고 거대한 해일이 덮친다.

㉯ 낮과 밤의 길이가 길어지면서 밤낮의 기온 차가 극심해진다.

㉰ 지구상의 모든 것이 최대 시속 1670km의 속력으로 튕겨 나간다.

( ) → ( ) → ( )

지문 분석

1 정보 확인 다음 빈칸에 들어갈 알맞은 말을 이 글에서 찾아 쓰세요.

> 이 글은 [   ]의 [   ]이 멈추었을 때 일어나는 일을 설명하고 있다.

2 글의 구조 다음 표의 빈칸을 채워 이 글의 내용을 정리해 보세요.

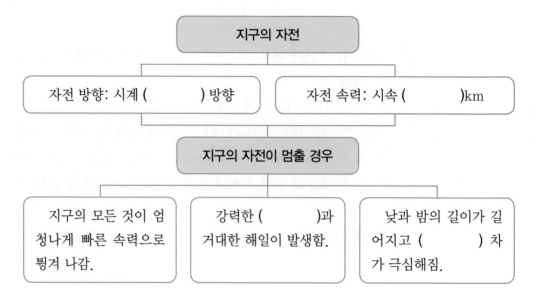

지구의 자전

자전 방향: 시계 (   ) 방향

자전 속력: 시속 (   )km

지구의 자전이 멈출 경우

지구의 모든 것이 엄청나게 빠른 속력으로 튕겨 나감.

강력한 (   )과 거대한 해일이 발생함.

낮과 밤의 길이가 길어지고 (   ) 차가 극심해짐.

배경지식 지구의 자전이 만든 가상의 힘, '전향력'

지구가 자전을 하기 때문에 적도에서 극지방 방향이나, 극지방에서 적도 방향으로 어떤 것을 쏘았을 때, 그 물체가 처음 발사된 방향과 다르게 이동하는 현상이 나타난다. 이를 '전향력'이라고 하는데, 북반구에서는 물체가 향한 최초의 방향에서 오른쪽으로, 남반구에서는 왼쪽으로 휘어진다. (※ 전향력: '방향을 바꾸는 힘.'이라는 뜻)

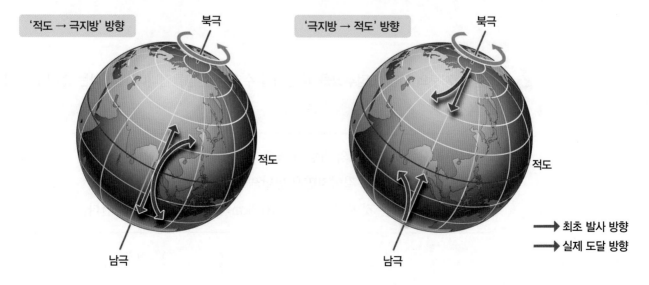

'적도 → 극지방' 방향 북극 적도 남극

'극지방 → 적도' 방향 북극 적도 남극

⟶ 최초 발사 방향
⟶ 실제 도달 방향

오늘의 어휘

다음 낱말의 알맞은 뜻을 찾아 선으로 이으세요.

가상 •

• (주로 나쁜 일의 정도가) 매우 심한.

내외 •

• 사실이 아닌 것을 사실처럼 지어낸 것.

고려 •

• 관련된 여러 가지 사정을 자세히 따져서 생각하는 것.

열탕 •

• (수를 나타내는 말 뒤에 써서) 약간 덜하거나 넘는 것.

극심한 •

• ① 40도 정도의 뜨거운 물. ② 100도에 가까운 온도의 물.

1 다음 문장의 빈칸에 들어갈 알맞은 말을 **오늘의 어휘** 에서 찾아 쓰세요.

- 어떤 일이든지 현실을 [   ]해서 계획을 세워야 한다.

- 우리는 10만 원 [   ]의 적은 비용으로 여행을 다녀왔다.

- 이 음식점에서는 청결을 위해 모든 도구를 [   ]으로 소독한다.

- 몇 달 동안 이어진 [   ] 가뭄으로 인해 씻을 물마저 부족한 상황이다.

- 선생님께서는 평소에도 안 좋은 일이 생길 것을 [   ]하고 대비하신다.

2 다음 글에서 밑줄 친 말과 뜻이 반대되는 말을 찾아 두 글자로 쓰세요.

가상 공간에서는 <u>실재</u> 세계에서 직접 경험할 수 없거나 위험한 일들을 얼마든지 체험할 수 있다. 예를 들어 운전 연습이나 운동도 화면을 통해 가상으로 할 수 있고, 화재 등의 재난 상황도 가상으로 대피 연습을 할 수 있다.

(   )

백신의 작동 원리

1 미생물 중에서 세균과 바이러스는 우리 몸에 질병을 일으킨다. 세균이 일으키는 병은 그 세균을 없애거나 **번식**을 못 하게 하는 약을 **투여**하면 어렵지 않게 **완치**할 수 있다. 세균으로 인한 대표적인 전염병에는 결핵, 콜레라, 흑사병 등이 있는데, 대부분은 **항생제** 같은 치료제가 개발되어 있다. 하지만 병에 걸리면 매우 고통스러우므로 사전에 예방하는 것이 좋다.

2 하지만 바이러스로 인한 질병은 세균에 의한 질병과 달리 치료제 개발이 어렵다. 바이러스는 조직 구조가 단순하여 **변이**가 쉽게 일어나기 때문이다. 예를 들어 우리가 흔히 앓는 감기나 독감은 바이러스로 인한 것인데, 아직도 감기나 독감을 완전히 낫게 하는 치료제는 개발되지 않았다. 감기약은 감기 바이러스 자체를 없애는 것이 아니라 나타나는 증상을 치료하거나 우리 몸의 면역력을 강화하는 역할을 할 뿐이다. 따라서 바이러스로 인한 질병은 치료보다는 예방이 최선이다.

3 백신은 우리 몸의 면역 기능을 이용하여 바이러스나 세균에 의한 질병을 예방한다. 그렇다면 면역이란 무엇일까? 면역은 외부에서 우리 몸에 들어온 세균이나 바이러스, **이물질** 등을 공격하여 신체를 지키는 방어 체제이다. 이 때문에 외부에서 미생물이나 이물질이 몸속으로 들어오면 그것을 위험한 것으로 여기고 마구 공격한다. 그리고 일단 한 번이라도 몸속으로 침입한 미생물이나 이물질은 기억해 두었다가 다음에 그것이 다시 몸속으로 침입할 때 빠르고 효과적으로 공격할 수 있게 한다. 이때 질병을 일으키는 외부 미생물이나 이물질을 항원, 그것을 기억하였다 대항할 수 있도록 이끄는 면역 물질을 항체라고 한다.

4 백신은 질병을 일으키는 세균이나 바이러스의 **독성**을 **인위적**으로 아주 약하게 만들거나 없앤 물질이다. 따라서 백신이 질병을 일으키지는 않는다. 우리 몸에 백신을 주사하면 우리 몸의 면역 체계는 그것에 대한 항체를 만든다. 이를 통해 백신에 들어 있던 세균이나 바이러스가 침입할 때 효과적으로 대항할 수 있는 면역력을 갖추는 것이다. 백신은 이런 원리로 특정 질병으로부터 우리 몸을 지킬 수 있도록 예방한다.

5
10
15
20
25

KEY WORD

백신

글자 수

1009
600 800 1000 1200

- **번식(繁** 많을 번, **殖** 번성할 식) 생물의 수가 늘거나 널리 퍼지는 것.
- **투여(投** 던질 투, **與** 더불 여) (주로 약을) 먹이거나 주사하는 것.
- **완치(完** 완전할 완, **治** 다스릴 치) 병을 완전히 고치는 것.
- **항생제** 몸에 들어오는 세균이나 미생물의 번식을 막는 약품.
- **변이(變** 변할 변, **異** 다를 이) 같은 종에서 성별, 나이와 관계없이 모양과 성질이 다른 개체가 존재하는 현상.
- **이물질** 정상적이 아닌 다른 물질.
- **독성** 병원균(병의 원인이 되는 균)이 질병을 일으킬 수 있는 능력.
- **인위적** 어떤 목적을 위해 사람의 힘으로 일부러 만든 것.

지문 독해

핵심어

1 이 글에서 가장 중심이 되는 낱말을 찾아 쓰세요.

(   )

내용 이해

2 이 글의 내용과 일치하는 것은 무엇인가요? (   )

① 감기나 독감을 일으키는 세균은 변이가 쉽게 일어난다.

② 세균으로 인한 전염병은 치료하는 약의 개발이 어렵다.

③ 바이러스로 인한 질병은 예방하는 것이 최선의 방법이다.

④ 백신은 세균이나 바이러스가 시간이 지나며 약해진 것이다.

⑤ 우리 몸은 경험하지 못한 세균이나 바이러스에 무기력하다.

추론하기

3 이 글을 읽고 나타낸 반응으로 알맞지 <u>않은</u> 것은 무엇인가요? (   )

① 백신은 질병을 직접 치료하는 약이 아니라 예방하는 약이군.

② 세균으로 인해 발생하는 전염병은 치료나 예방이 가능하겠군.

③ 면역 체계는 세균이나 바이러스로부터 우리 몸을 지켜 주는군.

④ 약국에서 파는 감기약은 감기 바이러스를 퇴치하는 것이 아니군.

⑤ 외부에서 바이러스가 침투하면 우리 몸은 항원을 만들어 내는군.

어휘·어법

4 다음 중 **4**문단에서 알 수 있는 백신을 맞는 까닭을 가장 잘 나타낼 수 있는 한자 성어는 무엇인가요? (   )

① 진퇴양난: 빠져나올 수 없는 곤란한 상황을 뜻하는 말.

② 주경야독: 낮에는 일하고 밤에는 글을 읽는 것을 뜻하는 말.

③ 유비무환: 평소에 준비를 철저히 해 놓으면 후에 근심이 없다는 말.

④ 산해진미: 산과 바다에서 나는 온갖 귀한 먹을거리로 만들어 상에 차린 맛 좋은 음식들을 뜻하는 말.

⑤ 천고마비: 하늘이 높고 말이 살찐다는 뜻으로, 하늘이 맑아 높푸르게 보이고 온갖 곡식이 익는 가을철을 뜻하는 말.

지문 분석

1 정보 확인 **다음은 이 글에서 알 수 있는 내용입니다. 빈칸에 들어갈 알맞은 말에 ○표를 하세요.**

- 외부에서 들어온 세균이나 바이러스, 이물질 등을 공격하여 신체를 지키는 우리 몸의 방어 체제를 (백신, 면역)이라고 한다.
- 우리 몸속으로 들어와 질병을 일으키는 외부 미생물이나 이물질을 (항원, 항체)이라고 하고, 그것을 기억하였다 대항할 수 있도록 이끄는 면역 물질을 (항원, 항체)라고 한다.

2 중심 내용 **다음은 이 글의 중심 내용입니다. 빈칸에 들어갈 알맞은 말을 쓰세요.**

질병은 세균이나 (   )가 일으킨다. (   )은 이런 세균이나 바이러스를 아주 약하게 만들거나 없앤 물질로, 우리 몸의 (   ) 체계를 활용하여 (   )를 만들게 한다. 우리는 백신을 맞음으로써 백신에 해당하는 질병을 예방할 수 있다.

배경지식 세균(박테리아)과 바이러스의 구조

세균(박테리아)과 바이러스는 모두 모양이 매우 다양하며, 아래의 그림은 표준적인 모형이다. 그리고 바이러스의 캡시드는 모양이 매우 다양하며, 피막 없이 핵산과 캡시드로만 구성된 바이러스도 있다.

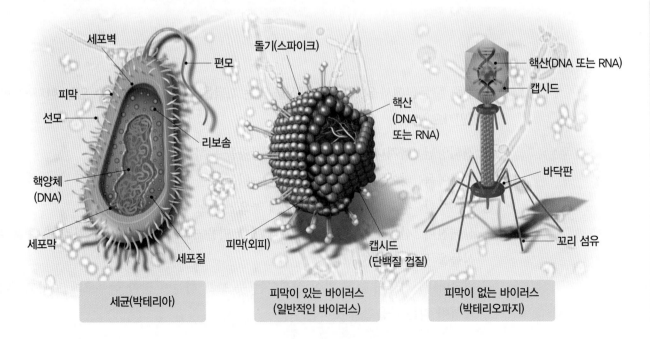

세포벽 · 편모 · 피막 · 선모 · 리보솜 · 핵양체(DNA) · 세포막 · 세포질

세균(박테리아)

돌기(스파이크) · 핵산(DNA 또는 RNA) · 피막(외피) · 캡시드(단백질 껍질)

피막이 있는 바이러스 (일반적인 바이러스)

핵산(DNA 또는 RNA) · 캡시드 · 바닥판 · 꼬리 섬유

피막이 없는 바이러스 (박테리오파지)

오늘의 어휘

다음 낱말의 알맞은 뜻을 찾아 선으로 이으세요.

번식 •　　　　　• 정상적이 아닌 다른 물질.

투여 •　　　　　• (주로 약을) 먹이거나 주사하는 것.

변이 •　　　　　• 생물의 수가 늘거나 널리 퍼지는 것.

이물질 •　　　　　• 어떤 목적을 위해 사람의 힘으로 일부러 만든 것.

인위적 •　　　　　• 같은 종에서 성별, 나이와 관계없이 모양과 성질이 다른 개체가 존재하는 현상.

1 다음 문장의 빈칸에 들어갈 알맞은 말을 **오늘의 어휘** 에서 찾아 쓰세요.

- 습기가 많은 곳에서는 세균이나 곰팡이가 ＿＿＿＿＿ 하기 쉽다.
- 흰 진달래는 본래 분홍색인 진달래가 우연히 ＿＿＿＿＿ 된 것이다.
- 가죽옷은 솔질을 자주 하여 옷에 묻은 ＿＿＿＿＿ 을 제거해야 한다.
- 요즘은 식물이나 생물의 유전자를 ＿＿＿＿＿ 으로 조작하기도 한다.
- 노약자에게 이 약을 함부로 ＿＿＿＿＿ 하면 부작용이 일어날 수 있다.

2 다음 글에서 밑줄 친 말과 뜻이 반대되는 말을 찾아 세 글자로 쓰세요.

　　우리나라의 옛 건축물은 요즘과 달리 주변 환경과 어울리도록 지어서 자연적인 느낌이 나도록 하였다. 이를 위해 나무나 돌 같은 건축 재료도 가능한 한 인위적인 가공을 하지 않았고, 담을 쌓을 때도 경치가 가려지지 않도록 세심하게 지었다.

(　　　　　　　　　)

빛의 속력에 대한 연구

1 중세 시절까지는 빛의 속력이 **무한**하다고 생각하였다. 17세기 초 갈릴레이는 이런 생각에 의문을 품었다. 갈릴레이는 지구가 태양의 주위를 돈다는 지동설을 주장하였던 과학자이다. 직접 관찰하고 실험하는 것을 중시하였던 갈릴레이는 빛의 속력이 무한한지 **유한**한지는 실험을 해 봐야 알 수 있다고 생각했다.

2 갈릴레이의 실험 방법은 다음과 같다. 먼저 약 1.6km 떨어진 산꼭대기 두 곳에 각각 램프를 든 사람을 세워 둔다. 그런 다음, 그중 한 사람이 램프 뚜껑을 열어 빛 신호를 다른 한쪽에 보낸다. 다른 한쪽은 그 빛 신호를 보자마자 자신의 램프 뚜껑을 열어 상대에게 빛을 보내 준다. 갈릴레이는 한쪽이 자신의 램프 뚜껑을 열고 난 뒤에 다른 한쪽이 보낸 빛을 볼 때까지 걸린 시간이, 빛이 두 사람을 왕복하는 데 걸린 시간으로 보았다. 그리고 그 시간을 측정하여 빛의 속력을 구하려 하였다. 　　㉠　　 이 실험은 **현실성**이 없어 실패하였다. 빛이 산꼭대기에 있는 두 사람 사이를 왕복하는 시간은 약 10만 분의 1초에 불과했는데, 당시 기술로는 이 시간을 측정할 수 없었기 때문이다. 그러나 갈릴레이의 시도는 빛의 속력을 측정하려는 노력의 **시초**가 되었다.

3 빛의 속력이 유한하다는 사실은 갈릴레이가 죽은 지 30여 년이 지난 17세기 후반 덴마크의 **천문**학자 뢰메르가 증명하였다. 뢰메르는 오랫동안 목성의 천문 현상을 관찰한 결과 빛의 속력이 **초속** 21만km라고 계산하였다. 이 값은 최초로 빛의 속도를 측정했다는 데에 **의의**가 있다.

4 19세기 중반 프랑스의 물리학자 피조는 반투명한 **은박** 거울과 정밀한 톱니바퀴, 볼록렌즈 등으로 빛을 관측하는 장치를 만들었다. 그리고 약 8.6km의 거리를 빛이 왕복한 시간을 측정해 빛의 속력이 초속 31만 300km라고 제시하였다. 이는 현재 밝혀진 빛의 속력과 약 4.5% 차이밖에 나지 않는다. 당시 기술을 고려할 때 이는 매우 정확하다고 할 수 있다. 이후 푸코, 마이컬슨 등 많은 과학자들의 지속적인 연구 끝에 빛의 속력이 초속 299792458m라는 사실이 밝혀졌다.

KEY WORD

빛의 속력

글자 수

998
600　800　1000　1200

- **무한**(無 없을 무, 限 한계 한) (수량·정도·크기 등에) 한계가 없는 것.

- **유한**(有 있을 유, 限 한계 한) (수량·정도·크기 등에) 한계가 있는 것.

- **현실성**(現 나타날 현, 實 열매 실, 性 성품 성) 실제로 있거나 일어날 수 있는 것.

- **시초** 맨 처음.

- **천문**(天 하늘 천, 文 글월 문) 우주와 천체에 관한 온갖 현상과 법칙.

- **초속** 1초 동안에 움직이는 거리를 나타낸 속도.

- **의의** 어떤 사실·말·행동 등의 중요성이나 가치.

- **은박** 은 또는 은과 같은 빛깔의 재료를 종이와 같이 얇게 만든 물건.

지문 독해

글의 특징

1 이 글에 대한 설명으로 알맞은 것은 무엇인가요? (   )

① 빛이 지닌 특성을 구체적 사례를 들어 쉽게 설명하고 있다.

② 빛의 속력을 측정하기 위한 과학적 장치들을 비교하고 있다.

③ 빛의 속력을 구한 과정을 시간의 흐름에 따라 설명하고 있다.

④ 빛의 속력이 지구에 미치는 영향을 과학적으로 분석하고 있다.

⑤ 빛의 속력에 관한 여러 이론을 제시한 뒤 하나로 통합하고 있다.

내용 이해

2 이 글의 내용과 일치하지 <u>않는</u> 것은 무엇인가요? (   )

① 옛날 사람들은 대부분 빛의 속력이 무한하다고 여겼다.

② 뢰메르는 최초로 빛의 속력이 유한하다는 것을 증명하였다.

③ 뢰메르는 갈릴레이의 실험을 보완하여 빛의 속도를 측정하였다.

④ 갈릴레이가 살았던 시대에는 빛의 속력을 측정할 기술이 없었다.

⑤ 피조는 당시 기술로는 비교적 정확하게 빛의 속력을 계산하였다.

어휘·어법

3 ㉠에 들어갈 알맞은 이어 주는 말은 무엇인가요? (   )

① 그래서   ② 그리고   ③ 예컨대

④ 하지만   ⑤ 왜냐하면

적용하기

4 다음 인물의 업적으로 알맞은 것을 찾아 각각 선으로 이으세요.

(1) 갈릴레이 •   • ㉮ 목성을 관찰하여 빛의 속도가 유한하다는 것을 밝혀냄.

(2) 뢰메르 •   • ㉯ 빛의 속력을 측정하는 실험을 시도함.

(3) 피조 •   • ㉰ 과학적 실험으로 빛의 속도를 비교적 정확하게 측정함.

지문 분석

1 정보 확인 　다음 빈칸에 들어갈 알맞은 말을 이 글에서 찾아 쓰세요.

> 이 글은 '〔　　　　　〕'의 '〔　　　　　〕'을 구하기 위해 과학자들이 해 온 연구를 설명하고 있다.

2 글의 구조 　다음 표의 빈칸을 채워 이 글의 내용을 정리해 보세요.

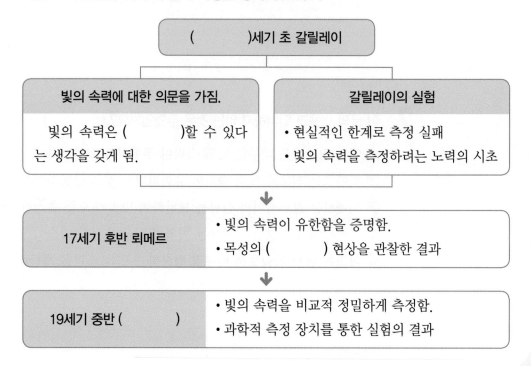

（　　　）세기 초 갈릴레이

빛의 속력에 대한 의문을 가짐.	갈릴레이의 실험
빛의 속력은 （　　　　）할 수 있다는 생각을 갖게 됨.	• 현실적인 한계로 측정 실패 • 빛의 속력을 측정하려는 노력의 시초

⬇

17세기 후반 뢰메르	• 빛의 속력이 유한함을 증명함. • 목성의 （　　　） 현상을 관찰한 결과

⬇

19세기 중반 （　　　）	• 빛의 속력을 비교적 정밀하게 측정함. • 과학적 측정 장치를 통한 실험의 결과

배경지식　빛의 종류

빛은 입자와 피동의 성질을 모두 지니고 있다. 즉 멀리서 보면 일직선으로 보이지만 빛의 입자 하나만 보면 파동을 이루며 움직인다. 파동의 움직임을 '파장'이라고 하는데, 파장의 길이에 따라 빛의 종류와 성질이 달라진다.

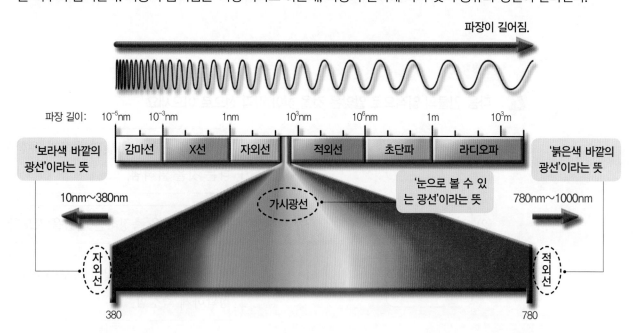

파장이 길어짐.

파장 길이: $10^{-5}nm$　$10^{-3}nm$　1nm　10^3nm　10^6nm　1m　10^3m

| 감마선 | X선 | 자외선 | 적외선 | 초단파 | 라디오파 |

'보라색 바깥의 광선'이라는 뜻

'붉은색 바깥의 광선'이라는 뜻

10nm~380nm

'눈으로 볼 수 있는 광선'이라는 뜻

780nm~1000nm

가시광선

자외선　　　　　　적외선

380　　　　　　　　780

오늘의 어휘

다음 낱말의 알맞은 뜻을 찾아 선으로 이으세요.

무한 •   • 맨 처음.

유한 •   • 실제로 있거나 일어날 수 있는 것.

현실성 •   • (수량·정도·크기 등에) 한계가 있는 것.

시초 •   • (수량·정도·크기 등에) 한계가 없는 것.

의의 •   • 어떤 사실·말·행동 등의 중요성이나 가치.

1 다음 문장의 빈칸에 들어갈 알맞은 말을 오늘의 어휘 에서 찾아 쓰세요.

- 그 사건을 [   ]로 하여 많은 모방 범죄가 일어났다.
- 이번 연구는 세계 최초라는 점에서 그 [   ]가 크다.
- 그의 아이디어는 매우 특이한 것이었지만 [   ]이 없었다.
- 청소년에게는 무엇이든 할 수 있는 [   ]한 가능성이 있다.
- 우리의 생명은 [   ]하므로 하루하루를 소중히 여겨야 한다.

2 다음 글에서 밑줄 친 말과 뜻이 반대되는 말을 찾아 두 글자로 쓰세요.

컴퓨터를 이용한 통신의 시초는 전화선을 이용한 PC 통신이었다. 그러나 곧 인터넷 전용선이 전국에 설치되면서 PC 통신은 오래지 않아 종말을 맞이했다. 그리고 지금은 무선 통신 기술이 발달하여 전국 어디에서나 인터넷을 사용할 수 있게 되었다.

(   )

KEY WORD

무인 자동차

글자 수

			1007
600	800	1000	1200

머지않아 다가올 무인 자동차 시대

1 자동차를 탄 뒤 잠을 자거나 게임을 하는 동안 자동차가 알아서 목적지까지 데려다준다면 얼마나 편할까? 게다가 자동차가 주차까지 직접 해 준다면 어떨까? 머지않은 미래에 이런 일이 실제로 일어날 것으로 보인다. 사람이 직접 운전하지 않아도 되는 자율 **주행** 자동차가 곧 **상용화**될 예정인데, 이 자율 주행 자동차가 더 발전하면 **무인** 자동차가 될 것이기 때문이다.

2 무인 자동차는 인공 지능을 갖추고 있어서 면허증이 있는 운전자가 **탑승**하지 않아도 알아서 목적지까지 찾아가는 자동차를 말한다. 자동차 스스로 도로 사정을 파악하여 **최적**의 경로를 찾고, 주차까지 알아서 하는 것이다. 이런 자동차를 만들기 위해서는 도로 상황을 파악할 수 있는 다양한 센서와 영상 카메라, 레이저 스캐너, 위성 위치 확인 시스템(GPS) 같은 장치를 비롯하여, 여러 가지 상황에서 최선의 판단을 내릴 수 있는 최첨단 인공 지능 기술까지 필요하다.

3 ㉠무인 자동차 시대가 되면 우리의 일상생활이 크게 바뀔 것이다. 우선, **노약자**나 장애인 등 교통 약자가 편하게 이동할 수 있다. 무인 자동차가 직접 승객이 있는 곳까지 와서 목적지까지 안전하게 이동시켜 주기 때문이다. 그리고 교통사고가 지금보다 줄어들 것이다. 세계 보건 기구의 통계에 따르면 교통사고의 90%가 운전자 실수에 따른 것이다. 그러나 무인 자동차 시대가 되면 사람의 실수로 인한 교통사고는 거의 일어나지 않을 것이다. 또한 자동차나 주차장 등 교통 시설을 효율적으로 이용할 수 있을 것이다. 그리고 운전 가능 연령 제한이나 운전면허가 없어질 가능성이 높다.

4 하지만 해결하기 어려운 문제도 있다. 무엇보다 교통사고가 일어날 경우 책임 **소재**가 **불분명하다**. 즉 그때 차를 이용하던 사람, 무인 자동차를 만든 회사, 무인 자동차의 인공 지능을 설계한 개발자 중 누구에게 사고의 책임이 있는지 애매해진다. 그리고 무인 자동차의 인공 지능을 설계할 때, 주행 도중 어쩔 수 없이 누군가의 희생을 선택해야 하는 위급 상황에서 어떠한 결정을 내리도록 해야 하는가 같은 윤리적 문제도 해결하기 어렵기 때문이다.

5

10

15

20

25

- **주행**(走 달릴 주, 行 다닐 행) 주로 동력으로 움직이는 자동차나 열차 등이 달림.

- **상용화** 일상생활에서 쉽게 쓸 수 있도록 만드는 것.

- **무인**(無 없을 무, 人 사람 인) (탈 것이나 기계 등이 자동으로 움직여) 운전하거나 작동하는 사람이 없는 것.

- **탑승** (배나 비행기·차 등에) 올라타는 것.

- **최적** 가장 알맞은 것.

- **노약자**(老 늙을 노, 弱 약할 약, 者 놈 자) 늙은이와 약한 사람.

- **소재** (어떤 사람이나 사물 등이) 있는 곳.

- **불분명하다** 분명하지 않다. 또는 분명하지 못하다.

지문 독해

중심 내용

1 이 글의 중심 내용은 무엇인가요? ( )

① 우리가 만들어 가야 할 미래 사회

② 자동차로 인한 교통사고를 줄일 방법

③ 무인 자동차의 장점과 해결해야 할 과제

④ 우리나라 자동차 문화의 문제점과 해결 방안

⑤ 무인 자동차를 개발해 온 과정과 미래 자동차

내용 이해

2 이 글을 통해 알 수 있는 내용이 <u>아닌</u> 것은 무엇인가요? ( )

① 무인 자동차가 우리에게 어떤 이익을 주는가?

② 무인 자동차에 필요한 장치와 기술은 무엇인가?

③ 무인 자동차 개발에서 예상되는 문제점은 무엇인가?

④ 무인 자동차는 어떻게 도로 상황을 파악할 수 있는가?

⑤ 무인 자동차와 자율 주행 자동차의 차이점은 무엇인가?

추론하기

3 ㉠에 대해 **추론할 수 있는** 내용이 <u>아닌</u> 것은 무엇인가요? ( )

① 위급 상황에서는 개발자가 미리 설계해 둔 대로 움직일 것이다.

② 자동차 스스로 주행하므로 사람이 운전할 필요가 없어질 것이다.

③ 어른의 운전 없이도 어린이 혼자 자동차로 이동할 수 있을 것이다.

④ 현재 연구 중인 자율 주행 자동차가 더 발전하면 가능해질 것이다.

⑤ 자동차를 다룰 운전자가 없어 교통사고가 지금보다 늘어날 것이다.

적용하기

4 다음에서 설명하는 것을 이 글에서 찾아 두 어절로 쓰세요.

> 운전자가 조작하거나 사람이 탑승하지 않아도 스스로 도로 상황을 판단하여 목적지에 도착할 수 있는 자동차를 이르는 말이다. 여러 종류의 센서와 영상 카메라, 위성 위치 확인시스템(GPS) 같은 장치와 인공 지능을 갖추고 있다.

( )

지문 분석

1 문단 요약   이 글에 나타난 각 문단의 중심 내용으로 알맞은 것을 찾아 선으로 이으세요.

1문단 •   • 무인 자동차 시대의 여러 가지 장점

2문단 •   • 무인 자동차의 개념 및 필요 장치

3문단 •   • 머지않아 실제로 사용될 무인 자동차

4문단 •   • 무인 자동차 개발 시 해결해야 할 문제점

2 중심 내용   다음은 이 글의 중심 내용입니다. 빈칸에 들어갈 알맞은 말을 쓰세요.

( )는 스스로 주행하고 주차까지 할 수 있는 자동차이다. 무인 자동차가 상용화되면 교통 약자의 이동이 편해지고, ( )도 훨씬 줄어드는 등 여러 가지 장점이 있을 것이다. 그러나 교통사고의 ( ) 소재가 불분명해지는 것 같은 문제점도 존재한다.

배경지식 ## 100년 전 사람들은 전기 자동차를 타고 다녔다

흔히 자동차는 '증기 자동차 → 가솔린 자동차 → 전기 자동차'의 순서로 발전되어 왔다고 생각한다. 하지만 전기 자동차는 1830년대에 이미 개발되었고, 1884년 영국에서는 세계 최초로 전기 자동차 상용화에 성공했다. 지금으로부터 100년도 더 전에 사람들은 이미 전기 자동차를 타고 다녔던 것이다.

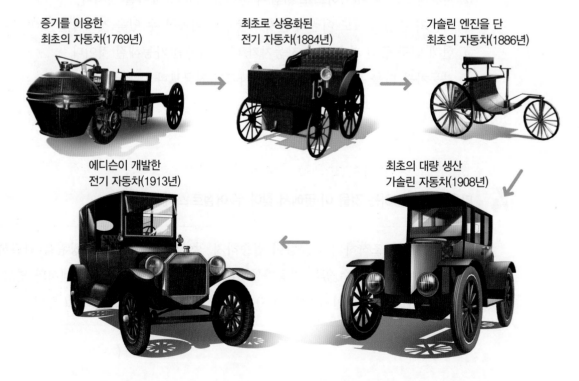

증기를 이용한
최초의 자동차(1769년)

최초로 상용화된
전기 자동차(1884년)

가솔린 엔진을 단
최초의 자동차(1886년)

에디슨이 개발한
전기 자동차(1913년)

최초의 대량 생산
가솔린 자동차(1908년)

오늘의 어휘

다음 낱말의 알맞은 뜻을 찾아 선으로 이으세요.

상용화 •　　　　　• 가장 알맞은 것.

무인 •　　　　　• (배나 비행기·차 등에) 올라타는 것.

탑승 •　　　　　• 분명하지 않다. 또는 분명하지 못하다.

좌석 •　　　　　• 일상생활에서 쉽게 쓸 수 있노독 만드는 것.

불분명하다 •　　　　　• (탈것이나 기계 등이 자동으로 움직여) 운전하거나 작동하는 사람이 없는 것.

1 다음 문장의 빈칸에 들어갈 알맞은 말을 **오늘의 어휘** 에서 찾아 쓰세요.

- 노약자는 위험한 놀이 기구의 [　　　　　]을 금지한다.
- 이 지역은 포도를 재배하는 데 [　　　　　]의 장소이다.
- 〈춘향전〉이나 〈흥부전〉 같은 옛이야기는 지은이가 [　　　　　].
- 로봇 청소기가 [　　　　　]되어 청소를 편하게 할 수 있게 되었다.
- 고속 도로에서 과속으로 달리던 차들이 [　　　　　]카메라에 잡혔다.

2 다음 글에서 밑줄 친 부분을 표현할 수 있는 말을 찾아 두 글자로 쓰세요.

　　최근 계산하는 점원이 없어 소비자가 직접 상품을 계산해야 하는 점포가 늘어나고 있다. 무인 빨래방에서 시작하여 무인 노래방, 무인 카페 등이 생겼고, 계산대조차 없는 무인 편의점까지 나타났다. 이처럼 점원이 없는 가게는 인건비를 절약할 수 있다는 장점이 있지만, 도난에 취약하다는 문제점도 있다.

(　　　　　)

기술 **02**

지문분석

KEY WORD

우주 탐사

글자 수

977

600　800　1000　1200

1 옛날부터 우주는 인류에게 호기심의 대상이었다. 달에는 무엇이 사는지, 우주는 얼마나 넓은지, 사람이 살 수 있는지 등등 우주에 대한 호기심은 끝이 없었다. 우주에 대한 관심을 **대중화**시킨 천문학자 칼 세이건은 "우주 탐험을 생각하는 것만으로도 내 가슴은 설렌다."라고 말했는데, 이는 그만이 아니라 수많은 사람들에게도 해당하는 것이었다. 5

2 우주에 대한 **본격적**인 **탐사**는 1957년 10월 4일 러시아가 최초의 인공위성을 쏘아 올리며 시작되었다. 이듬해 러시아는 인간을 태운 우주 탐사선을 인류 최초로 우주에 발사하였고, 1969년에는 미국이 인간을 달에 착륙시켰다. 이는 인간이 지구 바깥의 **천체**에 발을 디딘 최초의 사건이었다. 1971년에는 인간이 지낼 수 있는 우주 정거장이 지구 궤도에 들어섰고, 1981년에는 우주 왕복선이 우주로 발사되었다가 무사히 지구로 돌아왔다. 10

3 지금도 세계 각국은 우주선 개발에 ㉡**박차**를 가하고 있다. 하지만 아직까지 달 외에는 인간의 발길이 닿지 못했으며, 우주 탐사선이 착륙한 행성도 화성 하나에 **불과**하다. 세계 각국이 최첨단 기술로 만든 우주 탐사선을 쏘아 보내고 있는데 왜 이렇게 **성과**가 적을까? 그 이유는 우주가 너무 넓기 때문이다. 15 예를 들어 지구에서 가장 가까운 화성까지 가는 데는 약 260일이 걸리고, 그다음에 있는 목성까지는 약 2년이 걸린다. 기술에 따라 더 빨리 갈 수도 있겠지만 태양계 내의 행성을 가는 데만도 엄청난 시간이 걸린다. 태양계 바깥의 가장 가까운 별까지는 최소 몇만 년이 걸리는 것이다.

4 현재 지구에서 가장 먼 곳까지 간 우주 탐사선은 1977년에 미국에서 발사 20 한 보이저 1호이다. 보이저 1호는 지구를 떠난 지 35년이 되던 2012년 8월에 태양계를 벗어나 **하염없이** 우주를 항해하고 있다. 과학자들은 보이저 1호가 약 4만 년을 더 항해해야만 새로운 별을 만날 것으로 예상한다. 지구와의 통신은 10년 이내에 끊어질 것으로 보이지만 그래도 보이저 1호의 우주 여행은 계속될 것이다. 25

- **대중화** 대중에게 많이 알려지는 것.
- **본격적** 어떤 일의 진행 상태가 본래의 목적에 따라 매우 활발한 것.
- **탐사**(探 찾을 탐, 査 조사할 사) 알려지지 않은 사물이나 전에 가 보지 못한 곳을 자세히 조사하여 알아보는 것.
- **천체**(天 하늘 천, 體 몸 체) 우주에 있는 모든 물체.
- **박차** 말의 옆구리를 찔러 말을 빨리 달리게 하는 것으로, 말을 탈 때 신는 신발의 뒤축에 달린 톱니 모양의 장치.
- **불과** 기껏해야. 고작.
- **성과**(成 이룰 성, 果 열매 과) 이루어 낸 결과.
- **하염없이** ① 그침이 없이. ② 아무 생각 없이.

지문 독해

1 ㉠에 들어갈 이 글의 제목으로 가장 알맞은 것은 무엇인가요? (   )

① 보이저 1호의 운명   ② 우주의 광활한 넓이

③ 우주 탐사의 어려움   ④ 인류의 우주 탐사 의지

⑤ 우주 탐사선의 개발 역사

전개 방식

2 이 글에 사용된 설명 방법이 <u>아닌</u> 것은 무엇인가요? (   )

① 구체적 예를 들어 내용에 대한 이해를 돕고 있다.

② 전문가의 말을 인용하여 내용을 뒷받침하고 있다.

③ 대상을 일정한 기준에 따라 나누어 설명하고 있다.

④ 어떤 일을 일어난 시간 순서에 따라 설명하고 있다.

⑤ 어떤 현상을 원인과 결과를 중심으로 설명하고 있다.

추론하기

3 이 글을 통해 답을 알 수 있는 질문은 무엇인가요? (   )

① 우주의 정확한 넓이는 얼마나 되는가?

② 보이저 1호의 최종 목적지는 어디인가?

③ 우주 정거장에서는 몇 사람이나 지내는가?

④ 우리나라는 인공위성을 언제 처음 발사하였는가?

⑤ 인간을 태운 우주 탐사선이 최초로 발사된 것은 언제인가?

어휘·어법

4 다음을 참고할 때, ㉡에 어울리는 속담으로 알맞은 것은 무엇인가요? (   )

> '박차(拍車)'는 말을 탈 때 신는 신발의 뒤축에 달린 톱니 모양의 장치로, 말의 옆구리를 찔러 말을 빨리 달리게 하는 용도로 쓰인다. 따라서 '박차를 가하다'라는 표현은 '일이 더 빨리 진행되게 하다.'라는 뜻으로 볼 수 있다.

① 땅 짚고 헤엄치기   ② 닭 소 보듯, 소 닭 보듯

③ 달리는 말에 채찍질하기   ④ 개구리 올챙이 적 생각 못 한다

⑤ 하룻강아지 범 무서운 줄 모른다

지문 분석

정답과 해설 26쪽

1 정보 확인   다음 빈칸에 들어갈 알맞은 말을 이 글에서 찾아 쓰세요.

> 이 글은 [   ]에 대한 인간의 [   ] 의지에 대해 설명하고 있다.

2 문단 요약   이 글에 나타난 각 문단의 중심 내용으로 알맞은 것을 찾아 선으로 이으세요.

1 문단 •   • 현재까지의 우주 탐사 역사

2 문단 •   • 먼 우주를 항해하고 있는 보이저 1호

3 문단 •   • 거리로 인한 우주 탐사의 어려움.

4 문단 •   • 우주에 호기심을 가졌던 인류

배경지식   태양계의 행성

행성은 항성 주변을 공전하며 스스로 빛을 내지 못하는 천체를 말한다. 이때 항성은 스스로 빛을 내는 천체이다. 아래의 그림과 같이 항성인 태양 주변을 공전하고 있는 행성들을 태양계 행성이라고 한다.

오늘의 어휘

다음 낱말의 알맞은 뜻을 찾아 선으로 이으세요.

본격적 •   • 이루어 낸 결과.

탐사 •   • 기껏해야. 고작.

불과 •   • ① 그침이 없이. ② 아무 생각 없이.

성과 •   • 어떤 일의 진행 상태가 본래의 목적에 따라 매우 활발한 것.

하염없이 •   • 알려지지 않은 사물이나 전에 가 보지 못한 곳을 자세히 조사하여 알아보는 것.

1 다음 문장의 빈칸에 들어갈 알맞은 말을 오늘의 어휘 에서 찾아 쓰세요.

- 그날 창밖에는 함박눈이 [   ] 내리고 있었다.
- 학교에서 우리 집까지는 걸어서 [   ] 5분 거리이다.
- 열심히 공부하였더니 시험에서 좋은 [   ]를 거두었다.
- 역사학자들이 중국 땅에 있는 고구려 유적지를 [   ] 하였다.
- 더위가 [   ]으로 시작되면서 피서 용품이 많이 팔리고 있다.

2 다음 글에서 밑줄 친 말과 뜻이 비슷한 말을 찾아 두 글자로 쓰세요.

　　어떤 일이든지 짧은 시간만에 성과를 거두기는 어렵다. 어쩌다 예상보다 좋은 성과를 내더라도 그것은 실력이 아니라 운이 따른 것일 뿐이다. 공부는 더욱 그렇다. 짧은 시간 노력해서 좋은 성적을 거두기는 어렵다. 하지만 꾸준히 노력하면 반드시 결실을 거둘 수 있다.

(   )

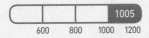

KEY WORD

전구

글자 수

1005
600 800 1000 1200

어둠을 밝혀 주는 전구

1 물질을 이루는 원자는 원자핵과 전자로 구성되어 있다. 이 중에서 전자는 이리저리 움직이는 성질이 있다. 특히 종류가 다른 물질과 부딪히면 다른 물질 쪽으로 이동한다. 이런 전자가 이동하면서 생기는 에너지를 전기라고 한다. 우리는 여러 가지 방법으로 전기를 생산하고, 전선을 이용하여 전기의 방향을 조절한다. 그리고 전기를 이용하여 빛을 밝히고, 전기 제품의 모터를 돌아가게 한다.

2 전구는 전기를 이용하여 빛을 내는 기구이다. 보통 유리로 동그랗게 만들었으며, 끝부분은 전원에 연결할 수 있도록 되어 있다. 전구의 안은 **진공** 상태이며, 실처럼 가는 선으로 꼬여 있는 필라멘트가 음극과 양극에 연결된 채 들어 있다. 전구를 전원에 연결하면 필라멘트가 **가열**되면서 밝은 빛을 낸다.

3 전구는 미국의 발명가 토머스 에디슨이 발명한 것으로 알려져 있다. 하지만 전기를 이용하는 전구는 영국의 과학자 험프리 데이비가 최초로 발명했다. 1808년 데이비는 **목탄**으로 된 두 개의 막대기를 배터리 양극에 연결하는 ㉠아크등을 만들었다. 아크등은 촛불 500~3000개의 밝기와 맞먹는 빛을 내었는데, 지나치게 밝고 **수명**이 짧은 데다 냄새가 심해 가정에서는 쓸 수가 없었다. 이 때문에 가로등과 공장에서 주로 사용하였다.

4 아크등의 문제점을 해결한 사람이 에디슨이었다. 에디슨은 장시간 빛을 내는 필라멘트를 만들 수 있는 재료를 찾으려고 천 번이 넘는 실험을 하였다. 그 결과 1879년에 대나무를 그을려서 만든 탄소 섬유를 필라멘트로 사용하면 오랫동안 빛을 낼 수 있다는 것을 알아냈다. 그리고 냄새나 소음도 없고 밝기도 적당했다. 드디어 초와 석유 **램프**를 대신할 수 있는 ㉡백열전구가 등장한 것이다.

5 에디슨이 개발한 백열전구는 오랫동안 밤을 밝혀 왔다. [㉢] 필라멘트를 사용하는 백열전구는 전기 에너지의 5~10% 정도만 빛을 내는 데 사용하고, 나머지는 열로 **방출**하여 **효율성**이 떨어지는 문제점이 있다. [㉣] 최근에는 세계적으로 백열전구 사용을 줄이고, 열 손실이 거의 없는 형광등이나 LED등의 사용이 늘어나고 있는 추세이다.

5

10

15

20

25

- **진공** 공기가 없는 상태.

- **가열**(加 더할 가, 熱 더울 열) 뜨거운 기운을 더하는 것.

- **목탄** 땔감으로 쓰기 위하여 가마에서 구워 낸 검은 숯.

- **수명** ① (사람이나 생물의) 살아 있는 기간. 나이. ② (물건이나 시설 등이) 쓰일 수 있는 기간.

- **램프**(lamp) 석유를 담아 심지에 불을 붙이고 유리를 둘러 바람을 막도록 만든 등.

- **방출**(放 놓을 방, 出 날 출) 쌓아 놓은 것을 한꺼번에 밖으로 내보내는 것.

- **효율성** 한 일의 양과 그로부터 얻은 결과의 비율이 높은 성질.

지문 독해

1 다음 빈칸에 들어갈 알맞은 말을 이 글에서 찾아 쓰세요.

> 이 글은 ( )를 이용하여 어둠을 밝힌 ( )에 대해 설명하고 있다.

내용 이해

2 이 글의 내용과 일치하지 <u>않는</u> 것은 무엇인가요? ( )

① 원자는 원자핵과 전자로 구성되어 있다.

② 최초로 전구를 발명한 사람은 에디슨이다.

③ 전구의 안은 진공이며, 필라멘트가 들어 있다.

④ 백열전구는 전기 에너지의 효율성이 떨어진다.

⑤ 아크등은 가로등이나 공장에서 주로 사용하였다.

내용 이해

3 ㉠과 ㉡에 대한 설명으로 적절한 것은 무엇인가요? ( )

① ㉠은 ㉡과 달리 전기를 사용하지 않는다.

② ㉡은 ㉠보다 사용할 수 있는 시간이 짧다.

③ ㉡은 ㉠과 달리 가정에서 쓰기에 적당하다.

④ ㉠과 ㉡은 모두 냄새가 심하고 너무 밝았다.

⑤ ㉠은 ㉡보다 빨리 발명되어 가정에서 쓰였다.

어휘·어법

4 다음에서 ㉢과 ㉣에 들어갈 이어 주는 말을 각각 찾아 쓰세요.

> 그래서,   그러나,   그리고,   예컨대,   왜냐하면

(1) ㉢: ( )   (2) ㉣: ( )

지문 분석

1 문단 요약 이 글에 나타난 각 문단의 중심 내용으로 알맞은 것을 찾아 선으로 이으세요.

1문단 •　　　• 백열전구의 문제점

2문단 •　　　• 전구의 구조

3문단 •　　　• 전기의 개념과 효용

4문단 •　　　• 최초의 전구를 발명한 험프리 데이비

5문단 •　　　• 백열전구를 개발한 토머스 에디슨

2 중심 내용 다음은 이 글의 중심 내용입니다. 빈칸에 들어갈 알맞은 말을 쓰세요.

> (　　　)의 움직임으로 생기는 에너지를 (　　　)라고 하는데, 전기는 일상 생활에서 많은 역할을 한다. 대표적인 것은 빛을 내는 것이다. (　　　)는 전기를 이용하여 빛을 내는 기구이다. 험프리 데이비가 최초로 (　　　)을 발명하였으며, 이를 보완하여 토머스 에디슨이 백열전구를 만들었다. 그러나 백열전구는 열 손실이 많아 지금은 잘 사용하지 않는다.

배경지식 백열전구, 형광등의 구조와 빛이 발생하는 원리

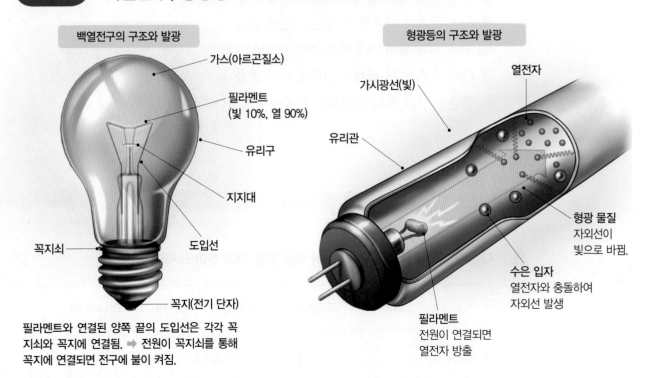

백열전구의 구조와 발광

- 가스(아르곤질소)
- 필라멘트 (빛 10%, 열 90%)
- 유리구
- 지지대
- 꼭지쇠
- 도입선
- 꼭지(전기 단자)

필라멘트와 연결된 양쪽 끝의 도입선은 각각 꼭지쇠와 꼭지에 연결됨. ➡ 전원이 꼭지쇠를 통해 꼭지에 연결되면 전구에 불이 켜짐.

형광등의 구조와 발광

- 가시광선(빛)
- 열전자
- 유리관
- 형광 물질 자외선이 빛으로 바뀜.
- 수은 입자 열전자와 충돌하여 자외선 발생
- 필라멘트 전원이 연결되면 열전자 방출

오늘의 어휘

다음 낱말의 알맞은 뜻을 찾아 선으로 이으세요.

진공	•	• 공기가 없는 상태.
가열	•	• 뜨거운 기운을 더하는 것.
수명	•	• 쌓아 놓은 것을 한꺼번에 밖으로 내보내는 것.
방출	•	• 한 일의 양과 그로부터 얻은 결과의 비율이 높은 성질.
효율성	•	• ① (사람이나 생물의) 살아 있는 기간. 나이. ② (물건이나 시설 등이) 쓰일 수 있는 기간.

1 다음 문장의 빈칸에 들어갈 알맞은 말을 오늘의 어휘 에서 찾아 쓰세요.

- 물은 100도까지 [   ] 되기 전에는 끓지 않는다.

- 단시간에 많은 운동을 하면 열이 몸 밖으로 [   ] 된다.

- 우주는 [   ] 상태이기 때문에 말소리가 전달되지 않는다.

- 친환경적이면서 에너지 [   ] 이 높은 자동차를 개발해야 한다.

- 옷에 묻은 먼지나 땀을 즉시 없애 두어야 옷의 [   ] 이 길어진다.

2 다음 글에서 밑줄 친 부분을 표현할 수 있는 말을 찾아 두 글자로 쓰세요.

'싼 게 비지떡'이라는 속담이 있다. 값이 너무 싼 물건은 품질이 나쁠 수 있다는 말이다. 이 속담처럼 가격이 너무 싼 제품은 대부분 품질도 떨어지고 <u>사용할 수 있는 기간</u>도 짧다. 이 때문에 값이 조금 비싸더라도 튼튼해서 수명이 긴 제품보다 효율성이 떨어질 때가 많다.

(   )

기술 **04**
지문분석

제습의 두 가지 방식

■1 장마철에는 **습도**가 평소보다 높아진다. 더운데 습도까지 높으면 **불쾌지수**가 높아지고 건강에도 좋지 않다. 또한 곰팡이가 쉽게 피고 벌레들도 늘어난다. 음식을 상하게 하는 세균의 **번식**도 증가한다. 그래서 제습이 필요하다. 제습은 공기 중의 수증기를 없애 습도를 낮추는 것을 말한다.

■2 제습 방식은 제습 과정에서 이용하는 물질에 따라 냉각식과 건조식으로 나뉜다. ㉠냉각식 제습은 공기 중의 수증기를 물로 **응결**시켜 습기를 조절한다. 이를 위해서는 **이슬점** 이하로 공기 온도를 낮추어야 한다. 이 때문에 **냉각식** 제습은 아르곤 같은 물질을 **냉매**로 사용한다. 그 과정은 다음과 같다. 먼저 제습기에 달려 있는 팬을 이용하여 제습할 공기를 빨아들인다. 그리고 이 공기를 냉매가 들어 있는 냉각 장치에 통과시킨다. 냉각 장치를 통과한 공기는 온도가 이슬점 아래로 내려간다. 그러면 공기 중의 수증기가 물로 변해 제습기에 달린 물통으로 떨어진다. 수증기가 없어져 건조해진 공기는 밖으로 배출된다. 냉각식 제습 방식을 사용한 제습기는 비교적 넓은 공간의 습기를 단시간에 없앨 수 있어 가정의 거실이나 사무실에서 주로 사용한다.

■3 ㉡건조식 제습은 공기 중에 들어 있는 수증기를 직접 흡수하는 화학 물질을 이용한다. 이때 사용하는 화학 물질을 흡습제라고 하는데, 흡습제는 내부나 표면에 **미세한** 구멍이 많아서 수증기를 효과적으로 붙잡을 수 있다. 대개 실리카 겔이나 알루미나 겔 같은 물질을 사용하는데, 흡습제의 종류에 따라 제습 용량이 달라진다. 제습기에 달려 있는 팬을 돌려서 빨아들인 공기가 제습기 내부에 들어 있는 흡습제와 접촉하면 ㄱ 공기에 있는 수증기가 흡습제에 달라붙는다. 수증기가 없어져 건조해진 공기는 제습기 밖으로 배출된다. 건조식 제습은 **밀폐**된 좁은 공간에서 소량의 습기를 없애는 데 주로 이용한다. 한편, 가정에서 옷장이나 서랍장, 신발장 등에 넣어 두는, 작은 통같이 생긴 습기 제거제는 흡습제와 염화 칼륨을 섞어서 공기 중의 수증기를 물로 만들어 습기를 없앤다.

5

10

15

20

KEY WORD

제습, 냉각식, 건조식

글자 수

977

600 800 1000 1200

- **습도**(濕 축축할 습, 度 법도 도) 공기 중에 수증기가 포함되어 있는 정도.

- **불쾌지수** 높은 기온과 습도 등으로 인해 사람이 불쾌하게 느끼는 정도를 나타내는 수치.

- **번식**(繁 많을 번, 殖 번성할 식) 생물의 수가 늘거나 널리 퍼지는 것.

- **응결** 물체가 한데 엉기어 뭉치는 것.

- **이슬점** 공기 중의 수증기가 응결될 때의 온도. 공기의 온도가 이슬점이 되면 공기 중의 수증기가 응결되어 물이 됨.

- **냉각**(冷 찰 냉, 却 물리칠 각) 식어서 차게 되는 것.

- **냉매** 암모니아처럼 아주 낮은 온도에서 기체가 되면서 주변 물질의 온도를 빼앗아 가는 성질이 있어서 냉장고나 온도 조절기 등에 쓰이는 물질.

- **미세한** 알아보기 어려울 정도로 매우 가늘고 작은.

- **밀폐**(密 빽빽할 밀, 閉 닫을 폐) 샐 틈이 없이 꼭 막거나 닫음.

지문 독해

1 다음 빈칸에 공통으로 들어갈 말을 이 글에서 찾아 쓰세요.

> 주제

> 이 글은 (   )의 필요성과 (   ) 방식에 대한 정보를 전달하고 있다.

> 전개 방식

2 이 글에 사용된 설명 방법으로 알맞은 것은 무엇인가요? (   )

① 서로 다른 두 대상을 비교하며 장단점을 분석하고 있다.

② 이해하기 쉽게 구체적인 예를 들어 대상을 설명하고 있다.

③ 대상을 일정한 기준에 따라 구분하여 각각 설명하고 있다.

④ 대상이 변화해 온 과정을 시간의 순서에 따라 설명하고 있다.

⑤ 대상을 유사한 성질을 지닌 다른 것에 빗대어 설명하고 있다.

> 내용 이해

3 ㉠과 ㉡을 비교하여 정리한 내용으로 알맞지 <u>않은</u> 것은 무엇인가요? (   )

비교 항목		㉠	㉡	
공통점	목적	습기를 낮추는 것		①
	제습기 작동 과정	습한 공기 흡입 → 수증기 제거 → 건조한 공기 배출		②
차이점	사용 물질	냉매 사용	흡습제 사용	③
	제습 방법	수증기를 흡수함.	수증기를 물로 바꿈.	④
	사용 면적	넓은 공간	좁은 공간	⑤

> 추론하기

4 이 글을 읽고 알맞게 말하지 <u>못한</u> 친구는 누구인가요? (   )

① 종호: 장마철에는 집 안에 곰팡이가 자랄 수 있으므로 제습을 해야겠군.

② 민수: 냉각식 제습기는 가끔씩 제습기에 달려 있는 물통을 비워야겠군.

③ 채환: 건조식 제습기는 흡습제가 그 효과를 다하면 제습이 되지 않겠군.

④ 승기: 온도와 습도가 모두 높을 때 제습을 하면 불쾌지수가 낮아지겠군.

⑤ 성준: 집에서 옷장 안에 놓아 두는 습기 제거제는 냉매를 사용하였겠군.

지문 분석

1 문단 요약

다음은 이 글에 나타난 각 문단의 중심 내용입니다. 알맞은 것에 ○표, 틀린 것에 ✕표를 하세요.

1문단	제습의 필요성	( )
2문단	냉각식 제습의 원리	( )
3문단	건조식 제습의 단점	( )

2 중심 내용

다음은 이 글의 중심 내용입니다. 빈칸에 들어갈 알맞은 말을 쓰세요.

> ( )를 낮추는 제습 방법은 크게 냉각식과 건조식으로 나눌 수 있다.
> ( )은 냉매를 사용하여 공기 중의 수증기를 ( )로 바꾸는 방식이고,
> ( )은 흡습제를 사용하여 공기 중의 수증기를 직접 흡수하는 방식이다.

배경지식 천연 제습제인 '숯'

숯은 화학 물질을 사용하지 않은 천연 제습제이다. 숯에는 미세한 구멍이 많아서 공기 중의 수증기를 효과적으로 흡수한다. 특히 화학 물질과 달리 습도가 높으면 수분을 흡수하고 반대로 건조하면 수분을 배출하므로 습한 여름뿐만이 아니라 건조한 겨울에도 도움이 된다.

숯의 표면을 확대한 모습
미세한 구멍이 많다.

제습/가습 기능

악취 제거

미세 먼지 제거

물의 정화(정수)

음이온/원적외선 방출

다량의 탄소, 소량의 수분, 회분(재), 미네랄 등이 들어 있음.

오늘의 어휘

다음 낱말의 알맞은 뜻을 찾아 선으로 이으세요.

습도 •   • 식어서 차게 되는 것.

응결 •   • 샐 틈이 없이 꼭 막거나 닫음.

냉각 •   • 물체가 한데 엉기어 뭉치는 것.

미세한 •   • 공기 중에 수증기가 포함되어 있는 정도.

밀폐 •   • 알아보기 어려울 정도로 매우 가늘고 작은.

1 다음 문장의 빈칸에 들어갈 알맞은 말을 오늘의 어휘 에서 찾아 쓰세요.

- 현미경으로 [　　　　　] 물체를 확대하여 관찰할 수 있다.
- 장마철에는 [　　　　　] 가 높아서 빨래가 잘 마르지 않는다.
- 이 방은 오랫동안 [　　　　　] 되어 있어서 퀴퀴한 냄새가 난다.
- 먼바다에서 잡히는 큰 생선은 대개 잡자마자 급속 [　　　　　] 한다.
- 하늘 높이 올라간 수증기가 [　　　　　] 하여 구름이나 비, 눈이 된다.

2 다음 글에서 밑줄 친 말과 뜻이 반대되는 말을 찾아 두 글자로 쓰세요.

참치 캔을 따서 반쯤 사용한 뒤 남은 것을 참치 캔에 담긴 그대로 냉장고에 보관하는 경우가 있다. 그러나 이는 매우 위험한 행동이다. 캔을 개봉하는 순간부터 미생물이 번식할 수 있기 때문이다. 따라서 개봉한 캔 음식은 반드시 밀폐 용기에 옮겨 담아서 보관해야 한다. 모든 캔 음식은 이렇게 보관해야 한다.

(　　　　　　　　　)

콜로세움의 비밀

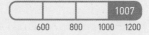
1 콜로세움은 이탈리아의 대표적인 건축물이자 세계 문화유산이다. 기원후 72년에 베스파시아누스 황제가 짓기 시작하여 8년이 지난 80년에 그의 아들 티투스 황제 때 완성되었고, 이후 도미티아누스 황제가 보완하였다.

2 둘레 527m, 외벽 높이 48m의 4층 건물인 콜로세움은 5만여 명을 수용할 수 있는 거대한 원형 경기장이다. 이런 건축물을 짓는 데는 수만 명의 인부가 **동원**되었고, 비용 또한 엄청나게 들었다. 그런데도 ㉠황제는 왜 이런 건축물을 지었을까? 그것은 당시 로마 사회가 화산 폭발과 큰 화재 등으로 혼란스러웠기 때문이다. 베스파시아누스 황제는 웅장하고 화려한 건축물을 세움으로써 충격에 빠진 로마 시민들의 **사기**를 올리고 **민심**을 하나로 모으려 하였다. 이 때문에 콜로세움에는 로마의 건축 기술과 예술이 **응집**되어 있다.

3 콜로세움은 층마다 각기 다른 양식의 기둥을 빙 둘러 가며 박아 놓아 큰 건축물에서 흔히 나타나는 단조로움을 없앴다. 또한 1~3층의 외벽은 **정교한** 아치 80개로 둘러싸서 예술성을 높였고, 4층은 아치 대신 직사각형 창문을 달았다. 이 때문에 겉으로 보기에 매우 화려하다. 처음 완성되었을 때는 아치마다 큰 조각상을 세워 두었다고 한다. 한편, 비가 내리거나 햇볕이 너무 강할 때는 4층에 천막으로 지붕을 덮어 이를 피할 수 있게 하였다. 그리고 지하에는 **검투사**와 싸울 **맹수**들을 이동시킬 수 있는 수동 엘리베이터를 설치하였다.

4 그렇다면 최고의 건축 기술로 지은 콜로세움의 용도는 무엇이었을까? 당시 콜로세움은 주로 검투사의 목숨을 건 시합이 ㉡열렸고, 가끔 연극 공연이나 전투를 **재연**하는 무대로 사용되었다. 관람서 1층의 특별석에는 황제와 원로원 의원들이 앉았고, 이곳을 제외한 1~3층은 관객의 사회적 신분과 **경제력**에 따라 앉는 곳이 정해졌다. 입석인 4층은 대개 노예나 빈민층이 이용했다. 입장료가 무료였기에 관람석은 항상 가득 찼다. 때때로 황제는 관중에게 빵과 포도주 등을 선물하기도 하였다. 한마디로 콜로세움은 당시의 로마 시민들을 위해 황제가 세운 공공 오락 시설이었다고 할 수 있다.

- **동원**(動 움직일 동, 員 인원 원) 어떤 일을 하기 위하여 사람, 물자, 수단 등을 한데 모으는 것.
- **사기**(士 선비 사, 氣 기운 기) 어떤 일을 해내거나 이기고자 하는 기운.
- **민심**(民 백성 민, 心 마음 심) 일반 국민의 생각과 마음. 보통 사람들의 여론.
- **응집** (흩어져 있던 물질·세력·힘 같은 것이) 한데 모여 뭉침.
- **정교한** 꾸미거나 만든 모양이 아주 작은 부분까지 정성과 기술을 들여 놀랄 만한.
- **검투사** 전문적으로 칼을 가지고 서로 맞붙어 싸우는 사람.
- **맹수** 다른 짐승을 잡아먹고 사는 사나운 짐승.
- **재연**(再 다시 재, 演 펼 연) 한 번 있었던 일을 되풀이하는 것. 또는 일어났던 일이 다시 벌어지는 것.
- **경제력** 경제 행위를 하여 나가는 힘.

지문 독해

목적

1 다음은 글쓴이가 이 글을 쓴 목적입니다. 빈칸에 들어갈 알맞은 말을 보기 에서 찾아 쓰세요.

보기

세계 문화유산,　　　　정보,　　　콜로세움,　　　정서

> 글쓴이는 독자에게 (　　　　　　　　　　)에 대한 (　　　　　　　　　　)를
> 전달하기 위한 목적으로 글을 썼다.

내용 이해

2 이 글의 내용과 일치하지 <u>않는</u> 것은 무엇인가요? (　　　　)

① 콜로세움은 지상 4층과 지하 공간으로 구성된 원형 경기장이다.

② 콜로세움은 층마다 기둥 모양을 다르게 하여 단조로움을 피했다.

③ 콜로세움은 세계 문화유산으로 지정되어 있는 로마의 건축물이다.

④ 콜로세움에는 비나 햇볕을 피할 수 있는 장치가 마련되어 있었다.

⑤ 콜로세움을 찾은 관객은 누구나 입장료를 내지 않고 원하는 곳에 앉았다.

추론하기

3 ㉠의 이유로 가장 알맞은 것은 무엇인가요? (　　　　)

① 로마의 위대함과 건축 기술을 전 세계에 과시하기 위해서

② 황제가 자신의 지도력을 시민들에게 자랑하려는 목적에서

③ 황제가 로마 시민들과 만날 수 있는 기회를 만들기 위해서

④ 황제 자신만이 검투사들의 목숨을 건 시합을 구경하기 위해서

⑤ 공공 오락 시설을 만들어 로마 시민들의 사기를 올리기 위해서

어휘·어법

4 다음 문장의 밑줄 친 말이 ㉡과 같은 뜻으로 쓰인 것은 무엇인가요? (　　　　)

① 바람이 불었는지 대문이 저절로 <u>열렸다</u>.

② 체육 대회와 백일장이 같은 때에 <u>열렸다</u>.

③ 바야흐로 유비쿼터스 시대가 <u>열리고</u> 있다.

④ 올해는 과일나무마다 열매가 많이 <u>열렸다</u>.

⑤ 나는 음료수병이 <u>열리지</u> 않아 엄마를 불렀다.

지문 분석

1 정보 확인 이 글의 핵심어를 네 글자로 쓰세요.

(   )

2 문단 요약 이 글에 나타난 각 문단의 중심 내용으로 알맞은 것을 찾아 선으로 이으세요.

1문단 •	• 콜로세움의 용도
2문단 •	• 콜로세움의 구조
3문단 •	• 콜로세움의 건설 과정
4문단 •	• 콜로세움을 건설한 까닭

배경지식 ## 오늘날 축구 경기장의 모델이 된 콜로세움의 구조

콜로세움은 관중 5만여 명을 수용할 수 있는 거대한 원형 경기장이었다. 출입구가 많고 과학적으로 설계되어서 대규모 인원의 관람에도 크게 붐비지 않고 출입할 수 있었다. 게다가 비가 내리거나 햇볕이 강할 때는 지붕처럼 천을 덮을 수도 있었다. 요즘으로 치면 둥근 지붕을 덮은 축구장이나 야구장 같은 돔구장인 셈이다. 그래서 콜로세움을 오늘날 축구 경기장의 모델로 꼽는 건축가들도 많다.

관중 출입구

무대 밑 지하
검투사

기둥 양식

맹수 우리

엘리베이터

3, 4층 기둥   2층 기둥   1층 기둥
코린트식   이오니아식   도리스식

오늘의 어휘

다음 낱말의 알맞은 뜻을 찾아 선으로 이으세요.

동원 •

사기 •

응집 •

맹수 •

재연 •

• 다른 짐승을 잡아먹고 사는 사나운 짐승.

• 어떤 일을 해내거나 이기고자 하는 기운.

• (흩어져 있던 물질·세력·힘 같은 것이) 한데 모여 뭉침.

• 어떤 일을 하기 위하여 사람, 물자, 수단 등을 한데 모으는 것.

• 한 번 있었던 일을 되풀이하는 것. 또는 일어났던 일이 다시 벌어지는 것.

1 다음 문장의 빈칸에 들어갈 알맞은 말을 **오늘의 어휘** 에서 찾아 쓰세요.

• [   ]의 세계에서는 강자가 약자를 지배한다.

• 참혹한 전쟁이 이 땅에서 결코 [   ]돼서는 안 된다.

• 자석은 흩어진 쇳가루를 [   ]하는 데에 효과적이다.

• 관중들의 열렬한 응원으로 우리 팀의 [   ]가 높아졌다.

• 이번 공연에는 무려 이백여 명의 공연진이 [   ]되었다.

2 다음 글에서 밑줄 친 말들을 모두 포함하는 말을 찾아 두 글자로 쓰세요.

동물원 폐지를 외치는 사람들은 보호라는 명목으로 동물을 좁은 우리에 가두어 두는 현재의 동물원이 비윤리적이라며 비판한다. 특히 <u>사자</u>나 <u>호랑이</u>, <u>곰</u>, <u>늑대</u> 등과 같이 활동 범위가 매우 넓은 맹수들을 좁은 곳에 가두어 두는 것은 그 동물의 본성을 해칠 뿐이라고 주장한다.

(   )

KEY WORD

테니스

글자 수

950

600　800　1000　1200

테니스의 유래 및 경기 방법

1　테니스는 1명 또는 2명의 경기자가 네트를 사이에 두고 라켓으로 테니스공을 주고받아 승부를 겨루는 경기이다. 11세기경 유럽의 **상류층**에서 유행했던 '라쁨므(La Paum)'라는 경기가 테니스의 **효시**로 알려져 있으며, 1873년 영국인 윙필드가 지금과 유사한 경기 체계를 세운 뒤 1877년에 제1회 선수권 대회가 영국 윔블던에서 열렸다.

2　테니스 경기의 종류에는 단식, 복식, 혼합 복식 등이 있다. 단식은 일대일, 복식은 두 사람씩 짝을 지어 하는 경기이다. 시합은 서브권을 가진 선수가 상대편 코트에 서브를 넣는 것으로 시작한다. 서브는 공격하는 쪽이 상대편 코트에 공을 쳐서 넣는 것이다. 1게임이 끝날 때까지 같은 사람이 계속 넣으며, 1게임이 끝나면 상대편에게 서브권이 넘어간다. 그리고 처음 서브는 오른쪽에서 대각선으로, 그다음 서브는 왼쪽에서 대각선으로 넣는다.

3　경기의 **승패**는 포인트, 게임, 세트, 매치의 4단계로 구성된다. 시합 도중 공격에 성공하거나 실패하면 1점을 얻거나 잃는데, 이때의 점수를 포인트라고 한다. 4포인트를 먼저 얻으면 1게임을 이긴다. 그리고 6게임을 먼저 얻으면 1세트를 이긴다. 매치는 한 경기를 의미하는데 3세트나 5세트로 이루어진다. 5세트 경기에서는 3세트를, 3세트 경기에서는 2세트를 **선취**하면 경기에서 승리한다. 한편, 양쪽이 똑같이 3포인트를 얻는 상황을 듀스라고 한다. 듀스에서는 두 포인트를 연속으로 따야 그 게임을 이길 수 있다. 게임 스코어 또한 5 : 5가 되면 게임 듀스가 되어 **원칙적**으로는 두 게임을 연속으로 따야 승리할 수 있다.

4　포인트를 말할 때는 0점(포인트), 1점, 2점, 3점이라고 하지 않고 순서대로 '0, 15, 30, 40'이라고 한다. 그리고 0은 '러브(love)', 15는 '피프틴(fifteen)', 30은 '서티(thirty)', 40은 '포티(forty)'라고 부른다. 0포인트를 '제로(zero)'라고 하지 않고 '러브'라고 하는 이유는 명확하게 밝혀지지 않았으나, 달걀을 뜻하는 프랑스어 '뢰프(l'oeuf)'에서 **유래**된 말로 추측된다.

● **상류층** 사회적 지위, 생활 수준, 교양 등이 높은 계층.

● **효시**(嚆 부르짖을 효, 矢 화살 시) 어떤 사물이나 현상이 시작되어 나온 맨 처음을 비유적으로 이르는 말.

● **승패**(勝 이길 승, 敗 패할 패) 운동 경기, 게임, 놀이, 싸움 등에서 이기고 지는 것.

● **선취**(先 먼저 선, 取 취할 취) 다른 사람보다 먼저 얻는 것.

● **원칙적** 원칙(여러 가지 경우에 적용되는 기본적인 규칙이나 법칙)을 따르는 것.

● **유래**(由 말미암을 유, 來 올 래) (어떤 것이) 전부터 전해 내려오는 것, 또는 그 전해져 온 역사.

지문 독해

글의 특징

1 이 글에 대한 설명으로 알맞은 것은 무엇인가요? (   )

① 테니스 시합을 할 때 점수를 잃는 행동을 설명하고 있다.

② 테니스의 경기 규칙이 변화되어 온 과정을 설명하고 있다.

③ 테니스의 주요 용어와 테니스 장비의 규격을 설명하고 있다.

④ 테니스의 유래와 시합 방법, 승패 결정 방법을 설명하고 있다.

⑤ 테니스가 유럽에서 전 세계로 퍼져 나간 역사를 설명하고 있다.

내용 이해

2 이 글을 통해 알 수 있는 내용이 <u>아닌</u> 것은 무엇인가요? (   )

① 테니스 경기의 유래

② 테니스 경기의 종류

③ 테니스 장비의 규격

④ 테니스 시합의 승패 결정 방법

⑤ 0포인트를 '러브'라고 하는 이유

추론하기

3 **3**문단을 읽고 짐작한 내용으로 알맞지 <u>않은</u> 것은 무엇인가요? (   )

① 5세트 경기에서 이기려면 최소 18게임을 이겨야 한다.

② 2게임을 이기기 위해서는 최소 8포인트를 얻어야 한다.

③ 1세트를 이기기 위해서는 최소 24포인트를 얻어야 한다.

④ 3세트 경기에서 이기려면 최소 48포인트를 얻어야 한다.

⑤ 듀스가 생긴 게임에서 이기려면 최소 6포인트를 얻어야 한다.

적용하기

4 다음에서 설명하는 용어를 **3**문단에서 찾아 두 글자로 쓰세요.

> 테니스, 배구, 탁구 같은 경기에서, 승패를 결정하는 마지막 한 점을 남겨 놓고 동점을 이루는 일을 의미하는 말로, 이렇게 되면 원칙적으로 새로 두 점을 잇따라 얻는 쪽이 이긴다.

(   )

지문 분석

1 정보 확인 이 글의 핵심어를 세 글자로 쓰세요.

(   )

2 문단 요약 다음은 이 글에 나타난 각 문단의 중심 내용입니다. 빈칸에 알맞은 말을 쓰세요.

> **1문단**   테니스의 (   ) 및 역사

> **2문단**   테니스 경기의 (   ) 및 시합 방법

> **3문단**   테니스 시합의 승패 결정 방법

> **4문단**   테니스 시합에서 (   )를 읽는 방법

배경지식 ## 테니스 경기장과 테니스공

테니스 경기장과 공의 규격은 국제 규격이 정해져 있다. 특히 테니스공의 경우 국제 테니스 연맹(ITF)에서 '타입1, 타입2, 타입3, 높은 고도용, 그린볼, 오렌지볼, 레드볼' 등 다양한 규격을 정하고 있다. 즉 공인구마다 규격이 조금씩 다르다. 공식 시합에서는 흔히 '타입2'를 사용한다.

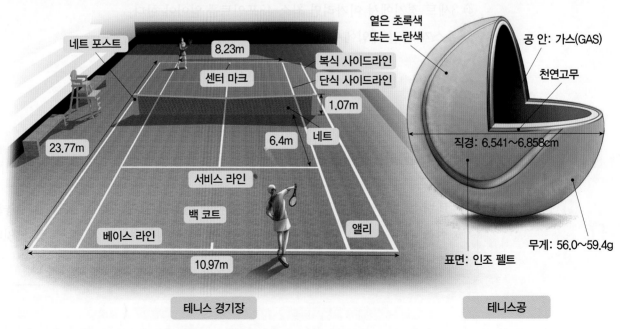

테니스 경기장   테니스공

오늘의 어휘

다음 낱말의 알맞은 뜻을 찾아 선으로 이으세요.

상류층 •

• 다른 사람보다 먼저 얻는 것.

효시 •

• 사회적 지위, 생활 수준, 교양 등이 높은 계층.

승패 •

• 운동 경기, 게임, 놀이, 싸움 등에서 이기고 지는 것.

선취 •

• 원칙(여러 가지 경우에 적용되는 기본적인 규칙이나 법칙)을 따르는 것.

원칙적 •

• 어떤 사물이나 현상이 시작되어 나온 맨 처음을 비유적으로 이르는 말.

1 다음 문장의 빈칸에 들어갈 알맞은 말을 오늘의 어휘 에서 찾아 쓰세요.

• 우리 축구팀 선수가 멋진 헤딩슛으로 ☐☐☐☐ 골을 넣었다.

• 실력이 비슷한 두 팀이 경기하면 ☐☐☐☐ 를 예측하기 힘들다.

• 〈홍길동전〉은 우리글로 쓰인 소설의 ☐☐☐☐ 로 알려져 있다.

• 그는 신분 상승을 위해 ☐☐☐☐ 인사들과 친분을 쌓으려 노력했다.

• 일부 국가에서는 ☐☐☐☐ 으로 개를 풀어서 기르지 못하게 규정하고 있다.

2 다음 글에서 밑줄 친 말과 뜻이 비슷한 말을 찾아 두 글자로 쓰세요.

짜장면의 시초는 약 100여 년 전에 우리나라에 이민 온 중국인들이 만든 면 요리이다. 원래 중국의 음식이었지만 우리나라 사람들의 입맛에 맞게 개량하여 현재 우리가 즐겨 먹는 짜장면의 효시가 되었다.

( )

지문분석

KEY WORD

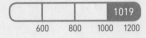
영화와 OST

글자 수

			1019
600	800	1000	1200

$\boxed{㉠}$

1 1895년 프랑스에서 최초의 영화가 **상영**되었다. 사람들의 일상생활과 풍경을 찍은 40초 남짓의 짧은 영상이었다. 영상 자체에는 소리도 없었다. 하지만 이 짧은 영상에 맞추어 피아니스트의 음악 반주가 **별도**로 이루어졌다. 이후 1927년까지 만들어진 영화는 모두 소리가 없는 무성 영화였다. 그래도 영화가 상영되는 동안 피아노나 오르간 연주자, 소규모 악단 등이 영화 장면에 맞추어 음악을 연주하였다. 음악을 이용하여 영화 속 인물의 **정서**나 장면의 분위기 등을 **부각**한 것이다. 이런 점은 초기부터 영화가 음악과 밀접한 관계였음을 의미한다.

2 특히 현대 영화에서는 음악이 없는 것을 상상할 수 없을 정도로 음악은 한 편의 영화에서 큰 비중을 차지하고 있다. 전 세계적으로 인기를 얻은 영화는 그 영화에 사용된 음악 역시 세계적인 인기를 끌게 된다. 이렇게 영화에 삽입된 음악을 '오리지널 사운드 트랙'이라고 하며, 줄여서 'OST'라고 한다. 그런데 왜 '뮤직 트랙'이 아니라 '사운드 트랙'이라고 할까? OST는 일반적인 음악과 달리 영화 속 대사나 **효과음** 등도 음악의 일부로 사용하기 때문이다.

3 OST는 새로운 음악을 창작하여 사용하기도 하고 **기존**에 존재하던 음악을 사용하기도 한다. 창작 영화 음악은 영화 감독의 의도를 좀 더 잘 표현할 수 있지만 기존 음악에 비해 **상대적**으로 비용이 많이 든다. 이와 달리 기존 음악을 사용할 경우 비교적 적은 비용으로 영화 내용에 맞는 음악을 구할 수 있고, 관객들에게도 친숙한 느낌을 줄 수 있다. 그러나 감독의 의도에 딱 맞는 음악을 찾기란 쉬운 일이 아니다.

4 OST는 음악의 장르가 매우 다양하며, 연주곡만으로 이루어지기도 한다. 중요한 것은 어떤 음악이든 사용되는 영화의 장면이나 전체 분위기에 맞아야 한다는 것이다. 음악이 아무리 훌륭하더라도 그것이 사용되는 장면과 전체 스토리에 어울리지 않으면 OST로는 적절하지 않다. 어떤 영화를 떠올릴 때 그 영화의 음악이 떠오르고, 그 음악을 들을 때 해당 영화의 한 장면이 떠오를 때, 비로소 좋은 영화 음악이라고 할 수 있을 것이다.

5

10

15

20

25

- **상영**(上 위 상, 映 비출 영) 극장 등에서 영화를 관객에게 보여 주는 것.
- **별도** 원래 것에 따로 덧붙여 마련된 것.
- **정서**(情 뜻 정, 緖 실마리 서) 사람의 마음속에 일어나는 여러 가지 감정적 반응.
- **부각**(浮 뜰 부, 刻 새길 각) 어떤 것의 특징을 두드러지게 나타내는 것.
- **효과음** (영화나 드라마에서) 어떤 장면을 진짜처럼 표현하기 위해서 넣는 소리.
- **기존** 이미 존재하는 것. 이미 자리 잡고 있는 것.
- **상대적**(相 서로 상, 對 대할 대, 的 과녁 적) 서로 맞서거나 비교되는 관계에 있는 것.

지문 독해

1 제목

㉠에 들어갈 이 글의 제목으로 가장 알맞은 것은 무엇인가요? (   )

① 영화의 분위기를 살리는 OST

② 영화 감독이 OST를 만드는 방법

③ OST로 주로 사용되는 음악 장르

④ 영화 관람객이 좋아하는 OST 종류

⑤ 영화의 발전과 영화가 만들어지는 과정

2 내용 이해

이 글의 내용과 일치하지 <u>않는</u> 것은 무엇인가요? (   )

① OST에는 대사나 효과음이 들어가기도 한다.

② 현대 영화에서는 음악이 차지하는 비중이 크다.

③ 최초의 영화는 프랑스에서 상영된 무성 영화였다.

④ 무성 영화 시절에는 영화에 음악을 활용하지 않았다.

⑤ OST는 영화의 장면이나 전체 분위기에 맞아야 한다.

3 어휘·어법

❹문단에 나타난 '영화'와 'OST'의 관계를 표현한 속담으로 알맞은 것은 무엇인가요?

(   )

① 꿩 대신 닭

② 이 없으면 잇몸으로 산다

③ 입술이 없으면 이가 시리다

④ 길고 짧은 것은 대어 보아야 안다

⑤ 코에 걸면 코걸이 귀에 걸면 귀걸이

4 추론하기

다음에서 설명하는 것이 무엇인지 이 글에서 찾아 쓰세요.

> 영화나 TV 드라마 등에 배경 음악이나 주제곡으로 삽입되어 장면이나 분위기를 돋보이게 만들어 주는 음악을 이르는 말이다. 기존 음악을 가져다 쓰기도 하지만, 영화나 드라마를 위하여 자체 제작하는 경우도 있다.

(   )

지문 분석

1 문단 요약   다음은 이 글에 나타난 각 문단의 중심 내용입니다. 문단의 순서대로 기호를 쓰세요.

> ㉮ 음악은 초기 무성 영화부터 영화와 함께했다.
> ㉯ OST는 현대 영화에서 매우 큰 비중을 차지한다.
> ㉰ 좋은 OST는 영화와 상호 보완적인 관계를 가진다.
> ㉱ 기존 음악과 창작 음악 모두 OST로 사용될 수 있다.

$$(\qquad) \rightarrow (\qquad) \rightarrow (\qquad) \rightarrow (\qquad)$$

2 중심 내용   다음은 이 글의 중심 내용입니다. 빈칸에 들어갈 알맞은 말을 쓰세요.

> (   )에 삽입된 음악을 OST라고 한다. OST는 (   ) 시절부터 영화
> 와 밀접한 관계를 맺어 왔다. 어떤 음악이든지 OST로 사용될 수 있지만, 반드시 영
> 화의 장면이나 전체 (   )에 맞아야 한다.

배경지식   ## 무성 영화 시절 우리나라의 영화 상영 모습

영화: 활동사진
조선 말기에 들어와 일제 강점기까지의 영화는 대부분 소리가 없는 무성 영화였으며, 대사는 자막으로 제시함. 당시에는 '활동사진'이라고 불렀음.

변사: 영화 해설자
영화의 상영 전에 줄거리를 요약해 주고, 영화가 상영되면 등장인물의 목소리를 흉내 내서 말하거나, 입으로 음향 효과를 내서 관람객의 영화 감상을 도움.

서울에서 철학 공부를 하다가 3·1 운동의 충격으로 미쳐 버렸다는 김영진이라는 청년은······.

악단: 음악 연주
영화가 상영되는 동안 사전에 준비된 악보에 따라 음악을 연주하여 영화 속 장면의 정서와 긴박감 등을 형성함.

오늘의 어휘

다음 낱말의 알맞은 뜻을 찾아 선으로 이으세요.

상영 •

• 서로 맞서거나 비교되는 관계에 있는 것.

정서 •

• 어떤 것의 특징을 두드러지게 나타내는 것.

부각 •

• 이미 존재하는 것. 이미 자리 잡고 있는 것.

기존 •

• 극장 등에서 영화를 관객에게 보여 주는 것.

상대적 •

• 사람의 마음속에 일어나는 여러 가지 감정적 반응.

1 다음 빈칸에 들어갈 알맞은 말을 **오늘의 어휘** 에서 찾아 쓰세요.

- 민요에는 우리 민족의 [   ]가 담겨져 있다.
- 학교 내 폭력이 사회 문제로 [   ]되고 있다.
- 모든 사람은 제각기 [   ]인 가치를 지니고 있는 법이다.
- 새로 나온 제품은 [   ] 제품보다 싸면서도 성능은 더 좋다.
- 우리 동네 도서관에서는 매주 한 편씩 영화를 무료로 [   ]한다.

2 다음 글에서 밑줄 친 말들을 모두 포함하는 말을 찾아 두 글자로 쓰세요.

시(詩)란, 특정한 상황에 대한 시인의 정서를 표현한 것이다. 즉 자기 주변의 모든 것을 세밀하게 관찰하여 그것으로 인한 기쁨, 슬픔, 즐거움, 그리움, 노여움 같은 것을 자신만의 언어로 표현한 것이다.

(   )

웹툰 전성시대

1 1909년 6월 2일 《대한민보》라는 신문에 우리나라 최초의 만화가 실렸다. 당시 사회상을 보여 주는 한 컷짜리 만화였다. 이후 110여 년 동안 우리나라의 만화는 ㉠잡지 및 단행본 만화를 거쳐 ㉡웹툰(webtoon)으로 이어졌다.

2 웹툰은 인터넷을 뜻하는 '웹(web)'과 만화를 의미하는 '카툰(cartoon)'을 합쳐 만든 말로, 인터넷을 매체로 하는 만화를 뜻한다. 웹툰은 우리나라에서 최초로 시작되어 10대와 20대를 중심으로 인기를 끌고 있다. 한 조사 결과에 따르면, 10대의 99%가 웹툰을 본 적이 있으며, 하루에 3편 이상 보는 비율도 50%가 넘는 것으로 나타났다. 웹툰을 본 적이 있는 성인의 비율도 87%에 달했다.

3 인터넷을 이용하는 웹툰은 종이 매체와 달리 매체 공간의 제약이나 소재의 제한이 거의 없다. 최근에는 음향 효과를 넣은 웹툰까지 나왔다. 이 때문에 끊김이 덜하고, 내용을 생생하게 느낄 수 있어서 독자가 더 잘 **몰입**할 수 있다. 그리고 **게시**된 웹툰에 독자들이 실시간으로 댓글을 달 수 있어 작가가 이를 작품에 반영할 수도 있다. 또한 대부분의 웹툰은 PC나 스마트폰을 활용하여 5분이나 10분 정도의 짧은 시간에 볼 수 있고, 무료이거나 저렴하게 볼 수 있다. 마치 휴식 시간에 먹는 간식처럼 웹툰을 즐길 수 있는 것이다.

4 독자의 흥미를 끄는 내용 때문에 인기 웹툰은 TV 드라마나 영화, 게임 등 관련 분야의 문화 상품으로 **재창작**되는 경우가 많다. 그리고 웹툰을 **원작**으로 한 우리나라의 영화나 TV 드라마가 세계적으로 유행하면서 그 웹툰 또한 세계 여러 나라로 진출하고 있다. 이 때문에 웹툰은 'K-드라마'와 'K-팝'을 이어 한류 **열풍**을 **계승**할 문화 상품으로 전망된다.

5 하지만 독자의 관심을 끌기 위해 잔인한 폭력 장면을 자주 묘사하거나 **선정적**인 내용을 부각하는 것과 같은 문제점도 있다. 이는 아직 정신적으로 미성숙한 10대들에게 잘못된 가치관을 심어 줄 수 있고, 웹툰 자체의 질 저하로 이어질 수 있으므로 웹툰계의 자율적인 **자정** 노력이 필요하다.

5

10

15

20

25

KEY WORD

웹툰

글자 수

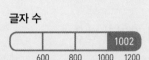

1002
600 800 1000 1200

- **몰입** 어떤 일에 깊이 빠져드는 것.
- **게시** 글이나 그림·광고 등을 여러 사람에게 알리기 위하여 벽에 붙이거나 인터넷상에 올려 두루 보게 하는 것.
- **재창작** 이미 있는 작품이나 사물 등에 새로운 기능이나 내용 등을 덧붙이거나 바꾸어 다시 만들어낸 것.
- **원작**(原 근원 원, 作 지을 작) (번역·각색 등을 하기 전의) 본래의 작품.
- **열풍**(烈 세찰 열, 風 바람 풍) 매우 거세게 사회를 휩쓸고 지나가는 현상이나 기운.
- **계승** 전에 있던 것을 이어서 하거나 이어받는 것.
- **선정적** 사람의 본능을 자극하여 일으키는 것.
- **자정**(自 스스로 자, 淨 깨끗할 정) 문제가 있는 조직이 어떤 조치를 함으로써 스스로를 깨끗하게 함을 비유적으로 이르는 말.

지문 독해

글의 특징

1 이 글에 대한 설명으로 알맞은 것은 무엇인가요? (   )

① 웹툰이 탄생한 계기와 성공 원인을 분석하고 있다.

② 웹툰이 미친 영향을 다양한 측면에서 설명하고 있다.

③ 웹툰의 특징과 전망, 문제점 등을 두루 설명하고 있다.

④ 웹툰에 대한 과도한 규제를 없애야 함을 주장하고 있다.

⑤ 웹툰이 불법적으로 유통되고 있는 상황을 비판하고 있다.

전개 방식

2 다음 중 **1**문단과 **2**문단에서 찾아볼 수 있는 글쓰기 전략을 모두 찾아 기호를 쓰세요.

> ㉮ 설명 대상의 변화 과정을 제시하고 있다.
>
> ㉯ 핵심 용어의 유래를 풀이하여 정의하고 있다.
>
> ㉰ 특정한 상황을 가정하여 내용을 전개하고 있다.
>
> ㉱ 통계 자료를 인용하여 내용을 뒷받침하고 있다.

(,   ,   )

추론하기

3 이 글을 통해 추론할 수 있는 내용이 <u>아닌</u> 것은 무엇인가요? (   )

① 우리나라의 많은 국민이 웹툰을 즐기고 있다고 볼 수 있군.

② 웹툰은 작가가 독자와 소통하며 내용을 만들어 갈 수 있겠군.

③ 스마트폰이나 인터넷을 사용하지 않으면 웹툰을 보기 어렵겠군.

④ 자극적인 내용과 비싼 가격이 웹툰의 세계화에 걸림돌이 되겠군.

⑤ 한 편의 웹툰이 다양한 분야의 문화 상품으로 재창작될 수 있겠군.

내용 이해

4 ㉠과 ㉡에 대한 설명으로 알맞은 것은 무엇인가요? (   )

① ㉠은 ㉡에 비해 독자가 더 몰입할 수 있다.

② ㉡은 ㉠과 달리 소재의 제한이 많은 편이다.

③ ㉠은 ㉡에 비해 작품에 독자의 관여가 많다.

④ ㉡은 ㉠에 비해 읽을 때 끊기는 느낌이 적다.

⑤ ㉠은 ㉡에 비해 매체 공간의 제약이 거의 없다.

지문 분석

정답과 해설 **32쪽**

1 정보 확인 이 글의 핵심어를 두 글자로 쓰세요.

( )

2 글의 구조 다음 표의 빈칸을 채워 이 글의 내용을 정리해 보세요.

웹툰의 개념

웹(web) + 만화(cartoon)
➡ ( )을 매체로 하는 만화

웹툰의 특징

- 공간과 ( )의 제약이 적음.
- 작가와 독자의 소통이 가능함.
- 간편하게 즐길 수 있음.

웹툰의 인기

- 영화, TV 드라마, 게임 등으로 재창작됨.
- 새로운 ( ) 문화 상품

웹툰의 문제점

폭력적이고 선정적인 내용
➡ ( ) 노력 필요

배경지식 **웹툰과 스낵 컬처(Snack Culture)**

스낵 컬처란, 과자를 먹듯이 짧은 시간 안에 간편하게 즐기는 문화를 뜻한다. 웹툰이 대표적인 스낵 컬처이다. 스낵 컬처는 스마트폰만 있다면 언제 어디서나 즐길 수 있는 장점이 있다. 그러나 스낵 컬처에만 익숙해지면 책 읽는 것을 피하게 되고, 깊이 있는 지식에 관심이 적어지는 부작용도 있다.

스낵 컬처(Snack Culture) = 과자(Snack) + 문화(Culture)

오늘의 어휘

다음 낱말의 알맞은 뜻을 찾아 선으로 이으세요.

몰입 •

게시 •

열풍 •

계승 •

자정 •

• 어떤 일에 깊이 빠져드는 것.

• 전에 있던 것을 이어서 하거나 이어받는 것.

• 매우 거세게 사회를 휩쓸고 지나가는 현상이나 기운.

• 문제가 있는 조직이 어떤 조치를 함으로써 스스로를 깨끗하게 함을 비유적으로 이르는 말.

• 글이나 그림·광고 등을 여러 사람에게 알리기 위하여 벽에 붙이거나 인터넷상에 올려 두루 보게 하는 것.

1 다음 문장의 빈칸에 들어갈 알맞은 말을 **오늘의 어휘** 에서 찾아 쓰세요.

• 선생님께서 교실 알림판에 행사 일정표를 [   ] 하였다.

• 우리는 우리의 전통문화를 [   ] 하여 발전시켜야 한다.

• 막냇동생은 지금 장난감을 가지고 노는 일에 [   ] 하고 있다.

• 어떤 집단이든지 [   ] 노력을 하지 않으면 부패해지기 마련이다.

• 전 세계적으로 우리나라의 대중음악인 'K-팝' [   ] 이 불고 있다.

2 다음 글에서 밑줄 친 말과 뜻이 반대되는 말을 찾아 두 글자로 쓰세요.

우리나라의 전통문화는 전쟁을 겪고 급속한 근대화가 이루어지는 동안 단절된 것이 많다. 그중에는 오늘날 우리에게 필요한 문화가 많이 있다. 따라서 현대 문화에 도움이 되는 우리의 문화를 찾아 계승할 필요가 있다.

(   )

인물

지문분석

KEY WORD

찰리 채플린

글자 수

995

600 800 1000 1200

세상을 웃기고 울린 배우, 찰리 채플린

1 개인이나 사회의 부정적 모습을 비꼬아 웃음을 자아내게 함으로써 비판하는 표현 방식을 풍자라고 한다. 찰리 채플린은 웃음으로써 당시 사회의 **부조리**를 풍자했던 영화배우이다.

2 채플린의 어린 시절은 한마디로 매우 **불우**하였다. 그는 런던 **빈민가**에서 가난한 배우였던 부모에게서 태어났다. 채플린은 어렸을 때 아버지가 죽고 어머니마저 정신 질환에 걸리는 등 좋지 못한 가정 형편 때문에 학교마저 제대로 다닐 수 없었다. 결국 채플린은 10살 때 **극단**에 들어가 무대에 서야 했다. 이는 그나마 부모에게 물려받은 연기력이 있었기에 가능했다. 월급이 적어 신문팔이까지 해야 했지만 그는 희망을 잃지 않았다. 이후 채플린은 영국 **전역**을 두루 다니며 무대 경험을 쌓으면서 실력을 키웠다.

3 연극배우로 경력을 쌓은 채플린은 24살 때 미국에서 영화배우 활동을 시작하였다. 이때 채플린은 자신의 유머러스한 캐릭터를 만들어 내었다. 헐렁한 바지와 꽉 조이는 상의, 커다란 구두와 작은 중절모, 지팡이를 들고 콧수염을 붙인 모습이다. 이는 얼핏 **격식**을 지킨 것 같지만 어딘가 엉성한 차림새이다. 이런 모습으로 재미와 감동을 주는 영화를 여러 편 찍은 그는 곧 최고의 스타가 되었다.

4 찰리 채플린이 활발하게 활동했던 1910~1940년대는 두 차례의 세계 대전과 그로 인한 극심한 경제 **불황** 때문에 대부분의 사람들이 힘들게 살아가던 시기였다. 이런 시기에 찰리 채플린은 개성 있는 코미디 연기로 사람들에게 웃음을 주면서, 현실의 문제점을 고발하는 작품을 만들었다. 가난한 사람의 따뜻한 마음씨를 다룬 《키드》, 독재자 히틀러를 조롱했던 《위대한 독재자》, 산업화로 인한 인간 소외 현상을 비판한 《모던 타임즈》와 같은 작품들은 이러한 그의 성향을 잘 보여 준다.

5 찰리 채플린의 연기에는 가난하고 **소외**된 사람들에 대한 따뜻한 시선이 깔려 있다. 그래서인지 그의 영화는 수십 년이 지난 지금도 우리에게 감동을 준다. "연기는 머리로 하는 것이 아니라 가슴으로 하는 것이다."라는 그의 말은 진정한 배우란 어떠해야 하는지를 잘 알려 준다.

5

10

15

20

25

- **부조리**(不 아닐 부, 條 가지 조, 理 다스릴 리) 도리에 어긋나거나 이치에 맞지 않는 것.
- **불우** 좋은 기회를 만나지 못하여 마음먹은 것이나 능력을 쓰지 못하는 상태에 있음.
- **빈민가**(貧 가난할 빈, 民 백성 민, 街 거리 가) 가난한 사람들이 모여 사는 거리.
- **극단** 연극을 전문으로 공연하는 단체.
- **전역** (어떤 곳의) 전체 지역.
- **격식**(格 격식 격, 式 법 식) 격에 맞는 일정한 방식.
- **불황** 경제 전체가 활발하지 못한 상태.
- **소외** 어떤 무리에서 꺼리며 따돌리거나 멀리함.

지문 독해

글의 특징

1 이 글에 대한 설명으로 알맞은 것은 무엇인가요? (   )

① 찰리 채플린의 배우로서의 삶과 작품의 성향을 설명하고 있다.
② 찰리 채플린이 부조리한 사회를 비판한 까닭을 설명하고 있다.
③ 찰리 채플린의 영화를 활용하여 풍자의 개념을 설명하고 있다.
④ 찰리 채플린이 자신의 캐릭터를 완성한 과정을 설명하고 있다.
⑤ 찰리 채플린이 출연한 대표 영화들의 줄거리를 설명하고 있다.

전개 방식

2 이 글의 각 문단에서 사용한 설명 방법으로 알맞지 <u>않은</u> 것은 무엇인가요? (   )

① **1**문단: 정의의 설명 방법
② **2**문단: 대조의 설명 방법
③ **3**문단: 묘사의 설명 방법
④ **4**문단: 예시의 설명 방법
⑤ **5**문단: 인용의 설명 방법

어휘·어법

3 **2**문단과 **3**문단에 나타난 '찰리 채플린'의 삶을 나타내기에 알맞은 속담은 무엇인가요?

(   )

① 빛 좋은 개살구
② 우물 안 개구리
③ 개천에서 용 난다
④ 불난 집에 부채질한다
⑤ 똥 묻은 개가 겨 묻은 개 나무란다

적용하기

4 다음에서 설명하는 말을 이 글에서 찾아 두 글자로 쓰세요.

> 개인 또는 사회의 옳지 못한 점이나 어리석은 모습 등을 웃음을 유발하는 방법으로 비판하는 예술 형식을 이르는 말로, 주로 대상의 부정적인 모습을 과장하거나 우스꽝스럽게 표현하는 방식으로 이루어진다.

(   )

지문 분석

정답과 해설 33쪽

1 정보 확인 이 글의 핵심어를 두 어절로 쓰세요.

(   )

2 문단 요약 다음은 이 글에 나타난 각 문단의 중심 내용입니다. 알맞은 것에 ○표, 틀린 것에 ×표를 하세요.

1 문단	풍자의 개념 및 찰리 채플린 소개	( )
2 문단	찰리 채플린의 불우했던 어린 시절	( )
3 문단	찰리 채플린이 영화에 출연한 까닭	( )
4 문단	찰리 채플린을 스타로 만든 캐릭터	( )
5 문단	찰리 채플린의 연기가 감동을 주는 까닭	( )

배경지식 찰리 채플린의 캐릭터, 리틀 트램프(Little Tramp)

찰리 채플린의 캐릭터인 리틀 트램프는 1914년 작 《베니스에서의 어린이 자동차 경주》에서 첫선을 보였다. 장인에게 빌린 둥근 챙의 작은 모자와 헐렁한 바지를 입고 친구들에게 빌린 꽉 끼는 웃옷과 큼지막한 구두를 신은 모습으로 지팡이를 휘두르는 특유의 떠돌이 모습이었다. 이 리틀 트램프는 이후 찰리 채플린을 대표하는 이미지가 되었다.

다음 낱말의 알맞은 뜻을 찾아 선으로 이으세요.

부조리 •　　　　　• 격에 맞는 일정한 방식.

불우 •　　　　　• 경제 전체가 활발하지 못한 상태.

격식 •　　　　　• 도리에 어긋나거나 이치에 맞지 않는 것.

불황 •　　　　　• 어떤 무리에서 꺼리며 따돌리거나 멀리함.

소외 •　　　　　• 좋은 기회를 만나지 못하여 마음먹은 것이나 능력을 쓰지 못하는 상태에 있음.

1 다음 문장의 빈칸에 들어갈 알맞은 말을 ⬤오늘의 어휘⬤에서 찾아 쓰세요.

- 연말이면 [　　　　]한 이웃을 위한 각종 행사가 열린다.

- 부정부패는 하루빨리 없어져야 할 사회의 [　　　　]이다.

- 그는 거짓말을 자주 해서 동료들에게 [　　　　]를 당했다.

- 공식적인 자리에 갈 때는 [　　　　]에 맞는 옷차림을 해야 한다.

- 계속되는 경기 [　　　　]으로 서민들의 생활이 더욱 힘들어지고 있다.

2 다음 글에서 밑줄 친 말과 뜻이 비슷한 말을 찾아 세 글자로 쓰세요.

　　조선 후기의 실학자 박지원은 〈양반전〉이라는 소설을 통해 당시 양반들의 부조리함을 유머스럽게 비판하였다. 〈양반전〉에는 한 부자 농민이 나온다. 어느 날, 이 부자 농민은 가난한 양반에게서 양반 지위를 사고 매매 문서를 주고받는다. 하지만 그 문서에 적힌 양반의 특권은 도저히 용납할 수 없는 <u>비리</u>에 가까운 것이었다. 이를 본 농민은 양반이 도둑놈 같다며 양반되기를 거부한다.

(　　　　　　　　)

책만 읽는 바보, 이덕무

1 조선 시대의 선비 이덕무는 독서와 관련해서 빼놓을 수 없는 인물이다. 얼마나 책을 열심히 읽었던지 스스로를 '간서치'라고 할 정도였다. '간서치'는 '책만 읽는 바보'라는 뜻으로, 지나치게 책만 읽어서 아무것도 할 줄 모르는 사람을 놀리는 말이다. 하지만 이덕무는 독서 외에 아무것도 할 줄 모르는 **책벌레**가 아니라 독서밖에 할 수 없었던 사람이었다. 그것은 그의 신분 때문이었다.

2 이덕무는 **서자** 출신이라서 벼슬을 하기 위한 과거 시험을 볼 수 없었다. 조선 시대에는 서자를 차별하였는데, 과거를 보지 못하게 하는 것도 그중 하나였기 때문이다. 게다가 물려받은 재산도 없어 가난하게 지냈다. 하지만 비록 서자라도 **사대부** 집안이었기에 시장에 나가 장사를 할 수도 없었다. 결국 양반처럼 과거를 볼 수도 없고 평민처럼 돈을 벌기 위해 일을 할 수도 없었던 이덕무는 그저 책만 읽을 수밖에 없었던 것이다.

3 그는 어릴 때부터 독서를 즐겼다. 좁고 **초라한** 그의 방에는 동쪽, 남쪽, 서쪽으로 창문이 나 있었는데, 해가 동쪽에서 떠서 서쪽으로 이동하는 동안 그 빛을 따라가며 책을 읽을 정도였다. 그리고 자신이 미처 읽지 못했던 책을 구하면 기뻐서 저절로 웃음을 지으니, 집안 사람들은 그가 웃는 것을 보면 '새로운 책을 구했구나.'라고 생각했다.

4 하지만 이덕무는 집안이 가난하여 책을 살 **형편**이 되지 못했다. 그래서 이덕무는 누가 귀한 책을 구했다는 소문을 들으면 그 책을 빌려 왔다. 그리고 빌려 온 책을 직접 한 자 한 자 베껴 책을 만들었다. 그렇게 **필사**한 책이 수백 권이 넘었고, 읽은 책은 이만 권이 넘었다. 이 결과 그는 ㉠역사와 문학, 철학, 농업, 과학 등등 다양한 분야에 두루 **능통해졌다**. 그가 쓴 시가 중국에까지 알려질 정도였다.

5 그러던 중 이덕무가 지식이 뛰어나고 독서를 좋아한다는 소문을 들은 정조 임금이 왕실 도서관인 규장각을 세우고는 그를 검서관 벼슬에 임명하였다. 타고난 신분 때문에 벼슬길에 나갈 수 없었던 이덕무는 결국 독서를 통해 신분의 **제약**을 뛰어넘을 수 있었던 것이다.

KEY WORD

> 이덕무

글자 수

| | | 999 | | |
|600|800|1000|1200|

- **책벌레** 지나치게 책을 좋아하거나 공부만 열심히 하는 사람.
- **서자** 첩이나 다른 여자에게서 낳은 아들.
- **사대부**(士 선비 사, 大 큰 대, 夫 남편 부) (옛날에) 벼슬이나 신분이 높은 양반.
- **초라한** (겉모습이나 옷차림이) 허술하고 보잘것없는.
- **형편**(形 형상 형, 便 편할 편) ① 일이 되어 가는 상황이나 상태. ② 살림살이.
- **필사**(筆 붓 필, 寫 베낄 사) 손으로 베끼어 씀.
- **능통해졌다** (어떤 분야에) 기술·기능·지식이 아주 뛰어나졌다.
- **제약** 일정한 범위를 벗어나는 생활·생각·행동 등을 자유롭게 하지 못하도록 막는 것.

지문 독해

글의 주제

1 이 글의 주제로 가장 알맞은 것은 무엇인가요? (   )

① 부정적인 사회 제도를 바꾼 이덕무

② 조선 시대 양반 계층의 일반적인 삶

③ 이덕무의 삶을 통해 본 독서의 중요성

④ 이덕무를 통해 본 조선 시대의 신분 제도

⑤ 여러 가지 독서 방법과 목적에 맞는 독서

내용 이해

2 이 글의 내용과 일치하지 <u>않는</u> 것은 무엇인가요? (   )

① 이덕무는 어려서부터 책 읽기를 좋아하였다.

② 이덕무는 가난하여 과거 시험을 볼 수 없었다.

③ 조선 시대에는 서자를 제도적으로 차별하였다.

④ 이덕무는 책을 빌려서 그것을 필사하며 익혔다.

⑤ 정조 임금이 서자인 이덕무에게 벼슬을 내렸다.

어휘·어법

3 ㉠을 표현하기에 적절한 한자 성어는 무엇인가요? (   )

① 박장대소: 손뼉을 치며 크게 웃는 것을 이르는 말.

② 박학다식: 학식이 넓고 아는 것이 많은 것을 이르는 말.

③ 개과천선: 지난날의 잘못을 뉘우치고 고쳐 올바르고 착하게 되는 것을 이르는 말.

④ 과대망상: 사실보다 과장하여 터무니없는 헛된 생각을 하게 되는 것을 이르는 말.

⑤ 작심삼일: (마음먹은 것이 사흘을 못 간다는 뜻으로) 결심이 오래가지 못하는 것을 이르는 말.

적용하기

4 다음에서 설명하는 말을 **1**문단에서 찾아 세 글자로 쓰세요.

> '책만 읽는 바보'라는 뜻으로, 지나치게 책만 읽어서 세상일을 잘 알지 못하는 책벌레 같은 사람을 이르는 말이다. 조선 시대 선비 이덕무가 자신을 가리키는 말로 사용하였다.

(   )

지문 분석

1 정보 확인 다음 이덕무의 특징과 관련 있는 것을 찾아 각각 선으로 이으세요.

이덕무의 벼슬 •

이덕무의 별명 •

이덕무의 신분 •

• 서자

• 검서관

• 간서치

2 중심 내용 다음은 이 글의 중심 내용입니다. 빈칸에 들어갈 알맞은 말을 쓰세요.

이덕무는 (　　　　) 출신으로 과거 시험을 볼 수 없었고 집안도 가난하였다. 그러나 스스로를 '(　　　　)'라고 이를 만큼 끊임없이 독서를 한 결과 (　　　　) 임금의 인정을 받아서 신분의 제약을 뛰어넘을 수 있었다.

배경지식 조선 시대 양반가의 출생에 따른 신분 차이

조선 시대에는 양반 아버지와 양반 본처 사이에서 태어나면 '적자(아들)', '적녀(딸)'라고 했고, 양반 아버지와 양민 첩 사이에서 태어나면 '서자(아들)', '서녀(딸)', 양반 아버지와 천민 첩 사이에서 태어나면 '얼자(아들)', '얼녀(딸)'라고 했다. '서자/서녀'와 '얼자/얼녀'는 사회적, 제도적으로 차별을 받았다. 우리가 잘 아는 고전 소설 《홍길동전》의 주인 공 홍길동은 '서자'가 아니라 '얼자'이다. 어머니 '춘섬'이 천민인 노비였기 때문이다.

오늘의 어휘

다음 낱말의 알맞은 뜻을 찾아 선으로 이으세요.

책벌레 •

• (옛날에) 벼슬이나 신분이 높은 양반.

사대부 •

• (겉모습이나 옷차림이) 허술하고 보잘것없는.

초라한 •

• ① 일이 되어 가는 상황이나 상태. ② 살림살이.

형편 •

• (어떤 분야에) 기술·기능·지식이 아주 뛰어나졌다.

능통해졌다 •

• 지나치게 책을 좋아하거나 공부만 열심히 하는 사람.

1 다음 문장의 빈칸에 들어갈 알맞은 말을 **오늘의 어휘** 에서 찾아 쓰세요.

• 서연이는 책을 많이 읽기로 소문난 [   ]이다.

• 조선 시대는 [   ]와 평민의 구분이 엄격했다.

• 다행히 장사가 잘되어서 [   ]이 조금 나아졌다.

• 현주는 프랑스에서 오래 살아서 프랑스어에 [   ].

• 노인은 [   ] 옷차림을 하였으나, 말투에는 위엄이 서려 있었다.

2 다음 글에서 밑줄 친 말과 뜻이 비슷한 말을 찾아 세 글자로 쓰세요.

우리 집 근처에는 작은 햄버거 가게가 있다. 할머니가 혼자 하시는 곳인데, 낮고 좁아서 초라한 가게이다. 햄버거도 크기만 할 뿐 투박하여 <u>볼품없다</u>. 그런데도 가게는 손님으로 북적인다. 겉보기와 달리 아주 맛있다고 소문이 났기 때문이다. 나는 그 가게를 볼 때마다 '뚝배기보다 장맛'이라는 속담이 떠오른다.

(   )

KEY WORD

가우디

글자 수

997

600　800　1000　1200

─────────────────

ⓒ

1 우리나라에는 아파트가 많다. 그런데 아파트 대부분이 직사각형의 콘크리트 건물이라서 갑갑하게 느껴지기도 한다. 100여 년 전 스페인의 바르셀로나도 마찬가지였다. 우리나라 아파트만큼은 아니지만 건축물의 재료나 모양이 다 비슷비슷했다. 건축가 가우디는 이런 ⎡ ⓛ ⎤적인 건축 양식에서 벗어나는 **획기적**인 변화를 **추구**했다. 　5

2 가우디가 지은 건축물에서는 **인공적**인 직선을 찾기 어렵다. 가우디는 자연에서 디자인 아이디어를 얻었다. 그래서 그의 건축물에는 산의 **능선**이나 바다의 물결이 **연상**되는 포물선, 나선 같은 곡선이 두드러진다. 이뿐만 아니라 뼈, 비늘, 지느러미, 날개, 별 등 온갖 종류의 자연 형태를 디자인에 활용했다. 특히 가우디가 40년 넘게 매달린 사그라다 파밀리아 성당은 내부 구조와 기둥을　10 나뭇가지처럼 만들어 멀리서 보면 마치 숲같이 보인다.

3 가우디에게 건축은 "자연은 나의 스승이다."라는 그의 말처럼 사람이 편안하게 머물 수 있는 공간을 자연과 조화를 이루게 만들어 내는 예술이었다. 그래서 가능하면 주변 환경을 **훼손**하지 않으려고 노력했다. 예를 들어 커다란 웅덩이를 흙으로 메워 평평하게 만드는 대신 육교를 놓아 건너다닐 수 있게 했　15 다. 심지어 설계를 마친 뒤 공사를 시작할 때, 건물이 들어서야 할 자리에 큰 나무가 있는 것을 알자 나무가 그 자리에서 계속 자랄 수 있도록 설계를 바꾸기도 했다.

4 하지만 가우디가 단순히 자연의 겉모습만 흉내 낸 것은 아니다. 그는 건물의 **용도**와 안전성 등을 모두 고려하여 과학적으로 설계하였다. 예를 들어 공원　20 의 벤치를 설계할 때는 사람들이 등을 편하게 기댈 수 있게 하려고 석회 반죽을 바른 의자 모양의 틀에 사람을 직접 앉혀서 의자 각 부위에 가해지는 무게와 형태를 측정하였다. 그의 건축물은 치밀하게 계산된 과학적 설계의 결과인 것이다.

5 100여 년 전에 가우디가 지은 건축물은 현대 건축이 나아가야 할 방향을 보　25 여 주었다는 평가를 받는다. 이런 가치 때문에 그가 지은 건축물들은 유네스코 세계 문화유산으로 **등재**되어 있다.

• **획기적** 어떤 분야에서 새로운 시대가 시작될 만큼 두드러진 것.

• **추구** 원하는 것을 이룰 때까지 계속하여 애써서 구하는 것.

• **인공적**(人 사람 인, 工 장인 공, 的 과녁 적) 사람의 힘으로 만들어 낸 것.

• **능선** 산등성이를 따라 한 봉우리에서 다른 봉우리로 이어진 선.

• **연상**(聯 연이을 연, 想 생각 상) 어떤 사물을 보거나 듣거나 생각하거나 할 때 그와 관련되는 다른 사물이 마음속에 떠오르는 것.

• **훼손**(毁 헐 훼, 損 덜 손) (헐거나 함부로 다루어) 못 쓰게 하는 것.

• **용도**(用 쓸 용, 途 길 도) 돈이나 물건 등이 쓰이는 곳이나 목적.

• **등재**(登 오를 등, 載 실을 재) 이름이나 어떤 사실 등을 장부·명부 등에 기록하는 것.

지문 독해

1 제목

㉠에 들어갈 이 글의 제목으로 가장 알맞은 것은 무엇인가요? (   )

① 가우디의 어린 시절과 그로 인한 영향

② 인공적인 직선을 거부한 건축가, 가우디

③ 유럽의 전통문화를 담은 가우디의 건축물

④ 항상 새로운 재료를 사용한 건축가, 가우디

⑤ 가우디 최고의 작품, '사그라다 파밀리아 성당'

2 전개 방식

이 글의 각 문단에서 사용한 설명 방법으로 알맞지 <u>않은</u> 것은 무엇인가요? (   )

① **1**문단: 우리나라의 건축물을 활용하여 가우디를 소개하고 있다.

② **2**문단: 열거의 방식으로 가우디가 아이디어를 얻은 자연 형태를 제시하고 있다.

③ **3**문단: 가우디의 말을 인용하여 전달하려는 바를 뒷받침하고 있다.

④ **4**문단: 구체적 예를 활용하여 가우디 건축의 특징을 강조하고 있다.

⑤ **5**문단: 대조의 방식으로 가우디 건축물의 가치를 제시하고 있다.

3 추론하기

다음 중 건축에 대한 가우디의 생각을 짐작한 것으로 알맞은 것은 무엇인가요? (   )

① 전통적인 건축 양식을 따르되 더 좋게 개량할 수 있어야 한다.

② 건축가는 사람들이 원하는 건축물을 싸게 지을 수 있어야 한다.

③ 주변 환경과 조화를 이루면서도 기능적인 건축물을 지어야 한다.

④ 자연의 원리를 본떠 영원히 무너지지 않을 건축물을 지어야 한다.

⑤ 건축물은 누구나 쉽게 구할 수 있는 재료를 활용하여 지어야 한다.

4 어휘·어법

㉡에 들어갈 가장 알맞은 한자 성어는 무엇인가요? (   )

① 동문서답: 물음과는 전혀 상관없는 엉뚱한 대답을 이르는 말.

② 전화위복: 불행한 일이 바뀌어 오히려 복이 되는 것을 이르는 말.

③ 진수성찬: 아주 넉넉하게 여러 가지로 잘 차린 맛있는 음식을 이르는 말.

④ 천편일률: 사물이 모두 판에 박은 듯이 똑같아 개성이 없음을 이르는 말.

⑤ 감언이설: 귀가 솔깃하도록 남의 비위에 맞게 이로운 듯이 꾸며서 하는 말.

지문 분석

1 문단 요약 이 글에 나타난 각 문단의 중심 내용으로 알맞은 것을 찾아 선으로 이으세요.

1문단 •

2문단 •

3문단 •

4문단 •

5문단 •

• 자연스러운 곡선이 두드러지는 가우디의 건축물

• 천편일률적인 건축 양식에서 벗어나려 한 가우디

• 현대 건축의 방향을 보여 준 가우디의 건축물

• 자연을 훼손하지 않는 건축물을 지으려 한 가우디

• 과학적으로 치밀하게 설계된 가우디의 건축물

2 중심 내용 다음은 이 글의 중심 내용입니다. 빈칸에 들어갈 알맞은 말을 쓰세요.

> 가우디는 (　　　　)에서 아이디어를 얻어 자연을 닮은 건축물을 지었다. 그 건축물에는 (　　　　) 설계도 뒷받침되었다. 이런 가우디의 건축물은 현대 건축이 나아가야 할 (　　　　)을 제시한다.

배경지식 ## 사그라다 파밀리아 성당(성 가족 성당)

'사그라다 파밀리아 성당'은 가우디가 1883년부터 수석 건축가로 참여하여 1926년 73세로 죽을 때까지 매달렸으나, 전체 공정의 4분의 1만 겨우 완성한 건축물이다. 가우디가 죽은 뒤에도 그의 설계를 바탕으로 계속 짓고 있는 중이며, 2005년에 세계 문화유산으로 지정되었다.

가우디가 죽은 해인 1926년경 미완성된 모습

지금도 짓고 있는 모습

오늘의
어휘

다음 낱말의 알맞은 뜻을 찾아 선으로 이으세요.

획기적 •　　　　　　• 사람의 힘으로 만들어 낸 것.

추구 •　　　　　　• 돈이나 물건 등이 쓰이는 곳이나 목적.

인공적 •　　　　　　• 원하는 것을 이룰 때까지 계속하여 애써서 구하는 것.

능선 •　　　　　　• 어떤 분야에서 새로운 시대가 시작될 만큼 두드러진 것.

용도 •　　　　　　• 산등성이를 따라 한 봉우리에서 다른 봉우리로 이어진 선.

1 다음 문장의 빈칸에 들어갈 알맞은 말을 **오늘의 어휘** 에서 찾아 쓰세요.

- 이 폭포는 [   ]으로 만들어진 것이다.
- 진달래가 뒷산 [   ]을 따라 붉게 피었다.
- 무릇 모든 물건은 제 [   ]에 맞게 사용해야 한다.
- 예술은 새로움을 [   ]하는 일이라고 정의할 수 있다.
- 신발 제조 공정에서 [   ]으로 개선된 공법이 개발되었다.

2 다음 글에서 밑줄 친 말과 뜻이 반대되는 말을 찾아 세 글자로 쓰세요.

　　우리나라에는 <u>천연적인</u> 관광 자원이 풍부하다. 하지만 그것을 더욱 돋보이게 하는 인공적인 관광 자원이 부족하여 외국 관광객의 관심을 잘 끌지 못하는 실정이다. 오히려 인공적인 건축물이 자연 관광 자원을 훼손하는 경우도 있다. 따라서 천연적인 관광 자원과 조화를 이루는 인공적인 관광 자원의 획기적인 개발이 필요하다.

(　　　　　　)

고려의 자주성을 추구한 공민왕

1 918년 왕건이 세운 고려는 **건국** 이후 300여 년간 외국과 주체적인 외교 관계를 맺으며 고유한 문화를 유지하였다. 그런데 1231년부터 30여 년간 고려를 침입한 몽골에게 져서 80여 년간을 몽골이 세운 원나라의 실질적인 지배를 받아야 했다.

2 원나라의 지배를 받던 시기에 고려의 왕은 어릴 때부터 원나라에 **볼모**로 잡혀가서 원나라의 학문을 공부하고, 반드시 원나라 공주와 결혼해야만 했다. 게다가 원나라가 고려의 왕을 마음대로 임명할 수 있었고, 왕의 이름도 원나라에 충성한다는 뜻으로 충렬왕, 충선왕, 충숙왕, 충혜왕 등과 같이 '충(忠)' 자를 앞에 붙이게 하였다. 상황이 이렇다 보니 고려의 백성들도 몽골 옷을 입고 몽골인의 머리 모양인 변발을 하는 경우가 많았다.

3 고려의 31대 임금 공민왕은 이런 상황에 강하게 저항하였다. 그 또한 이전의 왕들처럼 12살에 원나라로 끌려가 10여 년을 지냈다. 그리고 원나라의 노국 대장 공주와 결혼하고서야 고려로 돌아와 왕이 되었다. 하지만 **즉위**하자마자 원나라의 지배에서 벗어나기 위한 **개혁** 정책을 ㉠펼치기 시작하였다. 첫 번째로 한 일은 고려에서 몽골 옷과 변발 같은 몽골 풍습을 금지하는 것이었다. 그리고 원나라에 정기적으로 바치던 선물도 없애 버렸다. 여기에 더해 원나라에 빼앗겼던 영토 일부를 무력으로 되찾기도 하였다.

4 개혁 과정에서 원나라에 충성하던 **권문세족**들이 매우 심하게 반발하였다. 하지만 공민왕은 자신을 지지하던 젊은 신하들과 힘을 합쳐 이들을 모두 **처단**하고, 권문세족이 불법적으로 빼앗은 땅과 새산을 백성들에게 되돌려 주었다. 또한 억울하게 노비가 된 백성들도 원래 신분으로 회복시켜 주었다. 이 때문에 공민왕의 정책은 백성들의 큰 지지를 받았다.

5 그러나 공민왕의 개혁 정책은 항상 그의 편이 되어 주었던 노국 대장 공주가 죽으면서 급속하게 **약화**되었다. 공민왕이 슬픔에서 헤어나지 못하였기 때문이다. 하지만 공민왕의 개혁은 강대국의 지배에서 벗어나 고려의 **자주권**을 지키려 했다는 점에서 큰 의의가 있다.

5
10
15
20
25

KEY WORD

공민왕

글자 수

985
600 800 1000 1200

- **건국(建** 세울 건, **國** 나라 국) 새로 나라를 세우는 것.
- **볼모** 예전에, 나라 사이에 약속 이행을 목적으로 상대국에 머물게 했던 왕자나 그와 비슷한 지위의 사람.
- **즉위(卽** 곧 즉, **位** 자리 위) 임금의 자리에 오르는 것.
- **개혁(改** 고칠 개, **革** 가죽 혁) 제도·관습·기구 등을 새롭게 다른 것으로 바꾸는 것.
- **권문세족** 대대로 버슬이 높고 세력이 있는 집안.
- **처단** 죄가 있는 사람을 사정을 보아주지 않고 벌을 주는 것.
- **약화** (힘이나 실력 등이) 약해지는 것.
- **자주권(自** 스스로 자, **主** 주인 주, **權** 권세 권) 한 국가가 외국의 간섭을 받지 않고 자기 문제를 스스로 결정하고 처리할 수 있는 권리.

지문 독해

1 이 글에서 설명하고 있는 것은 무엇인가요? (   )

① 고려의 역사와 문화

② 공민왕의 개혁 정책

③ 고려에서 유행한 몽골 풍습

④ 원나라가 고려를 지배한 까닭

⑤ 공민왕과 노국 대장 공주의 사랑

2 이 글의 내용과 일치하지 <u>않는</u> 것은 무엇인가요? (   )

① 고려는 80여 년 동안 원나라의 실질적인 지배를 받아야 했다.

② 공민왕은 어린 시절에 원나라로 끌려가 그곳에서 결혼을 하였다.

③ 원나라의 지배를 받는 동안 고려 왕의 이름 앞에 '충' 자를 붙였다.

④ 공민왕의 개혁 정책은 권문세족과 백성들의 심한 반대에 부딪혔다.

⑤ 노국 대장 공주가 죽고 나서부터 공민왕의 개혁 정책이 약화되었다.

3 **2**문단에 사용된 설명 방법으로 알맞은 것을 보기에서 찾아 ○표를 하세요.

보기

과정,   대조,   비교,   예시,   정의

4 다음을 참고할 때, 밑줄 친 말이 ㉠과 같은 뜻으로 쓰인 것은 무엇인가요? (   )

펼치다 [동사] 1. (생각이나 이상 등을) 이루기 위해 행동하다.
          2. (책 등의 내용을 볼 수 있게) 펴다.
          3. (구겨져 있거나 오므라져 있던 것을) 활짝 펴다.

① 그는 아직까지 꿈을 <u>펼치지</u> 못하였다.

② 햇볕이 너무 강해 양산을 <u>펼쳐</u> 들었다.

③ 독수리가 날개를 <u>펼치더니</u> 높이 날았다.

④ 선생님이 들어오자 아이들이 책을 <u>펼쳤다</u>.

⑤ 그녀는 수첩을 <u>펼쳐</u> 낙서를 하기 시작했다.

지문 분석

1 문단 요약   다음은 이 글에 나타난 각 문단의 중심 내용입니다. 알맞은 것에 ○표, 틀린 것은 ×표를 하세요.

1 문단	80여 년간 원나라의 실질적 지배를 받았던 고려	( )
2 문단	오랫동안 원나라의 지배를 받은 고려의 상황	( )
3 문단	원나라의 지배에서 벗어나려 한 노국 대장 공주	( )
4 문단	권문세족들의 지지를 받았던 공민왕의 개혁 정책	( )
5 문단	공민왕의 개혁 정책이 지닌 의의	( )

2 중심 내용   다음은 이 글의 중심 내용입니다. 빈칸에 들어갈 알맞은 말을 쓰세요.

> (   )은 80여 년 동안 (   )의 지배를 받았던 상황에서 벗어나려는 개혁 정책을 시행하였다. 그의 정책은 원나라에 충성하던 (   )의 반발에 부딪히기도 했지만, 백성들의 큰 지지를 받았다. 공민왕의 개혁 정책은 고려의 (   )을 지키려 했다는 점에서 의의가 있다.

배경지식   **공민왕 개혁의 동반자, 노국 대장 공주**

노국 대장 공주는 공민왕의 부인이다. 원나라 공주 출신의 왕비였음에도 불구하고 원나라에서 벗어나려는 공민왕의 정책을 적극적으로 지지하고, 고려의 권문세족들로부터 공민왕을 지키기 위해 사력을 다하였다. 이 때문에 공민왕의 사랑을 한몸에 받았다. 그러다 노국 대장 공주가 출산 도중에 죽자 공민왕은 손수 공주의 초상을 그려 두고 밤낮으로 그것을 보며 하염없이 눈물만 흘렸다. 공민왕에게 그녀는 자신의 목숨만큼 소중한 존재였던 것이다. 공민왕은 공주의 무덤을 만들고 자신도 죽은 뒤 공주의 무덤 옆에 묻혔다. 공민왕과 노국 대장 공주는 죽어서도 함께하고 있는 것이다.

오늘의 어휘

다음 낱말의 알맞은 뜻을 찾아 선으로 이으세요.

| 건국 | • | • 새로 나라를 세우는 것. |

| 즉위 | • | • 임금의 자리에 오르는 것. |

| 개혁 | • | • (힘이나 실력 등이) 약해지는 것. |

| 처단 | • | • 제도·관습·기구 등을 새롭게 다른 것으로 바꾸는 것. |

| 약화 | • | • 죄가 있는 사람을 사정을 보아주지 않고 벌을 주는 것. |

1 다음 문장의 빈칸에 들어갈 알맞은 말을 `오늘의 어휘` 에서 찾아 쓰세요.

- 신화에 따르면 고구려를 [   ]한 사람은 주몽이다.
- 우리나라를 덮친 태풍의 세력이 점차 [   ]하고 있다.
- 《홍길동전》을 지은 허균은 당시 사회를 [   ]하려 하였다.
- 세종 대왕은 [   ]하기 전부터 백성에 대한 사랑이 남달랐다.
- 일제 강점기에 독립투사들은 친일파를 [   ]하는 데 앞장섰다.

2 다음 글에서 밑줄 친 말과 뜻이 반대되는 말을 찾아 두 글자로 쓰세요.

대부분의 질병은 우리 몸의 면역 기능이 약화되었을 때 생긴다. 따라서 평소 운동을 꾸준하게 하고 영양 성분을 골고루 섭취하여 면역력을 <u>강화</u>해야 한다. 그러면 만의 하나 질병에 걸리더라도 빨리 나을 수 있다.

(   )

지문분석

우리가 만들어 가는 2100년의 지구

KEY WORD

미래의 지구

글자 수

973
600 800 1000 1200

1 2100년의 지구는 어떤 모습일까? 20세기 말에 미래학자들은 100년 뒤의 지구 모습을 장밋빛으로 예측하였다. 3D 프린터가 고급 요리를 바로 만들어 줄 것이고, 인공 지능이 운전하는 **자기 부상** 자동차를 타고 이동할 것이며, **난치병**을 치료할 수 있어 인간의 수명이 늘어나고, 로봇이 인간의 육체 노동을 대신해 주어 일은 지금보다 적게 하면서 더 편안한 생활을 할 수 있을 것이라고 말이다.

2 그러나 환경학자들은 이와 상반되는 회색빛 미래로 2100년을 예측했다. 지구 생태계가 파괴되어 강력한 전염병이 유행하고, 지구 온난화로 인해 남극과 북극의 빙하가 녹으면서 **저지대**가 침수될 것이며, 전 세계적으로 폭염과 **한파**, 가뭄과 홍수, 초대형 태풍과 산불 등 자연재해가 **수시로** 발생하고, 아마존 밀림은 대부분 사막이 되어 버리고, 전 세계에 식량난이 발생하여 전체 인구의 절반 이상이 고통을 겪을 것이라고 말이다.

3 과연 2100년의 지구는 장밋빛일까, 회색빛일까? 장밋빛이 되면 좋겠지만 적어도 회색빛이 되는 것은 피해야 한다. 2100년의 지구 모습으로 예상되는 부정적 상황은 대부분 급격한 기후 변화로 인한 것이다. 그리고 이는 현재 인류의 **무분별한** 화석 연료 사용에서 비롯된다. 많은 과학자들이 인류가 지금처럼 온실가스를 계속 배출한다면 2100년쯤에는 지구의 평균 온도가 3도가량 오를 것이라고 경고한다. 이런 기후 변화가 인류의 미래를 위협하는 부정적 현상을 일으키는 것이다.

4 우리가 선택해야 할 방향은 뚜렷하다. 인류의 미래가 회색빛으로 변하는 것을 막고 장밋빛이 되도록 이끄는 것이다. 이를 위해 우리가 해야 할 일도 분명하다. 지구 온난화의 **주범**인 온실가스 배출을 줄이기 위해 노력하는 것이다. 일회용품의 사용을 줄이고, 자전거 혹은 대중교통을 이용하는 것도 온실가스 배출을 줄이는 실천 방법이다. ㉠우리의 작은 실천이 모이면 큰 결과를 만들어 낼 수 있다. 지금 우리가 어떻게 하느냐에 따라 2100년 지구의 모습이 결정되는 것이다.

5

10

15

20

25

- **자기 부상** 자석과 자석 사이의 힘을 이용하여 물체를 들어 올리는 것.
- **난치병** 고치기 어려운 병.
- **저지대(低** 낮을 저, **地** 땅 지, **帶** 띠 대) 낮은 지역.
- **한파(寒** 찰 한, **波** 물결 파) 겨울 철에 갑자기 기온이 내려가는 것.
- **수시로** 경우나 기회가 생길 때마다. 아무 때나 늘.
- **무분별한(**기본형: 무분별하다**)** 사리에 맞게 판단하는 능력이 없는.
- **주범** ① 여럿 중에서 가장 중심이 되어 죄를 저지른 범인. ② 어떤 일에 대하여 좋지 아니한 결과를 만드는 주된 원인.

지문 독해

1 이 글에서 글쓴이가 주장하는 내용은 무엇인가요? (   )

① 2100년에는 사람들이 지금보다 편하게 살 수 있다.

② 지구의 미래는 지금보다 부정적인 상황이 될 것이다.

③ 지구의 밝은 미래를 위해 지금 우리가 노력해야 한다.

④ 2100년에는 지구의 평균 온도가 3도가량 오를 것이다.

⑤ 지구의 미래가 장밋빛일지, 회색빛일지 누구도 알 수 없다.

내용 이해

2 이 글의 내용과 일치하지 <u>않는</u> 것은 무엇인가요? (   )

① 미래학자들은 2100년의 지구 상황을 긍정적으로 예측했다.

② 화석 연료의 무분별한 사용 때문에 지구 온난화가 초래되었다.

③ 기후가 급격하게 변하면 미래의 인류에게 큰 고통을 주게 된다.

④ 인류가 지금처럼 살아가면 앞으로 지구 온난화가 더욱 심화된다.

⑤ 지구 온난화가 계속되면 2100년쯤에는 아마존 밀림이 잠기게 된다.

적용하기

3 다음에서 설명하는 말을 ❹문단에서 찾아 네 글자로 쓰세요.

> 화석 연료를 사용하면서 배출되는 물질로, 지구 대기를 오염시켜 지구의 평균 온도를 자연스러운 기온 변화보다 급격하게 높이는 원인이 된다. 이산화 탄소와 메탄이 대표적인 물질이다.

(   )

어휘·어법

4 ㉠을 나타내기에 적절한 속담은 무엇인가요? (   )

① 수박 겉 핥기   ② 울며 겨자 먹기

③ 티끌 모아 태산   ④ 배보다 배꼽이 크다

⑤ 쇠뿔도 단김에 빼라

지문 분석

1 문단 요약   이 글에 나타난 각 문단의 중심 내용으로 알맞은 것을 찾아 선으로 이으세요.

1 문단   •   •   회색빛 미래를 막기 위한 노력 촉구

2 문단   •   •   2100년 지구에 대한 회색빛 전망

3 문단   •   •   2100년 지구에 대한 장밋빛 전망

4 문단   •   •   회색빛 전망의 근거인 기후 변화

2 중심 내용   다음은 이 글의 중심 내용입니다. 빈칸에 들어갈 알맞은 말을 쓰세요.

> 일부 학자들은 2100년의 지구 모습을 (   )으로 전망하지만 일부 학자들은 회색빛으로 전망한다. (   )으로 전망하는 이유는 급격한 (   ) 변화 때문이다. 회색빛 미래를 막기 위해서는 지구 온난화의 주범인 (   )의 배출을 줄이려는 노력을 해야 한다.

배경지식 ## 1900년에 살던 사람들이 상상한 2000년의 모습

프랑스의 화가들은 1899~1910년에 2000년의 세상을 예상하여 그림을 그렸다. 당시 예술가들은 2000년이 되면 전기와 기계를 사용하는 생활이 가능할 것으로 예측하였다. 그리고 인간이 하늘과 바닷속을 자유롭게 다닐 수 있을 것으로 보았다. 현재 상황과 비교해 보면, 일부는 실현되었고 일부는 실현되지 않았다.

개인 비행기를 타고 다니는 사람들

화상 통화를 하는 사람들

기계를 이용하여 책의 내용을 주입하는 학교

기계를 이용하여 건물을 짓는 건설 현장

오늘의 어휘

다음 낱말의 알맞은 뜻을 찾아 선으로 이으세요.

저지대 •   • 낮은 지역.

한파 •   • 사리에 맞게 판단하는 능력이 없는.

수시로 •   • 겨울철에 갑자기 기온이 내려가는 것.

무분별한 •   • 경우나 기회가 생길 때마다. 아무 때나 늘.

주범 •   • ① 여럿 중에서 가장 중심이 되어 죄를 저지른 범인. ② 어떤 일에 대하여 좋지 아니한 결과를 만드는 주된 원인.

1 다음 문장의 빈칸에 들어갈 알맞은 말을 오늘의 어휘 에서 찾아 쓰세요.

- [   ] 개발 때문에 자연이 많이 훼손되었다.

- 그들은 [   ] 연락하면서 친분을 다져 왔다.

- 초봄인데도 때아닌 [   ]가 닥쳐 기온이 영하로 뚝 떨어졌다.

- 아파트에서 이웃 사이에 벌어지는 다툼의 [   ]은 층간 소음이다.

- 홍수가 일어나면 [   ]에 사는 주민들은 위험하므로 대피해야 한다.

2 다음 글에서 밑줄 친 말과 뜻이 반대되는 말을 찾아 세 글자로 쓰세요.

고등학생인 나는 집 근처의 카페에 수시로 놀러 간다. 원래는 <u>어쩌다가</u> 방문하는 곳이었는데, 그곳 주인 아저씨가 우리 학교 선배인 것을 알고는 친해진 것이다. 그러나 가게 운영에 방해가 될 정도로 무분별하게 찾지는 않는다.

(   )

스모그의 위험성

1 1952년 런던 사람들은 자신의 눈을 의심했다. 검은 안개가 런던 시내를 가득 메운 것이다. 이 때문에 햇빛을 볼 수 없어 하늘이 뿌옇게 보였고, 목이 따끔거려 숨을 쉬기 어려웠다. 검은 안개는 5일이나 계속되었는데, 사건 발생 초기에 4천여 명이 죽고, 이듬해 봄까지 8천여 명이 더 목숨을 잃었다.

2 수많은 런던 사람들의 목숨을 **앗아** 간 검은 안개의 정체는 스모그이다. 스모그(smog)는 '연기(smoke)'와 '안개(fog)'가 합쳐져 생긴 말로, 대기 오염 물질이 안개와 뒤섞여 한자리에 머무는 상태를 뜻한다. 바람이 불지 않거나, 대기의 아래쪽에 찬 공기가 있고 위쪽에 따뜻한 공기가 있을 때 발생하기 쉽다. 대기 오염 물질이므로 **장시간** 스모그가 있는 곳에서 생활하면 호흡기 **질환**에 걸릴 수 있다.

3 스모그를 일으키는 대기 오염 물질은 대개 석탄이나 석유 등을 태울 때 발생한다. 당시 영국은 공업 지대가 곳곳에 들어서면서 석탄 사용량이 급증하였고, 공장 굴뚝은 엄청난 양의 **매연**을 내뿜고 있었다. 이 매연이 안개가 **잦은** 영국 날씨와 결합하여 스모그가 된 것이다. 이처럼 공장이나 가정에서 배출되는 대기 오염 물질과 안개가 결합한 스모그를 '런던형 스모그'라고 한다.

4 석유를 태울 때도 엄청나게 많은 대기 오염 물질이 발생한다. 석유는 주로 자동차 연료로 사용된다. 즉 자동차 **배기가스**가 스모그를 일으키는 원인 중 하나인 것이다. 실제로 1954년 미국의 로스앤젤레스(LA)에는 자동차 배기가스가 햇빛의 자외선과 화학 반응을 일으켜 도시 전체가 황갈색 스모그로 뒤덮였다. 이 스모그는 녹성이 높았기에 당시 경찰은 **방독면**을 쓰고 순찰을 다녀야 했다. 이처럼 자동차 배기가스가 태양 광선과 결합한 스모그를 'LA형 스모그'라고 한다.

5 스모그는 화석 연료를 마구 사용하던 산업화 시절에만 발생한 것이 아니라 오늘날에도 발생한다. 예를 들어 중국은 대도시에서 석탄 사용으로 인한 스모그가 거의 **연중** 발생하고 있으며, 우리나라의 서울은 런던형이나 LA형과 달리 자동차 배기가스와 안개가 결합된 스모그가 종종 발생하고 있다.

5

10

15

20

25

- **앗아**(기본형: 잇다) 무엇을 빼앗거나 없어지게 하여.
- **장시간** 오랜 시간. 긴 시간.
- **질환** 몸에 생긴 병.
- **매연**(煤 그을음 매, 煙 연기 연) 공기 중에 있는 오염 물질로, 연료를 태웠을 때 나오는 그을음이 섞인 검은 연기.
- **잦은**(기본형: 잦다) (어떤 일이 생기는 것이) 자주 있는.
- **배기가스** 자동차에서 밖으로 내보내는 가스.
- **방독면**(防 막을 방, 毒 독 독, 面 낯 면) 연기나 유독 가스를 들이마시는 것을 막고 얼굴을 보호하기 위해 쓰는 기구.
- **연중**(年 해 연, 中 가운데 중) ① 한 해 동안. ② 한 해 동안 내내.

지문 독해

중심 내용

중심 내용

1 이 글의 중심 내용으로 가장 알맞은 것은 무엇인가요? (   )

① 스모그의 시초 및 확대 과정
② 스모그의 위험성 및 예방 대책
③ 스모그의 개념 및 대표적인 종류
④ 스모그의 발생 원인 및 발생 주기
⑤ 스모그가 인간과 자연에 미치는 영향

전개 방식

2 ❶문단에서 읽는 이의 흥미를 끌기 위해 사용하고 있는 방법은 무엇인가요? (   )

① 전문가의 말을 인용하여 상황의 심각성을 강조하고 있다.
② 개인적인 경험을 제시하여 독자의 공감을 이끌어 내고 있다.
③ 실제 있었던 일로 시작하여 독자의 호기심을 유발하고 있다.
④ 웃음을 유발하는 우스갯소리로 독자의 흥미를 자극하고 있다.
⑤ 독자에게 질문을 하는 방식으로 독자의 참여를 유도하고 있다.

추론하기

3 ❺문단을 통해 짐작한 내용으로 가장 알맞은 것은 무엇인가요? (   )

① 우리나라 서울의 스모그는 중국의 스모그보다 건강에 덜 해롭겠군.
② 중국에서는 석탄 대신 석유를 사용하면 스모그가 발생하지 않겠군.
③ 우리나라 서울에서는 런던형과 LA형이 혼합된 스모그가 발생하겠군.
④ 중국의 대도시에서는 LA형 스모그가 발생하여 사람들이 고통받겠군.
⑤ 우리나라 서울의 스모그는 중국과 달리 검은색의 스모그가 발생하겠군.

적용하기

4 다음에서 설명하는 용어를 이 글에서 찾아 세 글자로 쓰세요.

> '연기(smoke)'와 '안개(fog)'를 합쳐서 만든 말로, 대기 오염 물질이 안개와 뒤섞여 한자리에 머무는 상태를 뜻하는 용어이다. 크게 런던형과 LA형으로 나누어진다.

(   )

지문 분석

1 문단 요약　이 글에 나타난 각 문단의 중심 내용으로 알맞은 것을 찾아 선으로 이으세요.

- **1**문단 •
- **2**문단 •
- **3**문단 •
- **4**문단 •
- **5**문단 •

- • 1952년 런던형 스모그가 발생한 까닭
- • 오늘날 세계 곳곳에서 발생하고 있는 스모그
- • 자동차 배기가스로 인해 발생하는 LA형 스모그
- • 많은 사람들의 생명을 앗아 간 런던 스모그
- • 스모그의 개념 및 발생하는 기후 조건

2 정보 확인　이 글의 내용을 생각하며, 빈칸에 들어갈 알맞은 말에 ○표를 하세요.

스모그는 크게 런던형 스모그와 LA형 스모그로 나눌 수 있다. 공장이나 가정에서 석탄 등을 태워 배출되는 대기 오염 물질이 주요 원인인 스모그는 (런던형, LA형) 스모그이고, 석유를 연료로 사용하는 자동차 배기가스가 주요 원인인 스모그는 (런던형, LA형) 스모그이다.

배경지식　KF 마스크의 일반적인 구조

스모그나 황사, 미세 먼지가 발생하면 외출을 삼가는 것이 가장 좋다. 어쩔 수 없이 외출해야 할 때는 보건용 마스크를 써야 한다. 우리나라의 식품 의약품 안전처의 인증을 받은 보건용 마스크를 'KF 마스크'라 부르는데, 'KF80, KF94, KF99' 등이 있다. 뒤에 붙는 숫자가 클수록 미세 먼지 차단율이 높지만 그만큼 숨쉬기가 어렵다는 문제점이 있다.

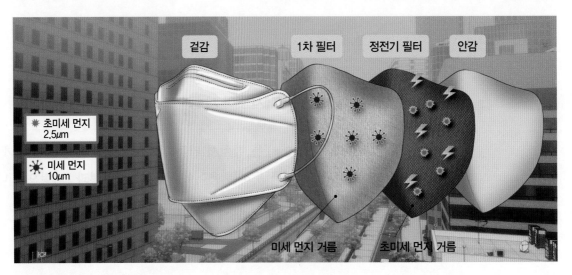

초미세 먼지
2.5㎛

미세 먼지
10㎛

겉감　1차 필터　정전기 필터　안감

미세 먼지 거름　초미세 먼지 거름

오늘의 어휘

다음 낱말의 알맞은 뜻을 찾아 선으로 이으세요.

앗아 •   • 오랜 시간. 긴 시간.

장시간 •   • 무엇을 빼앗거나 없어지게 하여.

매연 •   • (어떤 일이 생기는 것이) 자주 있는.

잦은 •   • ① 한 해 동안. ② 한 해 동안 내내.

연중 •   • 공기 중에 있는 오염 물질로, 연료를 태웠을 때 나오는 그을음이 섞인 검은 연기.

1 다음 문장의 빈칸에 들어갈 알맞은 말을 **오늘의 어휘** 에서 찾아 쓰세요.

- 이곳은 사람들의 왕래가 [   ] 곳이다.
- 전쟁은 죄없는 사람들의 목숨을 [   ] 간다.
- 이번 회의는 생각보다 [   ] 에 걸쳐서 진행되었다.
- 이 섬은 경치가 아름다워 [   ] 관광객이 넘쳐 난다.
- 자동차에서 배출되는 [   ] 은 심각한 환경 오염을 일으킨다.

2 다음 글에서 밑줄 친 말과 뜻이 반대되는 말을 찾아 **보기** 를 참고하여 기본형으로 쓰세요.

보기

기본형은 동사나 형용사의 기본이 되는 꼴로, 모두 '−다'로 끝난다.

우리 지역은 관광지임에도 옛날과 달리 관광객들의 발걸음이 <u>드물다</u>. 왜냐하면 다른 관광지와 차별되는 볼거리가 없기 때문이다. 우리 지역만의 독특한 놀 거리와 먹을거리 등을 개발해야 관광객들의 방문이 잦게 될 것이다.

(   )

기후 변화의 위험성

1 남태평양 가운데 아홉 개의 섬으로 이루어진 '투발루'라는 나라가 있다. **지상 낙원**으로 불릴 만큼 경치가 아름다운 곳이다. 그런데 이 나라가 이르면 50년 안에 사라질 위기에 처해 있다. **지구 온난화**로 인해 **해수면**이 점차 높아져 물에 잠기고 있기 때문이다. 투발루 옆에 있는 섬나라인 나우루와 키리바시 등도 같은 상황이다.

2 이들 나라의 운명을 좌우하는 지구 온난화는 기후 변화로 인한 현상이다. 기후는 기온, 비, 눈, 바람 등의 대기 상태를 말하며, 기후 변화는 일정한 지역에서 장기간에 걸쳐 진행되고 있는 기후의 평균적인 변화를 의미한다. 우리나라 기후가 아열대성으로 변하고 있는 것이나, **폭염**이나 초대형 태풍처럼 평소와 **확연히** 다른 기후가 나타나는 전 세계 곳곳의 기상 이변도 기후 변화로 인한 것이다.

3 **모의실험**에 따르면, 지구 온난화로 해수면이 1m 상승하면 해변 지역과 섬 등이 **침수**돼 6억 명 이상의 **이재민**이 발생하고, 전 세계가 홍수와 가뭄, 질병 등에 시달릴 것으로 예상된다. 그리고 지구의 평균 기온이 2℃만 높아져도 **극단적** 폭염이 잦아져 15억 명 이상이 식량 부족과 물 부족을 겪어야 한다. 과학자들은 지금 같은 추세라면 2100년에 지구의 평균 기온은 3℃, 해수면은 40cm~1m 정도 상승할 것이라고 경고한다.

4 기후 변화의 원인은 크게 두 가지이다. 하나는 자연적 **요인**으로, 태양 활동의 변화나 지구 공전 궤도의 변화 등을 들 수 있다. 이로 인한 기후 변화는 아주 천천히 조금씩 일어난다. 다른 하나는 인위적 요인으로, 화석 연료 사용으로 인한 온실가스의 증가와 환경 오염 및 파괴 등을 들 수 있다. 이 요인은 짧은 기간에 홍수나 폭염 같은 기상 이변을 일으킨다. 지구 온난화 현상은 이러한 인위적 요인에 의한 것이다.

5 기후 변화를 막으려면 무엇보다 화석 연료의 사용을 줄여야 한다. 특히 이산화 탄소나 메탄 같은 온실가스를 배출하지 않는 태양열이나 수력, 풍력 같은 재생 에너지 사용을 늘려야 한다. 이 일은 전 세계 모든 국가와 전 인류가 함께 힘을 합쳐야 하는 일이다. 기후 변화는 한 국가나 개인의 문제가 아니라 인류의 생존과 관련된 문제이기 때문이다.

KEY WORD

기후 변화

글자 수

			1035
600	800	1000	1200

- **지상 낙원** (하늘나라나 사후 세계가 아닌) 현실 세계에 있으며, 고통 없이 즐거운 곳.
- **지구 온난화** 지구의 기온이 높아지는 현상.
- **해수면**(海 바다 해, 水 물 수, 面 낮 면) 바닷물의 표면.
- **폭염**(暴 사나울 폭, 炎 불탈 염) 아주 심한 더위.
- **확연히** 아주 확실하게.
- **모의실험** 체계 또는 장치의 구조와 거기서 일어나는 현상을 알아내기 위하여 그 모형을 만들고 계산과 실험을 하는 것.
- **침수** 홍수나 큰비로 물이 넘쳐서 집·밭·시설 등이 물에 잠기는 것.
- **이재민** 큰불·홍수 등으로 큰 피해를 입은 주민.
- **극단적** 한쪽으로 크게 치우치는 것.
- **요인**(要 중요할 요, 因 인할 인) 중요한 원인.

지문 독해

주제

1 이 글에서 글쓴이가 주장하는 내용은 무엇인가요? ( )

① 앞으로 폭염이나 홍수 때문에 사람이 살 수 없게 될 것이다.

② 기후 변화를 막기 위해 전 세계가 힘을 합쳐 노력해야 한다.

③ 남태평양의 일부 섬나라들이 바닷물에 잠길 위기에 처해 있다.

④ 기후 변화는 지구의 생태계에서 일어나는 자연스러운 현상이다.

⑤ 우리나라는 외국과 달리 지구 온난화 현상의 피해가 적을 것이다.

전개 방식

2 1문단에서 찾아볼 수 있는 글쓰기 전략은 무엇인가요? ( )

① 수치의 출처를 밝혀 내용의 신뢰성을 높이고 있다.

② 어려운 내용을 친숙한 상황에 빗대어 설명하고 있다.

③ 스스로 묻고 답하는 방식으로 내용을 강조하고 있다.

④ 실제 사건을 제시하여 독자의 관심을 유발하고 있다.

⑤ 비유적 표현을 통해 내용을 인상 깊게 전달하고 있다.

추론하기

3 이 글을 읽고 추론할 수 있는 내용이 <u>아닌</u> 것은 무엇인가요? ( )

① 지구 온난화를 막지 못하면 투발루는 결국 물속에 잠기겠군.

② 재생 에너지를 사용하면 기후 변화를 막는 데 도움이 되겠군.

③ 최근의 폭염 같은 기상 이변은 자연적 요인의 영향이 크겠군.

④ 지구의 평균 기온이 높아지면 초대형 태풍이 일어날 수 있겠군.

⑤ 지금 추세로 2100년이 되면 15억 명 이상이 물과 식량 부족을 겪겠군.

적용하기

4 다음에서 설명하는 것을 이 글에서 찾아 두 어절로 쓰세요.

> 온실가스 등으로 인해 지구의 기온이 높아지는 현상을 이른다. 태양에서 나온 에너지는 지구의 표면에 닿은 뒤에 다시 우주로 나간다. 이때 지구 대기권에 있는 온실가스층에 의해 이 에너지가 조절되면서 지구의 온도가 일정하게 유지된다. 그런데 화석 연료의 지나친 사용 때문에 온실가스층이 두꺼워지면 우주로 나가는 에너지가 줄어들어 지구의 평균 기온이 높아지게 되는 것이다.

( )

지문 분석

1 정보 확인 　이 글의 핵심어를 두 어절로 쓰세요.

(　　　　　　　　　　)

2 문단 요약 　다음은 이 글에 나타난 각 문단의 중심 내용입니다. 알맞은 것에 ○표, 틀린 것에 ✕표를 하세요.

1문단	지구 온난화로 인해 바닷물에 잠기고 있는 섬나라들	(　)
2문단	지구 온난화를 예방하는 실천 방안	(　)
3문단	기후 변화로 인해 예상되는 피해	(　)
4문단	기후 변화가 일어나는 원인	(　)
5문단	기후 변화가 우리나라에 미치는 영향	(　)

배경지식 　'투발루'와 '나우루'

국가	투발루	나우루
국기 및 위치	아시아 오세아니아	아시아 오세아니아
기타	섬의 지표면이 해발 고도 5m에 불과해 국토가 점점 바닷물에 잠겨 '21세기 아틀란티스'로 불림.	1980년대 세계 최고의 부자 국가였으나, 지금은 경제적으로 어려움. 투발루처럼 국토가 잠김.

오늘의 어휘

다음 낱말의 알맞은 뜻을 찾아 선으로 이으세요.

해수면 •　　　　　• 중요한 원인.

폭염 •　　　　　• 바닷물의 표면.

침수 •　　　　　• 아주 심한 더위.

극단적 •　　　　　• 한쪽으로 크게 치우치는 것.

요인 •　　　　　• 홍수나 큰비로 물이 넘쳐서 집·밭·시설 등이 물에 잠기는 것.

1 다음 문장의 빈칸에 들어갈 알맞은 말을 （오늘의 어휘）에서 찾아 쓰세요.

- 개인주의가 [　　　　　]으로 흐르면 이기주의가 된다.
- 남극과 북극의 빙하가 녹으면 [　　　　　]이 높아진다.
- 그의 결정적인 실수가 우리 팀이 패배한 [　　　　　]이었다.
- 아이들은 불볕의 [　　　　　] 속에서도 신나게 해수욕을 즐겼다.
- 며칠 동안 이어진 장맛비에 둑이 무너져 도로가 [　　　　　]되었다.

2 다음 글에서 밑줄 친 말과 뜻이 비슷한 말을 찾아 두 글자로 쓰세요.

　　최근 몇 년간 장마가 끝나기만 하면 견디기 힘든 <u>무더위</u>가 이어지고 있다. 온도가 높은 낮에는 바깥 활동을 피하고, 틈틈이 물을 마셔 수분을 섭취해야 한다. 또한 폭염이라고 너무 낮은 온도로 지내면 냉방병에 걸릴 수 있으니 실내 온도는 26℃ 정도로 유지하는 것이 좋다.

（　　　　　）

KEY WORD

환경 호르몬

글자 수

		982	
600	800	1000	1200

우리의 건강을 위협하는 환경 호르몬

1 환경 호르몬은 외부에서 우리 몸속으로 들어와 정상적인 호르몬처럼 작용하여 건강을 해치는 화학 물질을 말한다. 우리 몸에서 자연스럽게 **분비**되는 호르몬은 **생체** 활동이 원활하게 이루어지도록 도와준다. 예를 들어 어두운 밤이 되면 호르몬이 분비되어 잠을 자게 해 주고, 사춘기에 성별에 맞는 신체적 특징이 드러나게 해 주기도 한다.

2 그런데 환경 호르몬은 몸속으로 들어와 호르몬의 정상적인 분비나 작용을 방해한다. 마치 큰 도로에 가짜 신호등이 나타나 제멋대로 신호를 주는 상황이나, 가짜 집주인이 나타나 진짜 집주인처럼 행세하는 것과 같다. 그러나 우리 몸은 그것이 가짜라는 것을 알아채지 못하기 때문에 혼란에 빠지게 된다. 그래서 환경 호르몬을 **내분비계 교란** 물질이라고 한다. 게다가 대부분의 환경 호르몬은 잘 배출되지도 않아 몸속에 계속 **축적**된다.

3 환경 호르몬은 성장 장애, 면역 기능 파괴, 질병 **유발** 같은 여러 가지 건강 문제를 일으킨다고 알려져 있다. 예를 들어 대표적인 환경 호르몬 물질인 비스페놀 A는 비만, 심장 질환, 고혈압, 당뇨병 등을 유발할 수 있고, 플라스틱 첨가제에 쓰이는 프탈레이트는 혈당, 갑상선 호르몬 등에 영향을 주는 것으로 밝혀졌다.

4 환경 호르몬은 접착제, 일부 플라스틱, 음식 포장용 랩, 통조림 캔, 코팅된 종이컵 등등 일상 용품에 조금씩 들어 있다. 대부분의 일상 용품은 환경 호르몬으로부터 안전하게 만들어진다. 그러나 환경 호르몬이 **함유**된 플라스틱 용기에 음식을 담아 높은 온도로 가열하게 되면 한경 호르몬이 녹아 나와 음식으로 들어갈 수 있다.

5 환경 호르몬이 몸에 얼마만큼 쌓여야 문제가 생기는지는 아직 명확하게 밝혀지지 않았다. 이 때문에 일부 전문가는 ㉠환경 호르몬의 위험성이 지나치게 과장되었다고 주장하기도 한다. 하지만 위험 정도가 명확하게 밝혀지지 않았기 때문에 더 조심해야 한다. 플라스틱이나 비닐 같은 화학 제품은 **가급적** 사용하지 않는 것이 좋으며, 가능한 'BPA-free'라고 적힌 제품을 사용하는 것이 좋다.

5

10

15

20

25

- **분비**(分 나눌 분, 泌 분비할 비) 몸속의 일부 기관과 세포에서 여러 가지 생리 작용을 일으키는 물질을 만들어 몸에서 퍼지게 하는 것.
- **생체**(生 날 생, 體 몸 체) 생물의 살아 있는 몸.
- **내분비계** 호르몬을 만들어 신체의 내부로 분비하는 기관들의 모임.
- **교란** (질서를) 뒤흔들어 어지럽고 혼란스럽게 하는 것.
- **축적** 돈·지식·경험 등을 많이 모아서 쌓음. 또는 모아서 쌓은 것.
- **유발** 어떤 것이 다른 일을 일어나게 하는 것.
- **함유**(含 머금을 함, 有 있을 유) 한 물질이 어떠한 성분을 포함하고 있는 것.
- **가급적** ① 할 수 있는 것, 또는 형편이 닿는 것. ② 할 수 있는 대로.

지문 독해

글의 특징

1 이 글에 대한 설명으로 알맞은 것은 무엇인가요? (   )

① 환경 호르몬과 관련된 경험을 제시하여 공감을 유도하고 있다.

② 환경 호르몬의 문제점을 유사한 상황에 빗대어 설명하고 있다.

③ 환경 호르몬에 대한 다양한 질문으로 독자의 흥미를 끌고 있다.

④ 환경 호르몬에 대한 통계 자료를 통해 심각성을 강조하고 있다.

⑤ 환경 호르몬과 질병의 관계를 제시한 정보의 출처를 밝히고 있다.

추론하기

2 이 글을 읽고 '환경 호르몬'에 대한 생각을 알맞게 말한 친구는 누구인가요? (   )

① 화진: 모든 플라스틱 용기는 매우 위험하니 모두 갖다 버려야겠군.

② 정수: 환경 호르몬이 몸속으로 들어와도 면역 기능이 막아 줄 거야.

③ 현아: 체내에 많이 축적되면 건강을 해치니 평소에 주의할 필요가 있어.

④ 민호: 몸 안에 들어와도 물을 많이 마셔서 몸 밖으로 배출시키면 되겠네.

⑤ 정원: 위험 정도가 명확하게 밝혀졌으니 머지않아 치료약이 개발되겠군.

적용하기

3 다음에서 설명하는 것을 **2** 문단에서 찾아 세 어절로 쓰세요.

> '환경 호르몬'과 바꾸어 쓸 수 있는 말로, 우리 몸에서 정상적인 호르몬이 분비되거나 작동하는 것을 방해하여 생체 활동을 방해하는 물질이라는 뜻을 지니고 있다.

(   )

어휘·어법

4 ㉠에 가장 어울리는 한자 성어는 무엇인가요? (   )

① 조삼모사: 간사한 꾀로 남을 속여 희롱함을 이르는 말.

② 침소봉대: 작은 일을 크게 불리어 떠벌림을 이르는 말.

③ 문일지십: 하나를 듣고 열 가지를 미루어 안다는 뜻으로, 지극히 총명함을 이르는 말.

④ 이구동성: 입은 다르나 목소리는 같다는 뜻으로, 여러 사람의 말이 한결같음을 이르는 말.

⑤ 용두사미: 용의 머리와 뱀의 꼬리라는 뜻으로, 처음은 왕성하나 끝이 부진한 현상을 이르는 말.

지문 분석

정답과 해설 40쪽

1 정보 확인 이 글의 핵심어를 두 어절로 쓰세요.

(   )

2 문단 요약 이 글에 나타난 각 문단의 중심 내용으로 알맞은 것을 찾아 선으로 이으세요.

1문단 •	• 환경 호르몬을 조심하는 생활 태도의 필요성
2문단 •	• 환경 호르몬의 개념과 정상적인 호르몬의 역할
3문단 •	• 건강을 해치는 환경 호르몬
4문단 •	• 정상적인 호르몬의 분비나 작용을 방해하는 환경 호르몬
5문단 •	• 일상 용품에 소량씩 들어 있는 환경 호르몬

배경지식 일상생활에서 환경 호르몬의 흡수를 줄이는 방법

일상생활을 하면서 환경 호르몬을 완전히 예방할 수는 없다. 그러나 조금만 조심해도 그 양을 줄일 수 있다. 아래 제시된 실천 사항 외에도 실내 환기와 청소를 자주 하는 것도 환경 호르몬을 줄이는 데 큰 도움이 된다.

전자레인지로 음식을 데울 때는 유리나 도자기로 된 전용 용기를 사용할 것

감열지를 사용하는 순번 대기표나 영수증을 만지면 손을 씻을 것

과일과 채소는 흐르는 물에 여러 번 씻어 남아 있는 농약을 없앨 것

플라스틱 장난감이나 문구 등을 사용하고 난 뒤에는 곧바로 손을 씻을 것

비닐이나 테이크아웃 용기, 플라스틱 수저 등 일회용품의 사용을 줄일 것

플라스틱 제품은 바닥에 '3, 6, 7' 또는 'PC, PVC, PS, OTHER'라고 적힌 것은 가급적 사용하지 말 것

오늘의 어휘

다음 낱말의 알맞은 뜻을 찾아 선으로 이으세요.

생체 •

교란 •

축적 •

함유 •

가급적 •

• 생물의 살아 있는 몸.

• 한 물질이 어떠한 성분을 포함하고 있는 것.

• (질서를) 뒤흔들어 어지럽고 혼란스럽게 하는 것.

• ① 할 수 있는 것. 또는 형편이 닿는 것. ② 할 수 있는 대로.

• 돈·지식·경험 등을 많이 모아서 쌓음. 또는 모아서 쌓은 것.

1 다음 빈칸에 들어갈 알맞은 말을 **오늘의 어휘** 에서 찾아 쓰세요.

• [   ] 실험에는 주로 토끼나 쥐가 사용된다.

• 이 일은 [   ] **빠른** 시간 내에 해결해야 한다.

• 지구 온난화로 인해 생태계의 [   ] 이 우려된다.

• [   ] 된 경험을 바탕으로 이번 일을 해낼 수 있었다.

• 커피에는 카페인이 [   ] 되어 있어서 수면을 방해한다.

2 다음 글에서 밑줄 친 말과 뜻이 비슷한 말을 찾아 세 글자로 쓰세요.

사람들은 누군가를 처음 볼 때 겉모습이나 행동을 통해 그 사람에 대해 어림짐작한다. 첫인상만으로 그 사람의 성격이나 됨됨이 등을 추정하는 것이다. 하지만 첫인상만으로 사람을 판단하는 것은 가급적 피해야 한다. 첫인상은 그 사람을 제대로 파악하지 못한 채 선입견만 갖게 하기 때문이다. 그러므로 <u>되도록</u> 직접 그 사람을 겪어 본 후에 판단해야 하는 것이다.

(   )

오늘의 어휘 찾아보기

초고필로 중학교 성적이 바뀐다!

동아출판

초등 고학년을 위한 중학교 필수 영역 초고필

국어
비문학 독해 1·2 / 문학 독해 1·2 / 국어 어휘 / 국어 문법

 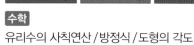

수학
유리수의 사칙연산 / 방정식 / 도형의 각도

한국사
한국사 1권 / 한국사 2권

바른 독해의 **빠**른시**착**

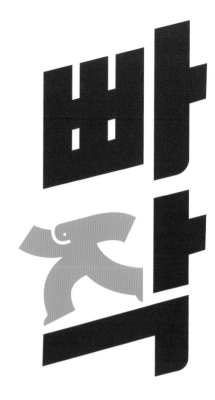

정답과 해설

초등 국어
비문학 독해 5단계
5·6학년

동아출판

- **글의 종류** 설명문
- **글의 특징** 이 글은 우리말 어휘를 어종에 따라 고유어, 한자어, 외래어로 분류하여 고유어의 한계를 제시한 뒤, 한자어와 외래어가 우리말을 더욱 풍부하게 만드는 기능을 한다는 것을 설명하고 있습니다.
- **설명 방식** 분류, 정의, 예시, 인과
- **글의 주제** 고유어의 한계를 보완하는 한자어와 외래어

013쪽 지문 독해

1 ④ **2** ⑤ **3** ③ **4** (1) 하늘, 도우미 (2) 식구 (3) 빵, 비닐, 고무

1 **1**문단은 한자어와 외래어, **2**문단은 고유어의 개념 및 한계, **3**문단은 한자어의 개념 및 기능, **4**문단은 외래어의 개념 및 외래어가 우리말처럼 사용되는 까닭에 대해 설명하고 있습니다. 그러므로, 이 글의 중심 내용은 '한자어와 외래어의 개념 및 그 역할'임을 알 수 있습니다.

2 **4**문단의 내용을 통해 외래어는 대부분 대체할 수 있는 고유어나 한자어가 없다는 것을 알 수 있습니다.

3 **4**문단에 따르면, 외래어는 대부분 외국과의 교류 과정에서 들어오며, 외국과의 교류가 늘면서 우리말에 외래어가 더 늘어날 것으로 예상됩니다. 따라서 ③이 알맞게 추론한 것을 알 수 있습니다.

(오답 풀이)

① 사람들이 고유어를 되살릴 것이라고 볼 수 있는 내용이 제시되지 않았습니다.
② 외래어와 한자어가 모두 고유어로 바뀔 것이라는 내용은 **4**문단의 내용에 어긋납니다.
④ **3**문단에서 하나의 고유어에 둘 이상의 한자어가 대응된다고 하였으나, 이는 한자어가 고유어를 보완하는 기능이 있음을 설명하는 것이지 둘이 합쳐질 것이라는 내용은 아닙니다.
⑤ **4**문단에서는 외래어가 옛날에 중국에서 들어온 한자어를 대체할 것이라고 볼 만한 근거가 제시되지 않았습니다.

(유형 분석 / 추론하기)

추론하기 문제는 반드시 제시된 지문에서 확인할 수 있는 내용을 바탕으로 답을 이끌어 내야 합니다. 따라서 지문에 대한 정확한 이해를 바탕으로 풀도록 합니다.

4 '하늘, 도우미'는 고유어, '식구(食口)'는 한자어, '빵[←pão], 비닐(vinyl), 고무[←gomme]'는 외래어입니다.

014쪽 지문 분석

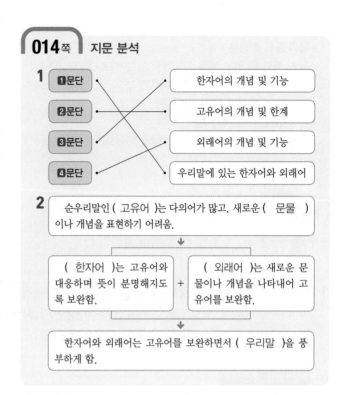

1 이 글의 **1**문단은 우리말에 있는 한자어와 외래어를 소개하고 있습니다. 또한 **2**문단은 고유어의 개념과 한계를 제시하고 있습니다. 그리고 **3**문단은 한자어의 개념과 기능을, **4**문단은 외래어의 개념과 기능을 설명하고 있습니다.

2 이 글의 핵심어는 고유어, 한자어, 외래어입니다. 그 중에서도 한자어와 외래어의 기능을 중심으로 설명하고 있습니다.

015쪽 오늘의 어휘

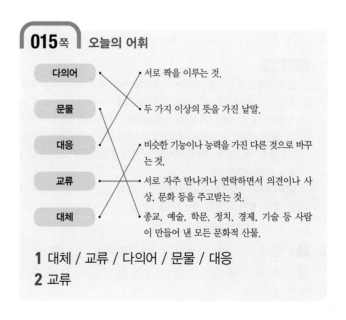

1 대체 / 교류 / 다의어 / 문물 / 대응
2 교류

- **글의 종류** 설명문
- **글의 특징** 이 글은 본래 '자장면'만 표준어였는데, '짜장면'도 표준어로 인정되어 '짜장면'과 '자장면'이 둘 다 표준어가 된 이유를 설명하고 있습니다.
- **설명 방식** 정의, 예시, 인과
- **글의 주제** '짜장면'이 '자장면'과 함께 복수 표준어가 된 까닭

017쪽 **지문 독해**

1 ③ **2** ④ **3** ⑤ **4** 복수 표준어

1 이 글은 '짜장면'이 '자장면'과 함께 복수 표준어가 된 까닭을 설명하고 있으므로, "'짜장면'과 '자장면'이 모두 표준어인 까닭'을 이 글의 중심 내용이라고 할 수 있습니다.

[유형 분석 / 중심 내용]

중심 화제나 중심 내용을 찾는 문제는 먼저 글의 화제인 글감을 찾고 글쓴이가 그것에 대해 어떻게 생각하는지를 찾아야 합니다. 이 글은 '짜장면'을 화제로 하여 그 표준어에 대해 설명하고 있습니다.

2 **1**문단의 '그런데 짜장면의 까만 면발이 생각날 때 무엇이라고 주문해야 정확할까? '짜장면'이라고 해야 할까, '자장면'이라고 해야 할까?'와, **2**문단의 '당시 그들은 이 음식을 어떻게 불렀을까?'에서 질문을 하고 바로 이어서 답변을 하는 글쓰기 전략으로 독자의 흥미를 유발하고 있습니다.

3 **3**문단에 따르면 "차오장면'의 중국 현지 발음은 '자장면'과 '짜장면'의 중간쯤 되지만 '자장면'에 좀 더 가깝다.'라는 내용에서 ⑤가 알맞지 않음을 알 수 있습니다.

[오답 풀이]

① **4**문단에서 표준어를 정하는 기관에서 '짜장면'과 '자장면'을 모두 표준어로 인정하였다고 설명하였으며, **1**문단에서도 '자장면'과 '짜장면' 둘 다 맞는 말이라고 하였습니다.

②, ③ **2**문단에서 짜장면은 약 100여 년 전에 우리나라에 이민 온 중국인들이 우리나라 사람들의 입맛에 맞게 만들어 낸 중국 음식이라고 설명하였습니다.

④ **3**문단에서 처음에 국어학자들은 우리말에 된소리가 많아지는 것을 좋지 않게 여겼기 때문에 '짜장면'을 '자장면'으로 표기하기로 하였다고 설명하였습니다.

4 **1**문단에 따르면 '짜장면'과 '자장면'처럼 동일한 의미를 나타내는 표준어가 둘 이상인 낱말을 복수 표준어라고 합니다.

018쪽 **지문 분석**

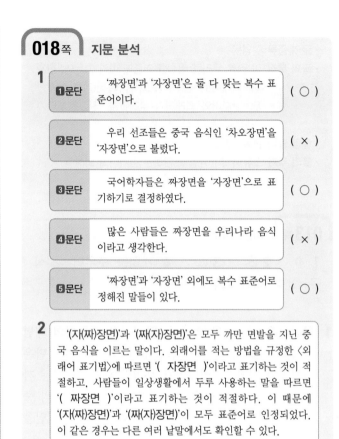

1

1문단	'짜장면'과 '자장면'은 둘 다 맞는 복수 표준어이다.	(○)
2문단	우리 선조들은 중국 음식인 '차오장면'을 '자장면'으로 불렀다.	(×)
3문단	국어학자들은 짜장면을 '자장면'으로 표기하기로 결정하였다.	(○)
4문단	많은 사람들은 짜장면을 우리나라 음식이라고 생각한다.	(×)
5문단	'짜장면'과 '자장면' 외에도 복수 표준어로 정해진 말들이 있다.	(○)

2

> '(자(짜)장면)'과 '(짜(자)장면)'은 모두 까만 면발을 지닌 중국 음식을 이르는 말이다. 외래어를 적는 방법을 규정한 〈외래어 표기법〉에 따르면 '(자장면)'이라고 표기하는 것이 적절하고, 사람들이 일상생활에서 두루 사용하는 말을 따르면 '(짜장면)'이라고 표기하는 것이 적절하다. 이 때문에 '(자(짜)장면)'과 '(짜(자)장면)'이 모두 표준어로 인정되었다. 이 같은 경우는 다른 여러 낱말에서도 확인할 수 있다.

1 **2**문단에서는 '차오장면'이 처음 만들어졌을 때 그것을 '짜장면'이라고 불렀음을, **4**문단에서는 '짜장면'이 복수 표준어로 지정된 까닭을 설명하였습니다.

2 '짜장면'과 '자장면'은 복수 표준어로 〈외래어 표기법〉에 따라 '자장면'으로 적는 것이 적절하고, 발음을 중심으로 하면 '짜장면'이라고 하는 것이 적절합니다.

019쪽 **오늘의 어휘**

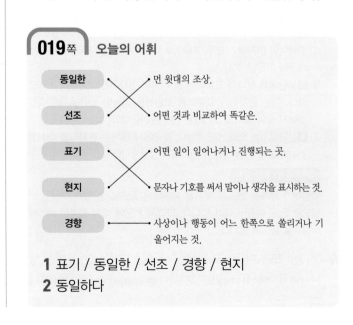

동일한	먼 윗대의 조상.
선조	어떤 것과 비교하여 똑같은.
표기	어떤 일이 일어나거나 진행되는 곳.
현지	문자나 기호를 써서 말이나 생각을 표시하는 것.
경향	사상이나 행동이 어느 한쪽으로 쏠리거나 기울어지는 것.

1 표기 / 동일한 / 선조 / 경향 / 현지
2 동일하다

- **글의 종류** 설명문
- **글의 특징** 이 글은 둘 이상의 낱말이 결합하여 그 낱말들의 원래 뜻과는 전혀 다른 뜻으로 사용되는 어구인 관용어의 개념과 특징을 구체적인 예를 활용하여 설명하고 있습니다.
- **설명 방식** 정의, 예시
- **글의 주제** 관용어의 뜻과 특징

021쪽 지문 독해

1 ⑤ **2** ⑤ **3** ⑤ **4** 시치미(를) 떼다

1 ❶문단은 관용어의 뜻을, ❷문단은 관용어의 의미가 관용어를 구성하는 낱말의 의미와 거리가 멀다는 점을 설명하고 있습니다. ❸문단은 유래담을 지닌 관용어가 많다는 점을, ❹문단은 관용어의 효과와 사용할 때 주의해야 할 점을 설명하고 있습니다. 그러므로 이 글의 제목으로는 '관용어의 뜻과 특징'이 가장 적절합니다.

2 ❶문단의 '국어만이 아니라 전 세계의 모든 언어에는 각각 고유한 관용어가 존재한다.'에서 관용어는 전 세계의 모든 언어에 존재함을 알 수 있습니다.

3 ⑤에서 '미역국을 먹었다'는 '시험에 떨어지다.'라는 뜻을 지닌 관용어로 사용되었습니다.

오답 풀이
① '팔을 다치다'는 사전적 의미 그대로 사용되었습니다.
② '죽을 쑤었다'는 '어떤 일을 망치거나 실패하다.'라는 뜻이 아니라 사전적 의미 그대로 사용되었습니다.
③ '손이 매우 크다'는 사전적 의미 그대로 사용되었습니다. 참고로 '손이 크다'라는 관용어는 '씀씀이가 후하고 크다.'라는 뜻이지만 ③에서는 중간에 다른 표현이 추가되어 있으므로 관용어로 쓰인 것이 아님을 알 수 있습니다.
④ '국수 한 그릇을 먹었다'는 사전적 의미 그대로 사용되었습니다.

유형 분석 / 어휘·어법_어휘나 관용적 표현의 의미
관용어나 속담 같은 관용적 표현이나 특정한 낱말의 의미는 반드시 문맥 위주로 파악해야 합니다. 즉 해당 표현만 보는 것이 아니라 앞뒤의 말을 모두 고려해서 그 의미를 파악해야 합니다.

4 '시치미(를) 떼다'는 '자기가 하고도 하지 아니한 체하거나 알고 있으면서도 모르는 체하다.'라는 뜻입니다. 이는 고려 시대에 매사냥에 필요한 매에 소유자의 이름을 적어 달아 놓은 꼬리표인 '시치미'에서 유래된 말입니다.

022쪽 지문 분석

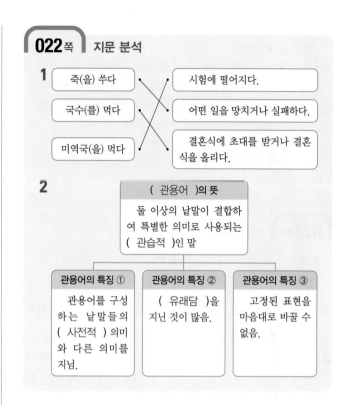

1 '죽(을) 쑤다'는 '어떤 일을 망치거나 실패하다.'라는 뜻이고, '국수(를) 먹다'는 '결혼식에 초대를 받거나 결혼식을 올리다.'라는 뜻이며, '미역국(을) 먹다'는 '시험에 떨어지다.'라는 뜻입니다.

2 이 글은 둘 이상의 낱말이 결합하여 특별한 의미로 사용되는 관습적인 말인 관용어의 뜻을 설명하고, 사전적 의미와는 다른 의미를 지니며, 유래담을 지닌 것이 많고, 고정된 표현을 마음대로 바꿀 수 없는 관용어의 특징을 설명하고 있습니다.

023쪽 오늘의 어휘

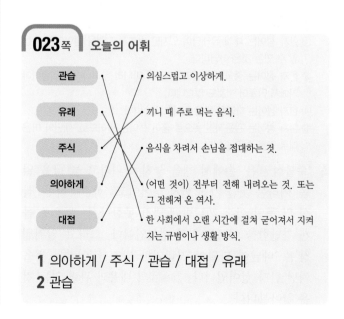

1 의아하게 / 주식 / 관습 / 대접 / 유래
2 관습

- **글의 종류** 설명문
- **글의 특징** 이 글은 여몽 이야기를 통해 '괄목상대'라는 한자 성어가 나온 유래를 설명하고 있습니다. '괄목상대'의 뜻과 사용 방법을 함께 설명하면서 한자 성어에 대한 이해를 돕고 있습니다.
- **설명 방식** 서사, 정의
- **글의 주제** '괄목상대'의 유래

025쪽 지문 독해

1 ⑤ **2** ④ **3** ③ **4** (1) ㉯ (2) ㉬ (3) ㉮

1 이 글은 여몽의 이야기에서 '괄목상대'라는 한자 성어가 만들어졌다는 것을 설명하고 있습니다.

2 '노숙이 나랏일을 의논하려고 여몽을 찾았다.'라는 내용에서 노숙은 여몽의 실력을 시험하기 위해서가 아니라 나라의 일을 의논하기 위해서 여몽을 찾아와 대화를 나누었음을 알 수 있습니다.

유형 분석/내용 이해

글의 세부 내용을 파악하는 문제를 해결하기 위해서는 무엇보다 글을 꼼꼼하게 읽는 것이 가장 중요합니다. 정확하게 읽으면서 선택지 중 어떤 내용이 잘못되었는지 찾아봅니다.

3 '괄목상대'의 한자 뜻은 '눈을 비비고 상대를 대하다.'인데, 그와 달리 속뜻은 남의 학식이나 재주가 놀랄 만큼 부쩍 늘었음을 이르는 말입니다. 따라서 한자 성어는 겉으로 드러난 한자의 뜻과 다른 의미를 지닌 것이 많다는 것을 추론할 수 있습니다.

오답 풀이

① 한자 성어는 대개 유래담이 있지만 반드시 그것을 알아야만 뜻을 알 수 있는 것은 아닙니다.
② 한자 성어는 중국의 옛날이야기만이 아니라 우리나라의 옛날이야기에서 만들어진 것도 많습니다.
④ 한자 성어는 다양한 뜻을 지니고 있습니다.
⑤ 한자 성어는 관용적인 뜻으로 굳어 쓰이는 말이므로, 개인이 마음대로 만들 수 없습니다.

4 '수불석권'은 '손에서 책을 놓지 아니하고 늘 글을 읽음.'이라는 뜻을 가진 한자 성어이고, '삼순구식'은 '삼십 일 동안 아홉 끼니밖에 먹지 못한다.'는 뜻으로 몹시 가난함을 이르는 한자 성어입니다. 그리고 '일취월장'은 '나날이 다달이 자라거나 발전함.'이라는 뜻을 지닌 한자 성어입니다. ㉠~㉢의 내용과 관련 있는 것을 찾아봅니다.

026쪽 지문 분석

1 괄목상대

2

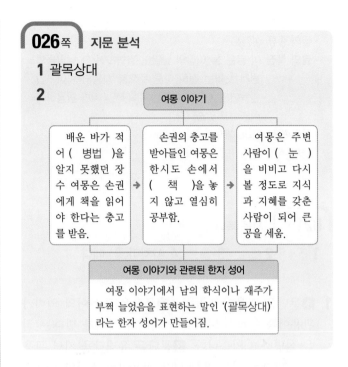

1 이 글은 중국 오나라의 장수 여몽과 관련된 이야기에서 '괄목상대'라는 한자 성어가 만들어졌다는 것을 설명하고 있습니다. 따라서 '괄목상대'를 핵심어라고 할 수 있습니다.

2 이 글은 앞부분에서는 여몽의 이야기를 제시하고, 뒷부분에서는 여몽의 이야기에서 '괄목상대'라는 한자 성어가 나왔음을 설명하고 있습니다.

027쪽 오늘의 어휘

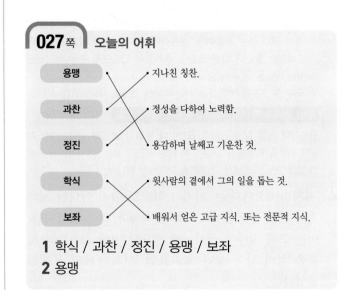

1 학식 / 과찬 / 정진 / 용맹 / 보좌
2 용맹

- **글의 종류** 설명문
- **글의 특징** 이 글은 반도라는 특징과 폴리스라는 도시 국가를 바탕으로 형성된 그리스 문명의 특징과 그것이 전 세계에 끼친 영향을 소개하고 있습니다.
- **설명 방식** 인과, 예시
- **글의 주제** 고대 그리스의 문명과 그 영향

---

029 쪽 지문 독해

1 ② **2** ④ **3** ⑤ **4** (1) 그래서 (2) 그러나

1 각 문단에서 설명하고 있는 내용을 바탕으로 이 글이 그리스 문명의 특징과 그것이 끼친 영향을 소개하고 있음을 알 수 있습니다.

2 **5**문단에 따르면 그리스 민족은 4년마다 한 번씩 올림피아의 제우스 신전에 모여 5일간 운동 경기를 개최함으로써 민족 유대감을 강화하였습니다.

3 **3**문단에서 폴리스는 아크로폴리스에 자신들의 수호신을 모시는 신전을 세웠다고 설명하였지만, 각각의 폴리스들이 어떤 수호신을 섬겼는지에 대한 설명은 하지 않았습니다.

오답 풀이

① **1**문단에 따르면 그리스와 우리나라는 삼면이 바다로 둘러싸인 반도라는 공통점이 있습니다.
② **5**문단에 따르면 그리스는 그리스 민족 간의 유대감을 강화하기 위해 올림피아 제전을 열었습니다.
③ **6**문단에 따르면 고대 그리스가 이룬 문명은 유럽 문화의 뿌리가 되었습니다.
④ **3**문단에 따르면 폴리스는 성벽으로 둘러싸여 있으며 내부는 한가운데에 아크로폴리스라는 성채가 있었고, 그 아래에는 아고라라는 광장이 있었습니다.

4 문맥상 ㉠의 앞뒤의 문장은 원인과 결과의 내용이므로, ㉠에는 인과의 관계를 나타내는 '그래서', '따라서' 같은 접속어가 들어가야 합니다. ㉡의 앞뒤에는 서로 반대되는 내용이므로 '그러나', '하지만', '그렇지만' 같이 역접의 관계를 나타내는 접속어가 들어가야 합니다.

유형 분석 / 어휘·어법_접속어 파악

접속어는 앞뒤의 내용을 자연스럽게 이어 주는 역할을 합니다. 따라서 빈칸에 들어갈 접속어를 찾을 때는 앞뒤 내용 간의 관계를 먼저 파악해야 합니다. 그런 다음 그 관계에 따라 인과, 첨가, 대등, 요약 등의 관계를 나타내는 접속어를 넣어야 합니다.

---

030 쪽 지문 분석

1 ·고대 (그리스)의 (문명)과 그 영향

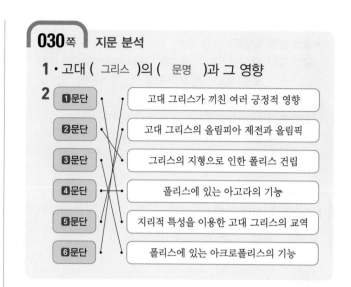

2
- **1**문단 — 고대 그리스가 끼친 여러 긍정적 영향
- **2**문단 — 고대 그리스의 올림피아 제전과 올림픽
- **3**문단 — 그리스의 지형으로 인한 폴리스 건립
- **4**문단 — 폴리스에 있는 아고라의 기능
- **5**문단 — 지리적 특성을 이용한 고대 그리스의 교역
- **6**문단 — 폴리스에 있는 아크로폴리스의 기능

1 이 글의 주제는 고대 그리스의 문명과 그 영향입니다.

2 **1**문단은 그리스가 지리적 특성을 이용하여 교역하였음을 설명하고 있으며, **2**문단은 그리스의 지형과 그로 인한 폴리스 건립을 설명하고 있습니다. 그리고 **3**문단과 **4**문단은 각각 폴리스에 있는 아크로폴리스와 아고라의 기능을 설명하고 있습니다. **5**문단은 고대 그리스의 올림피아 제전의 의미와 그것이 현대 올림픽의 시초가 되었음을 설명하고 있으며, **6**문단은 고대 그리스가 끼친 여러 긍정적 영향을 요약하여 설명하고 있습니다.

---

031 쪽 오늘의 어휘

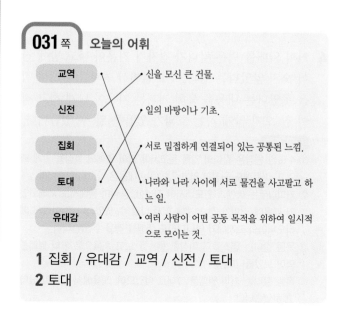

- 교역 — 신을 모신 큰 건물.
- 신전 — 일의 바탕이나 기초.
- 집회 — 서로 밀접하게 연결되어 있는 공통된 느낌.
- 토대 — 나라와 나라 사이에 서로 물건을 사고팔고 하는 일.
- 유대감 — 여러 사람이 어떤 공동 목적을 위하여 일시적으로 모이는 것.

1 집회 / 유대감 / 교역 / 신전 / 토대
2 토대

• **글의 종류** 설명문
• **글의 특징** 이 글은 커피가 원산지인 에티오피아에서 전 세계로 퍼져 나가게 된 과정을 시간의 흐름에 따라 설명하고 있습니다.
• **설명 방식** 서사, 인용
• **글의 주제** 커피가 전 세계로 퍼져 나간 과정

033쪽　지문 독해

1 커피, 과정　　**2** ②　　**3** ④　　**4** ④

1 이 글은 커피가 전 세계로 퍼져 나간 과정을 시간의 흐름에 따라 설명하고 있습니다.

2 커피가 지닌 효용이 **2**문단에서 암시되어 있지만 직접적으로 제시되지 않았으며, 이에 대한 과학적인 분석도 나와 있지 않습니다.

〔오답 풀이〕

①은 **1**문단에서, ③은 **3**~**5**문단에서, ④는 **1**문단에서, ⑤는 **2**문단에서 확인할 수 있습니다.

3 **5**문단에 따르면, 커피가 우리나라에 처음 들어왔을 때 우리나라 사람들은 커피를 '가배'나 '양탕국'이라고 불렀습니다.

〔유형 분석/내용 이해_세부 내용 파악〕

설명하는 글에서 세부 내용을 파악하기 위해서는 글의 중심 소재를 먼저 찾아야 합니다. 중심 소재는 대개 글의 첫 부분에 나타납니다. 그리고 글 전체를 읽으며 글쓴이가 중심 소재의 어떤 면을 자세히 설명하는지를 파악해야 합니다. 이 글의 중심 소재는 커피이므로, 글쓴이가 커피의 어떤 면을 설명하고 있는지 찾아보고 선지의 내용이 그 내용과 알맞은지 비교해 봅니다.

4 커피 열매를 먹은 칼디가 갑자기 기운이 나고 밤에 잠이 오지 않았다는 점과, 수도원에서 커피를 마시며 잠을 쫓았다는 내용을 통해 커피는 기운이 나게 하고 잠이 잘 오지 않게 하는 효과가 있음을 알 수 있습니다.

〔오답 풀이〕

① 수도원 원장은 칼디의 말을 듣고서야 커피 열매의 특성을 알게 되었고, 이후에도 원장만 알고 있었다는 내용은 나오지 않습니다.
② 커피나무는 예멘과 인도네시아 자바섬, 중남미 등에서도 재배되었기 때문에 커피가 전 세계에 퍼져 나갈 수 있었습니다. 따라서 에티오피아의 고지대가 아니더라도 열매를 맺을 수 있습니다.
③ 목동 칼디는 염소들의 이상한 행동을 보고 처음으로 커피 열매를 먹어 보았습니다.
⑤ 목동 칼디는 커피 열매를 그대로 먹었으며, 과육에서 단맛이 났다고 하였습니다.

034쪽　지문 분석

1
⑦ 커피가 우리나라에 보급된 역사
⑭ 우리나라의 카페 수와 커피 소비량
⑮ 커피의 원산지인 에티오피아의 전설
⑯ 아라비아반도에서 전 세계로 퍼져 나간 커피
⑰ 아라비아 전역에서 사람들이 즐기게 된 커피

(⑭) → (⑮) → (⑰) → (⑯) → (⑦)

2

커피의 원산지		12세기		15세기 중반
에티오피아의 고지대	→	(예멘)에서 커피나무 재배	→	(유럽)에 소개된 커피

(19)세기 말		18세기		(17)세기 말
우리나라에 들어온 커피	←	전 세계로 퍼져 나간 커피	←	인도네시아에서 커피나무 재배

1 **1**문단은 우리나라의 카페 수와 커피 소비량을 통해 화제를 제시하고 있으며, **2**문단은 커피의 원산지인 에티오피아의 전설을 소개하고 있습니다. 그리고 **3**문단은 예멘에서 커피를 재배하기 시작하며 아라비아 전역에서 기호품이 된 커피의 역사를 소개하고 있으며, **4**문단에서는 네덜란드 상인들에 의해 커피가 전 세계로 퍼져 나가게 된 과정을 소개하고 있습니다. **5**문단에서는 커피가 우리나라에 들어와 대중화된 과정을 소개하고 있습니다.

2 이 글은 커피가 전 세계로 퍼져 나간 과정을 시간의 흐름에 따라 설명하고 있으므로, 지문을 다시 보며 빈칸에 들어갈 알맞은 내용을 찾아봅니다.

035쪽　오늘의 어휘

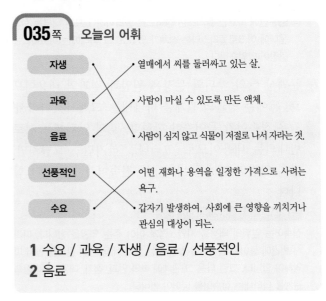

자생	・	・ 열매에서 씨를 둘러싸고 있는 살.
과육	・	・ 사람이 마실 수 있도록 만든 액체.
음료	・	・ 사람이 심지 않고 식물이 저절로 나서 자라는 것.
선풍적인	・	・ 어떤 재화나 용역을 일정한 가격으로 사려는 욕구.
수요	・	・ 갑자기 발생하여, 사회에 큰 영향을 끼치거나 관심의 대상이 되는.

1 수요 / 과육 / 자생 / 음료 / 선풍적인
2 음료

- **글의 종류** 설명문
- **글의 특징** 이 글은 정권을 차지한 정당인 여당과, 정부를 감시하고 견제하면서 다음 선거에서 정권을 차지하려는 야당의 뜻과 정치적 역할을 설명하고 있습니다.
- **설명 방식** 정의, 구분, 대조
- **글의 주제** 여당과 야당의 뜻과 정치적 역할

045쪽 지문 독해

1 ③ **2** ① **3** ④ **4** 여당

1 ❶문단에서는 정당의 뜻과 목적을, ❷문단에서는 여당의 뜻을, ❸문단에서는 야당의 뜻을, ❹문단에서는 여당과 야당이 각각 하는 일을 설명하고 있습니다. 따라서 이 글은 여당과 야당의 차이점을 설명한다고 할 수 있습니다.

2 ❸문단의 내용을 통해 여당은 하나이지만 야당은 여러 개일 수 있음을 알 수 있습니다.

[오답 풀이]

② ❷문단의 '대통령제에서는 현직 대통령을 배출한 정당이 여당이 된다.'라는 내용과 어긋납니다.

③ ❶문단의 '우리나라와 미국 등은 대통령제를, 영국과 일본 등은 의원 내각제를 채택하고 있다.'라는 내용과 어긋납니다.

④ ❹문단의 '여당은 정부와 긴밀하게 협력하며 나라의 정책을 마련한다.'라는 내용과 어긋납니다.

⑤ ❶문단의 '(정당은) 정치적으로 비슷한 생각을 지닌 사람들이 모여 만든 단체이다.'라는 내용과 어긋납니다.

3 ❷문단의 '대통령제에서는 현직 대통령을 배출한 정당이 여당이 된다.'라는 설명에서, 대통령제에서는 대통령을 배출해야만 여당이 된다는 것을 알 수 있습니다. 국회 의원을 가장 많이 배출해야 여당이 되는 것은 의원 내각제입니다.

[오답 풀이]

① ❹문단의 '여당과 야당이 늘 다투기만 하는 것은 아니다. 국가의 발전과 국민의 안전을 위해서 서로 협력하는 경우도 많다.'라는 설명을 통해 알 수 있습니다.

② ❹문단의 '야당은 여당의 반대편에 서서 정부와 여당을 감시하고 비판하여 민주 정치가 이루어지도록 견제하는 역할을 한다.'라는 설명을 통해 알 수 있습니다.

③ ❶문단의 '정당은 정권을 차지하려는 목적을 지닌다.'에서 정당은 정권을 차지하려는 목적을 지니고 있음을 알 수 있습니다.

4 정권을 차지하여 정부와 더불어 나라의 정책을 주도적으로 마련하는 정당을 '여당'이라고 합니다.

046쪽 지문 분석

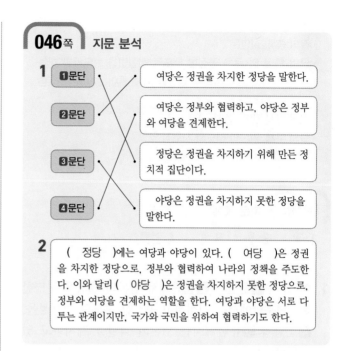

1

❶문단 — 여당은 정권을 차지한 정당을 말한다.

❷문단 — 여당은 정부와 협력하고, 야당은 정부와 여당을 견제한다.

❸문단 — 정당은 정권을 차지하기 위해 만든 정치적 집단이다.

❹문단 — 야당은 정권을 차지하지 못한 정당을 말한다.

2 (정당)에는 여당과 야당이 있다. (여당)은 정권을 차지한 정당으로, 정부와 협력하여 나라의 정책을 주도한다. 이와 달리 (야당)은 정권을 차지하지 못한 정당으로, 정부와 여당을 견제하는 역할을 한다. 여당과 야당은 서로 다투는 관계이지만, 국가와 국민을 위하여 협력하기도 한다.

1 ❶문단은 정당의 뜻과 목적을, ❷문단은 여당의 뜻과 조건을, ❸문단은 야당의 뜻과 조건을, ❹문단은 여당과 야당이 하는 일을 설명하고 있습니다.

[유형 분석 / 문단의 중심 내용]

문단에서 무엇에 대해 설명하는지, 즉 중심 화제를 먼저 파악해야 합니다. ❶문단은 '정당', ❷문단은 '여당', ❸문단은 '야당', ❹문단은 '여당과 야당'이 중심 화제입니다. 그리고 글쓴이가 이 중심 화제의 어떤 점을 설명하고 있는지를 파악하도록 합니다.

2 이 글에서 여당과 야당에 대해 말하고자 한 내용을 요약하여 정리해 봅니다.

047쪽 오늘의 어휘

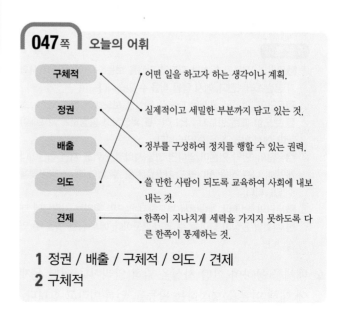

구체적 — 실제적이고 세밀한 부분까지 담고 있는 것.

정권 — 정부를 구성하여 정치를 행할 수 있는 권력.

배출 — 쓸 만한 사람이 되도록 교육하여 사회에 내보내는 것.

의도 — 어떤 일을 하고자 하는 생각이나 계획.

견제 — 한쪽이 지나치게 세력을 가지지 못하도록 다른 한쪽이 통제하는 것.

1 정권 / 배출 / 구체적 / 의도 / 견제
2 구체적

- **글의 종류** 설명문
- **글의 특징** 이 글은 공정한 태도로 진실만을 보도해야 하는 언론의 사회적 역할을 예를 들어 설명하고 있습니다.
- **설명 방식** 정의, 예시
- **글의 주제** 언론의 태도와 사회적 역할

049쪽 지문 독해

1 ④ **2** ⑤ **3** ③ **4** 언론

1 이 글은 **1**문단과 **2**문단에서 언론의 개념을 설명한 뒤, **3**문단에서는 진실하고 공정한 보도의 필요성을, **4**문단과 **5**문단에서는 언론의 역할을 제시하고 있습니다. 따라서 '진실 보도의 필요성과 언론의 역할'이 제목으로 가장 적절합니다.

[유형 분석 / 제목]
글의 제목은 글 전체의 중심 화제이거나 중심 내용이 되어야 합니다. 내용의 일부분에만 해당하는 것은 제목으로 적절하지 않습니다. 이 글에서는 '언론'의 어떤 점을 중점적으로 설명하고 있는지를 찾아보도록 합니다.

2 **2**문단에서는 학교 누리집 게시판에 학교 근처 문구점의 가격이 비싸다는 글이 올라온 상황을 가정하여 언론과 언론 보도에 관련된 용어에 대한 독자의 이해를 돕고 있습니다.

3 **1**문단에서 국제 연합(UN)이 5월 3일을 '세계 언론 자유의 날'로 지정하였다고 설명하였지만, 어떤 계기로 지정하였는지는 나타나지 않았습니다.

[오답 풀이]
① **3**문단의 '잘못된 뉴스가 퍼지면 피해를 보는 사람이 생기고 사회가 혼란스러워진다.'에서 답을 찾을 수 있습니다.
② **3**문단의 '언론은 공정한 태도로 진실만 보도해야 한다.'와, '뉴스를 보도할 때는 반드시 사실 여부를 확인하고 공정하게 보도해야 한다.'에서 답을 찾을 수 있습니다.
④ **4**문단의 '만약 언론이 없다면 그들(사회적 권력을 지닌 집단이나 개인)이 나쁜 짓을 하더라도 사람들은 알 수 없다.'에서 답을 찾을 수 있습니다.
⑤ **5**문단의 '언론이 계속해서 보도하지 않으면 힘없는 사람들에 대한 사회의 관심이 줄어들 수 있기 때문이다.'에서 답을 찾을 수 있습니다.

4 매체를 통하여 어떤 사실을 밝혀 알리거나 어떤 문제에 대해 여론을 형성하는 활동을 '언론'이라고 합니다.

050쪽 지문 분석

1
> 언론은 (**매체**)를 통해 사회 곳곳에서 일어난 일을 알리거나, 사회적 문제에 대한 여론을 만드는 활동이다. 언론은 공정한 태도로 (**진실**)만 보도해야 한다. 또한 언론은 (**권력**)을 감시하고, 사회적 약자의 목소리를 전달하는 역할을 한다.

2

1문단	공정하고 진실해야 하는 언론의 태도
2문단	권력을 감시하는 언론의 역할
3문단	언론의 개념
4문단	일상에서 볼 수 있는 언론의 예
5문단	힘없는 사람들을 대변하는 언론의 역할

1 이 글은 언론의 태도와 사회적 역할에 대해 설명하고 있습니다. 언론은 매체를 통해 사회에서 일어난 일을 알리고 여론을 만드는 활동으로, 공정한 태도로 진실만을 보도해야 합니다. 또한 언론은 권력을 감시하고 사회적 약자의 목소리를 전달하는 역할을 합니다.

2 **1**문단은 용어 설명을 바탕으로 언론의 개념을 설명하고 있으며, **2**문단은 학교 누리집에 올라온 게시글을 예로 들어 **1**문단에서 설명한 언론에 대한 이해를 돕고 있습니다. **3**문단은 공정한 태도로 진실 보도를 해야 하는 언론의 태도를, **4**문단과 **5**문단은 각각 권력 감시와 사회적 약자 보호라는 언론의 역할을 설명하고 있습니다.

051쪽 오늘의 어휘

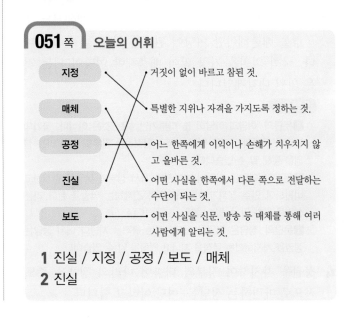

지정 — 특별한 지위나 자격을 가지도록 정하는 것.
매체 — 어떤 사실을 한쪽에서 다른 쪽으로 전달하는 수단이 되는 것.
공정 — 어느 한쪽에게 이익이나 손해가 치우치지 않고 올바른 것.
진실 — 거짓이 없이 바르고 참된 것.
보도 — 어떤 사실을 신문, 방송 등 매체를 통해 여러 사람에게 알리는 것.

1 진실 / 지정 / 공정 / 보도 / 매체
2 진실

- **글의 종류** 설명문
- **글의 특징** 이 글은 여러 가지 법들의 근본이 되는 으뜸 법인 헌법의 뜻과, 그 안에 담긴 국민의 자유와 권리를 보장하는 내용을 설명하고 있습니다.
- **설명 방식** 인용, 정의
- **글의 주제** 헌법의 뜻과 내용

053쪽 지문 독해

1 ③ **2** ⑤ **3** (1) ○ (4) ○ **4** (1) ㉰ (2) ㉮ (3) ㉱ (4) ㉲ (5) ㉯

1 이 글은 헌법의 개념과 근본 원리, 헌법 제1조 1항에 대해 설명하고 있으므로, 가장 중심이 되는 낱말은 '헌법'입니다.

[유형 분석 / 핵심어_중심 화제 찾기]

글에서 가장 중심이 되는 핵심어를 '중심 화제'라고 합니다. 중심 화제는 주로 글의 첫 부분에서 제시되는 경우가 많습니다. 그리고 글 전체에서 반복적으로 제시되는 경우가 많습니다. 이 글에서 반복해서 제시되는 핵심어가 무엇인지 찾아봅니다.

2 ④문단에 따르면 헌법은 그동안 여러 번 개정되었지만, 제1조 1항은 변하지 않았습니다.

[오답 풀이]

① ②문단의 '헌법은 이런 법들의 근본이 되는 법이면서 가장 으뜸이 되는 법이다.'에서 확인할 수 있습니다.
② ③문단의 '헌법은 국민의 자유와 권리를 보장하는 원리를 제시한다.'에서 확인할 수 있습니다.
③ ①문단의 '매년 7월 17일은 제헌절이다. 제헌절은 우리나라에 헌법이 만들어진 것을 기념하는 국경일이다.'에서 확인할 수 있습니다.
④ ④문단의 '제1조 1항에는 "대한민국은 민주 공화국이다."라고 되어 있다.'에서 확인할 수 있습니다.

3 (1)은 ①문단의 '우리나라의 헌법은 1948년 7월 17일에 처음 만들어졌으며'라는 설명에서 질문의 답을 알 수 있습니다. (4)는 ②문단의 '헌법은 이런 법들의 근본이 되는 법이면서 가장 으뜸이 되는 법이다. 어떤 법도 헌법에 어긋나서는 안 된다.'는 설명에서 질문의 답을 알 수 있습니다.

4 ③문단에 따르면 자유권은 자유롭게 행동할 수 있는 권리, 평등권은 법 앞에 평등하여 차별받지 않을 권리, 참정권은 정치에 참여할 권리, 청구권은 어려운 점을 국가에 호소할 권리, 사회권은 인간다운 생활을 요구할 권리를 뜻합니다.

054쪽 지문 분석

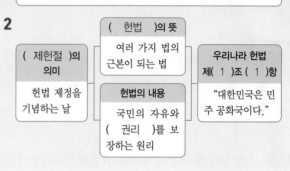

1 (헌법)은 가장 으뜸이 되는 법으로, 국민의 권리를 보장하는 근본 원리를 제시한다. 우리나라는 헌법 제1조 1항에 "(대한민국)은 민주 공화국이다."라고 규정하여, 국민이 (주권)을 가지고 있으며, 국민이 뽑은 대표가 (국민)을 위한 정치를 하는 나라임을 규정하고 있다.

2

- (제헌절)의 의미 — 헌법 제정을 기념하는 날
- (헌법)의 뜻 — 여러 가지 법의 근본이 되는 법
- 헌법의 내용 — 국민의 자유와 (권리)를 보장하는 원리
- 우리나라 헌법 제(1)조 (1)항 — "대한민국은 민주 공화국이다."

1 이 글에서 헌법에 대해 말하고자 한 내용을 요약하여 정리해 봅니다.

2 이 글은 헌법의 뜻과 내용을 설명하고 있습니다. 글의 처음에는 헌법 제정을 기념하는 날인 제헌절에 대해 설명하였고, 이어서 헌법의 뜻과 헌법의 내용을 설명하였습니다. 그리고 끝에서는 우리나라 헌법의 제1조 1항에 담긴 의미를 설명하였습니다.

[유형 분석 / 글의 구조]

글의 내용을 도식화할 때는 글 전체의 내용을 머릿속에 떠올려 보고, 글쓴이가 중심 화제에 대해 말한 내용을 큰 덩어리로 나누어 봅니다. 이 글에서 글쓴이는 헌법에 대해 말하기에 앞서 제헌절의 의미를 밝혔고, 헌법의 뜻과 내용을 말한 뒤 헌법 제1조 1항을 설명했습니다.

055쪽 오늘의 어휘

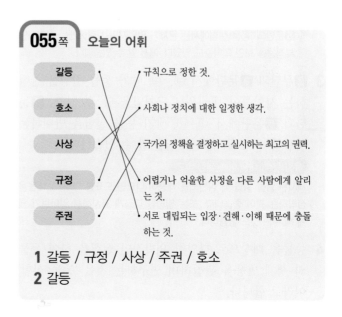

- 갈등 — 규칙으로 정한 것.
- 호소 — 사회나 정치에 대한 일정한 생각.
- 사상 — 국가의 정책을 결정하고 실시하는 최고의 권력.
- 규정 — 어렵거나 억울한 사정을 다른 사람에게 알리는 것.
- 주권 — 서로 대립되는 입장·견해·이해 때문에 충돌하는 것.

1 갈등 / 규정 / 사상 / 주권 / 호소
2 갈등

- **글의 종류** 설명문
- **글의 특징** 이 글은 동물 실험을 계속해야 한다는 입장과, 중지해야 한다는 입장을 각각 근거를 들어 설명하고 있습니다.
- **설명 방식** 정의, 분류, 분석, 예시
- **글의 주제** 동물 실험에 대한 찬반 의견

057쪽 지문 독해

1 ④ **2** ④ **3** (1) ㉮, ㉯, ㉳ (2) ㉰, ㉱, ㉲
4 동물 실험

1 이 글은 동물 실험을 찬성하는 입장과 반대하는 입장을 각각 구체적으로 설명하고 있습니다. 따라서 동물 실험에 대한 찬반 의견을 중심 내용으로 볼 수 있습니다.

> 오답 풀이
> ①, ②, ⑤는 이 글에서 다루어지고 있는 내용이긴 하지만 부분적인 내용이므로 중심 내용으로 볼 수 없으며, ③은 이 글에 구체적으로 제시되지 않았습니다.

2 ❹문단에 따르면 우리나라에서 1년에 동물 실험에 사용되는 동물은 약 370만 마리입니다. 전 세계적으로 연간 최소 5억 마리 이상의 동물이 실험에 사용됩니다.

> 오답 풀이
> ① ❸문단의 '동물 실험을 통해 ~ 인슐린을 발견하기도 하였다.'에서 알 수 있습니다.
> ② ❶문단의 '주로 의약품이나 화장품의 효능과 안전성을 확인하기 위해 행해진다.'에서 알 수 있습니다.
> ③ ❹문단의 '실험 과정에서 동물에게 큰 고통을 주고 생명을 빼앗기도 하기 때문이다.'에서 알 수 있습니다.
> ⑤ ❺문단의 '동물 실험에서는 문제가 없었지만 사람에게는 치명적인 부작용을 보인 의약품도 있었다.'에서 알 수 있습니다.

3 ❷문단과 ❸문단에서 ㉮, ㉯, ㉳가 동물 실험을 찬성하는 사람들이 내세우는 근거임을 알 수 있고, ❹문단과 ❺문단에서 ㉰, ㉱, ㉲가 동물 실험을 반대하는 사람들이 내세우는 근거임을 알 수 있습니다.

> 유형 분석 / 내용 이해_입장 비교
> 제시된 글을 읽을 때 상반되는 내용이 나오면 도표를 그려 그 내용을 정리하는 것이 좋습니다. 또는 밑줄을 다르게 표시해서 알아보기 쉽게 해 두는 것도 좋습니다.

4 동물을 대상으로 다양한 의학적인 실험을 하여 동물의 생체 반응을 관찰하며 연구하는 것을 '동물 실험'이라고 합니다.

058쪽 지문 분석

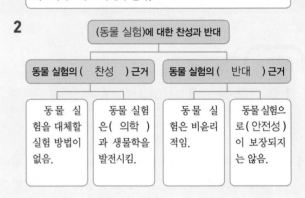

1
동물 실험은 의약품 개발을 앞당겨 (인간(사람))의 삶의 질을 높이는 데 도움이 되지만 실험 과정에서 (동물)이 희생된다는 점에서 비윤리적인 면이 있다. 따라서 동물 실험을 대체할 방법을 찾아야 하며 실험동물이 느끼는 (고통)도 최소화하도록 노력해야 한다.

2

(동물 실험)에 대한 찬성과 반대	
동물 실험의 (찬성) 근거	동물 실험의 (반대) 근거
동물 실험을 대체할 실험 방법이 없음. / 동물 실험은 (의학)과 생물학을 발전시킴.	동물 실험은 비윤리적임. / 동물 실험으로 (안전성)이 보장되지는 않음.

1 이 글은 동물 실험에 대한 찬성과 반대 의견과 그 근거를 설명하고, 앞으로 동물 실험 연구자가 나아가야 할 방향을 제시하고 있습니다. 동물 실험은 의약품 개발을 앞당겨 준다는 긍정적인 면이 있지만, 실험 과정에서 동물이 희생된다는 부정적인 면도 있습니다. 따라서 글쓴이는 동물 실험을 대체할 방법을 찾아야 하며 실험동물이 느끼는 고통도 최소화하도록 해야 한다고 말하고 있습니다.

2 이 글에는 동물 실험에 대한 찬반 의견과 그 근거가 나타나 있습니다. 각 의견에 대한 근거가 나타난 부분을 읽어 보고 내용을 정리해 봅니다.

059쪽 오늘의 어휘

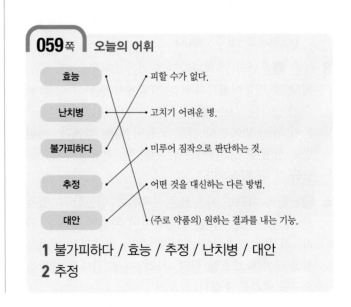

효능	피할 수가 없다.
난치병	고치기 어려운 병.
불가피하다	미루어 짐작으로 판단하는 것.
추정	어떤 것을 대신하는 다른 방법.
대안	(주로 약품의) 원하는 결과를 내는 기능.

1 불가피하다 / 효능 / 추정 / 난치병 / 대안
2 추정

- **글의 종류** 설명문
- **글의 특징** 이 글은 인류 최초의 상형 문자로 평가되는 고대 이집트의 상형 문자 히에로글리프의 특징을 설명하고 있습니다.
- **설명 방식** 정의, 예시
- **글의 주제** 고대 이집트 상형 문자의 특징과 가치

061쪽 지문 독해

1 ② **2** ③ **3** ⑤ **4** 상형 문자

1 이 글은 고대 이집트의 상형 문자에 대해 설명하고 있습니다.

2 **3**문단에 따르면 '로제타석'은 이집트의 로제타라는 마을에서 발견되었습니다.

오답 풀이
①은 **2**문단에서, ②는 **4**문단에서, ④는 **3**문단에서, ⑤는 **1**문단에서 확인할 수 있습니다.

3 **3**문단에 따르면 로제타석에는 같은 내용의 글이 히에로글리프와 그리스어로 각각 새겨져 있었고, 그리스어에 능통했던 샹폴리옹이 이 두 문자를 대조하여 히에로글리프를 해독하는 실마리를 찾았습니다. 따라서 샹폴리옹은 그리스어를 바탕으로 히에로글리프를 해독했을 것으로 짐작하는 것이 적절합니다.

오답 풀이
① **3**문단과 **4**문단에 따르면 ㉠은 뜻글자와 소리글자의 성격을 모두 갖고 있습니다.
② **2**문단에 따르면 ㉠은 클레오파트라가 죽은 뒤부터 사용이 금지되었습니다.
③ **3**문단에 따르면 많은 학자들이 노력하였지만 ㉠을 수백 년 동안이나 해독하지 못하였습니다. 이는 ㉠을 해독하는 것이 매우 어려웠음을 뜻합니다.
④ **2**문단에 따르면 ㉠은 고대 이집트의 신관들이 사용하는 문자였습니다. 따라서 일반인들은 사용하기 어려웠을 것입니다.

유형 분석 / 추론하기
추론은 제시된 정보를 가지고 직접 제시되지 않은 내용을 짐작하는 것입니다. 따라서 제시된 정보, 즉 지문에 대한 정확한 이해가 먼저 이루어져야 합니다. 그리고 이를 바탕으로 선택지의 내용이 맞는지 따져 보아야 합니다.

4 초기의 중국 한자나 고대 이집트 문자와 같이 사물의 모양을 본떠 그림으로 특정한 뜻이나 소리를 나타낸 문자를 '상형 문자'라고 합니다.

062쪽 지문 분석

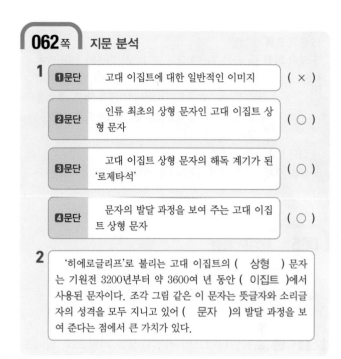

1
1문단	고대 이집트에 대한 일반적인 이미지	(×)
2문단	인류 최초의 상형 문자인 고대 이집트 상형 문자	(○)
3문단	고대 이집트 상형 문자의 해독 계기가 된 '로제타석'	(○)
4문단	문자의 발달 과정을 보여 주는 고대 이집트 상형 문자	(○)

2
'히에로글리프'로 불리는 고대 이집트의 (상형) 문자는 기원전 3200년부터 약 3600여 년 동안 (이집트)에서 사용된 문자이다. 조각 그림 같은 이 문자는 뜻글자와 소리글자의 성격을 모두 지니고 있어 (문자)의 발달 과정을 보여 준다는 점에서 큰 가치가 있다.

1 **1**문단에서는 인류 역사에서 가치가 매우 큰 이집트 상형 문자를, **2**문단에서는 인류 최초의 상형 문자인 고대 이집트 상형 문자를, **3**문단에서는 고대 이집트 상형 문자의 해독 계기가 된 '로제타석'을, **4**문단에서는 문자의 발달 과정을 보여 주는 고대 이집트 상형 문자에 대해 설명하고 있습니다.

2 고대 이집트 상형 문자인 '히에로글리프'는 초기에는 뜻글자와 소리글자의 성격이 혼용되다가 점차 소리를 나타내는 문자로 바뀌었는데, 이 과정이 문자의 일반적인 발달 과정을 보여 준다는 점에서 큰 가치가 있습니다.

063쪽 오늘의 어휘

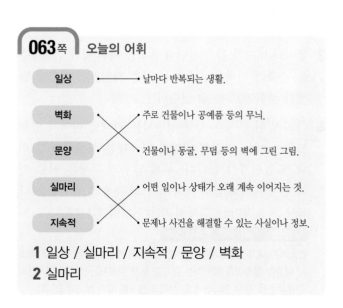

일상 ──── 날마다 반복되는 생활.

벽화 ⤬ 주로 건물이나 공예품 등의 무늬.

문양 ⤬ 건물이나 동굴, 무덤 등의 벽에 그린 그림.

실마리 ⤬ 어떤 일이나 상태가 오래 계속 이어지는 것.

지속적 ──── 문제나 사건을 해결할 수 있는 사실이나 정보.

1 일상 / 실마리 / 지속적 / 문양 / 벽화
2 실마리

- **글의 종류** 설명문
- **글의 특징** 이 글은 자연환경과 종교에서 비롯된 것이 많은 티베트의 문화를 설명하는 글입니다. 티베트에서는 짬바와 야크 고기, 버터차 등을 먹고, 흙벽돌로 집을 지으며 불교 경전을 인쇄한 오색 천을 곳곳에 걸어둡니다.
- **설명 방식** 인과, 열거
- **글의 주제** 자연환경과 종교적 믿음에서 비롯된 티베트의 문화

065쪽　지문 독해

1 ④　**2** ③　**3** (1) ○ (2) × (3) ○ (4) ○ (5) ×
4 (1) 그러나　(2) 그래서

1 **1**~**3**문단은 티베트의 자연환경을 바탕으로 티베트의 식문화와 주택 문화를, **4**~**6**문단은 티베트의 종교를 바탕으로 티베트 사람들의 인생관과 풍속을 설명하고 있습니다. 따라서 이 글은 티베트의 환경과 종교를 바탕으로 티베트의 문화를 설명하고 있습니다.

2 티베트 사람들의 옷차림에 대한 내용은 없습니다.

　[오답 풀이]

　① **2**문단에 따르면, 티베트 사람들은 주로 짬바와 야크 고기 또는 양고기, 버터차를 주식으로 먹습니다.

　② **3**문단에 따르면, 티베트의 집은 대부분 흙벽돌로 짓습니다.

　④ **5**문단에 따르면, 티베트 곳곳에 걸려 있는 오색 천의 색은 파란색, 노란색, 빨간색, 하얀색, 초록색이고, 각각 하늘, 땅, 불, 구름, 바다를 상징합니다.

　⑤ **6**문단에 따르면, 티베트 사람들이 라싸를 순례하려는 이유는 라싸가 티베트 불교의 성지로, 티베트 사람들이 매우 신성시하는 곳이기 때문입니다.

3 짬바와 버터차 같은 간단한 음식을 먹는 것과 집의 1층을 가축의 거처로 사용하는 것은 자연환경 때문에 발생한 문화라고 볼 수 있습니다.

4 ㉠의 앞뒤 문장은 서로 상반되는 관계로 이어져 있으므로 ㉠에는 역접의 관계를 나타내는 접속어인 '그러나'가 들어가야 합니다. ㉡의 앞뒤의 문장은 서로 인과 관계이므로 앞의 내용이 뒤의 내용의 원인임을 나타내는 접속어인 '그래서'가 들어가야 합니다.

　[유형 분석 / 어휘·어법_접속어 찾기]

　접속어는 대개 앞뒤 내용 간의 관계를 알려 주는 역할을 합니다. 따라서 적절한 접속어를 파악하는 문제를 풀기 위해서는 반드시 접속어의 앞뒤 내용을 각각 정리하여 둘 사이의 관계를 따져 보아야 합니다.

066쪽　지문 분석

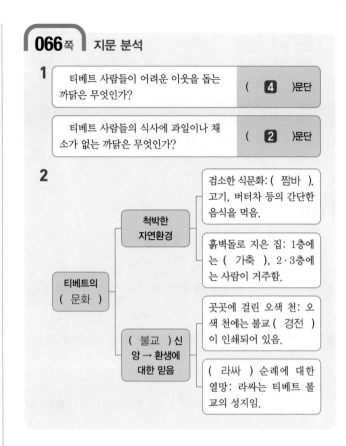

1 티베트 사람들이 어려운 이웃을 적극적으로 돕는 까닭은 **4**문단에서, 티베트 사람들의 식사에 과일이나 채소가 없는 까닭은 **2**문단에서 알 수 있습니다.

2 이 글은 척박한 자연환경으로 인해 짬바나 버터차 등을 먹고 흙벽돌로 집을 지으며, 불교 신앙에 대한 믿음으로 인해 경전을 인쇄한 오색 천을 곳곳에 걸어 두는 티베트 문화에 대해 설명하고 있습니다.

067쪽　오늘의 어휘

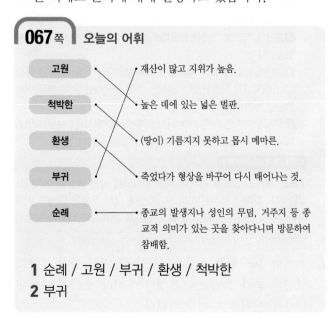

1 순례 / 고원 / 부귀 / 환생 / 척박한
2 부귀

• **글의 종류** 논설문
• **글의 특징** 이 글은 글로벌 푸드의 문제점을 지적하며, 그것을 해결할 방안으로 로컬 푸드를 이용할 것을 주장하고 있습니다.
• **전개 방식** 예시, 분석
• **글의 주제** 로컬 푸드를 이용하자.

069쪽 지문 독해

1 ② **2** ④ **3** ① **4** 로컬 푸드

1 논설문은 대부분 마지막 문단에 글쓴이의 주장이 나타납니다. **5**문단에서 글쓴이는 우리의 건강과 지구 환경을 위해 로컬 푸드를 이용하자고 주장하고 있습니다.

유형 분석 / 글의 목적
일반적으로 글은 주장하는 글, 설명하는 글, 정서적인 글로 나누어집니다. 주장하는 글은 읽는 이에 대한 설득을, 설명하는 글은 어떤 것에 대한 정보 전달을, 정서적인 글은 감동 유발을 목적으로 합니다. 이 글의 유형을 먼저 알아보고, 그 목적을 파악해 봅니다.

2 **4**문단의 '(로컬 푸드는) 생산자와 소비자가 직거래를 하는 등 중간 유통 과정을 최소화함으로써'에서, 로컬 푸드는 농산물의 유통 과정을 최소화하는 장점이 있음을 알 수 있습니다.

3 '일석이조'는 돌 한 개를 던져 새 두 마리를 잡는다는 뜻으로, 동시에 두 가지 이득을 봄을 이르는 말입니다. 따라서 로컬 푸드를 이용함으로써 소비자와 생산자 모두 이익이 될 수 있다는 ㉠의 상황을 표현하기에 적절합니다.

오답 풀이
② '설상가상'은 눈 위에 서리가 덮인다는 뜻으로, 난처한 일이나 불행한 일이 잇따라 일어남을 이르는 말입니다.
③ '새옹지마'는 인생의 길흉화복은 변화가 많아서 예측하기가 어렵다는 말입니다.
④ '어부지리'는 두 사람이 이해관계로 서로 싸우는 사이에 엉뚱한 사람이 애쓰지 않고 가로챈 이익을 이르는 말입니다.
⑤ '타산지석'은 다른 산의 나쁜 돌이라도 자신의 산의 옥돌을 가는 데에 쓸 수 있다는 뜻으로, 본이 되지 않은 남의 말이나 행동도 자신의 지식과 인격을 수양하는 데에 도움이 될 수 있음을 비유적으로 이르는 말입니다.

4 **3**문단에 따르면, 소비자와 가까운 곳에서 생산된 농산물을 일컫는 말은 '로컬 푸드'입니다.

070쪽 지문 분석

1
로컬 푸드의 장점은 무엇인가? (**4**)문단
글로벌 푸드의 문제점은 무엇인가? (**2**)문단

2 (글로벌)푸드는 장거리 운송 때문에 환경을 해치고 식품의 안전성도 떨어진다. (로컬)푸드는 이런 문제를 해결할 수 있다. 이동 거리가 짧아 (온실가스) 배출이 적고, 식품의 안전성이나 신선도도 글로벌 푸드보다 높기 때문이다.

1 첫 번째 질문인 '로컬 푸드의 장점은 무엇인가?'에 대한 답은 안전하고 신선하며 친환경적이라는 것과, 농민 같은 생산자의 소득을 높일 수 있다는 것 등이며 이 점은 **4**문단에 나타나 있습니다. 또한 두 번째 질문인 '글로벌 푸드의 문제점은 무엇인가?'에 대한 답은 장거리를 운송하는 과정에서 온실가스가 많이 배출되어 지구 환경을 파괴한다는 것과, 살충제나 방부제 등을 사용해 소비자의 건강을 위협할 수도 있다는 것으로 이 점은 **2**문단에 나타나 있습니다.

2 이 글은 로컬 푸드를 이용하자고 주장하는 글입니다. 글쓴이는 글로벌 푸드는 장거리 운송으로 인해 환경을 해치고 식품의 안전성도 떨어진다고 하며 로컬 푸드가 이런 문제를 해결할 수 있다고 하였습니다. 그 까닭으로 로컬 푸드는 온실가스 배출이 적고, 식품의 안전성이나 신선도가 높다는 점을 말하였습니다.

071쪽 오늘의 어휘

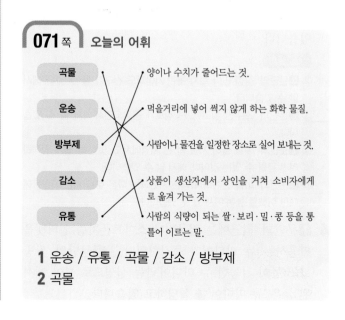

곡물	양이나 수치가 줄어드는 것.
운송	먹을거리에 넣어 썩지 않게 하는 화학 물질.
방부제	사람이나 물건을 일정한 장소로 실어 보내는 것.
감소	상품이 생산자에서 상인을 거쳐 소비자에게로 옮겨 가는 것.
유통	사람의 식량이 되는 쌀·보리·밀·콩 등을 통틀어 이르는 말.

1 운송 / 유통 / 곡물 / 감소 / 방부제
2 곡물

- **글의 종류** 설명문
- **글의 특징** 이 글은 언제나 미디어와 함께하는 미디어 시대의 긍정적인 면과 부정적인 면에 대해 설명하고 있습니다.
- **설명 방식** 정의, 분류, 예시
- **글의 주제** 미디어 시대의 양면성

073쪽 지문 독해

1 ②   **2** ③   **3** ①   **4** 뉴 미디어

1 이 글은 미디어 시대의 긍정적인 면과 부정적인 면을 모두 소개하고 있습니다. 따라서 '미디어 시대의 빛과 그늘'이 비유적으로 표현을 활용한 제목으로 가장 적절합니다.

[유형 분석 / 제목]

제목은 글 전체의 주제를 드러낼 수 있어야 합니다. 글의 일부분에 해당하거나 너무 포괄적이어서 의미가 명확하지 못한 것은 제목으로 적절하지 않습니다. 설명하는 글은 대개 글이 중심 화제와 그것에 대해 설명하는 내용을 제목으로 사용하고, 주장하는 글은 대개 글쓴이의 주장을 간략하게 제시하는 제목을 사용합니다.

2 **2**, **3**문단에서는 미디어 시대의 긍정적인 면을, **4**, **5**문단에서는 미디어 시대의 부정적인 면을 소개하고 있으므로 이 글은 대상의 상반되는 측면을 설명한 뒤 대응 자세를 제시하는 전략을 사용하고 있습니다.

3 **2**문단의 '직접 경험하기 어려운 일을 간접 경험할 수 있게 하여 지식의 폭을 넓혀 준다.'라는 설명에서, 미디어는 간접 경험을 할 수 있도록 하는 것임을 알 수 있습니다.

[오답 풀이]

② **3**문단의 '직접 만나 보지 못한 사람과도 친구가 될 수 있다.'에서 알 수 있습니다.
③ **2**문단의 '소수만 알고 있던 정보가 공유되면서'에서 알 수 있습니다.
④ **2**문단의 '예를 들어 처음 가 본 지역에서도 '맛집'을 쉽게 검색하여 방문할 수 있는 것이다.'에서 알 수 있습니다.
⑤ **3**문단의 '이런 관계의 확대는 자신과는 다른 삶을 사는 사람들에 대한 이해를 높여'에서 알 수 있습니다.

4 **1**문단의 '최근에는 컴퓨터나 스마트폰처럼 인터넷을 활용하는 뉴 미디어가 등장하였다.', **3**문단의 '쌍방향 소통이 가능한 뉴 미디어'라는 설명으로 보아 제시된 글은 '뉴 미디어'를 설명하고 있습니다.

074쪽 지문 분석

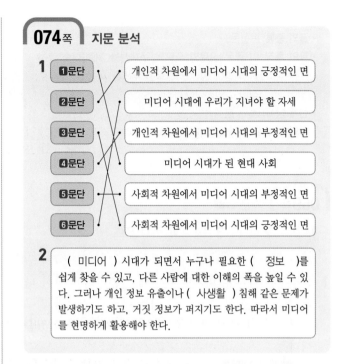

1
1문단	개인적 차원에서 미디어 시대의 긍정적인 면
2문단	미디어 시대에 우리가 지녀야 할 자세
3문단	개인적 차원에서 미디어 시대의 부정적인 면
4문단	미디어 시대가 된 현대 사회
5문단	사회적 차원에서 미디어 시대의 부정적인 면
6문단	사회적 차원에서 미디어 시대의 긍정적인 면

2 (미디어) 시대가 되면서 누구나 필요한 (정보)를 쉽게 찾을 수 있고, 다른 사람에 대한 이해의 폭을 높일 수 있다. 그러나 개인 정보 유출이나 (사생활) 침해 같은 문제가 발생하기도 하고, 거짓 정보가 퍼지기도 한다. 따라서 미디어를 현명하게 활용해야 한다.

1 **1**문단은 미디어의 개념과 오늘날이 미디어 시대가 된 사회임을, **2**문단은 개인적 차원에서 미디어 시대의 긍정적인 면을, **3**문단은 사회적 차원에서 미디어 시대의 긍정적인 면을 설명하였습니다. **4**문단은 개인적 차원에서 미디어 시대의 부정적인 면을, **5**문단은 사회적 차원에서 미디어 시대의 부정적인 면을, **6**문단은 미디어 시대에 우리가 지녀야 할 자세를 설명하였습니다.

2 이 글은 미디어 시대의 양면성에 대해 설명하는 글로 긍정적인 면과 부정적인 면에는 어떠한 것이 있다고 하였는지 생각해 봅니다.

075쪽 오늘의 어휘

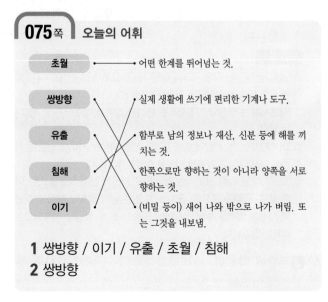

초월	어떤 한계를 뛰어넘는 것.
쌍방향	실제 생활에 쓰기에 편리한 기계나 도구.
유출	함부로 남의 정보나 재산, 신분 등에 해를 끼치는 것.
침해	한쪽으로만 향하는 것이 아니라 양쪽을 서로 향하는 것.
이기	(비밀 등이) 새어 나와 밖으로 나가 버림. 또는 그것을 내보냄.

1 쌍방향 / 이기 / 유출 / 초월 / 침해
2 쌍방향

- **글의 종류** 설명문
- **글의 특징** 이 글은 한 국가 내에서 1년 동안 새롭게 생산한 최종 생산물의 시장 가격을 모두 합한 값으로, 한 국가의 경제력과 경제 발전 상황을 나타내는 지표인 '국내 총생산(GDP)'에 대해 설명하고 있습니다.
- **설명 방식** 정의, 예시, 유추
- **글의 주제** 국내 총생산의 개념 및 경제적 의미

079쪽　지문 독해

1 ④　　**2** ②, ③　　**3** ④　　**4** 국내 총생산

1 이 글은 **1**문단과 **2**문단에서 국내 총생산의 개념을, **3**문단에서는 국내 총생산을 계산하는 방법을, **4**문단에서는 국내 총생산이 경제에서 의미하는 것을 설명하고 있습니다. 따라서 '국내 총생산의 개념과 경제적 의미'를 중심 내용으로 볼 수 있습니다.

[오답 풀이]
① **4**문단에서 국가의 경제 성장과 쇠퇴를 언급하였지만 그 과정을 설명하지는 않았습니다.
② 국민 수에 대한 언급은 찾아볼 수 없습니다.
③ 국내 총생산은 최종 생산물의 시장 가격으로 계산하므로 글에 시장 가격이 나와 있긴 하지만, 시장 가격이 정해지는 과정은 설명하지 않았습니다.
⑤ **1**문단에서 한 마을에서 이루어지는 경제 활동을 가정하고 있지만, 이는 국내 총생산을 설명하기 위한 예입니다.

2 **1**문단과 **2**문단에서 국가를 작은 마을로 축소한 예를 들어 비교적 어려운 내용을 이해하기 쉽게 설명하였고, **2**문단에서 독자에게 질문을 하는 방식으로 내용에 대한 참여와 관심을 유도하였습니다.

3 **1**문단에서 예로 든 마을에서 밀, 밀가루, 빵과 과자 중 최종 생산물은 빵과 과자입니다. 따라서 이 마을에서 만들어 낸 최종 생산물의 값은 총 2000만 원이므로 ④는 알맞지 않습니다.

[유형 분석 / 내용 이해_예시에 대한 이해]
구체적인 예의 의미는 반드시 글 전체를 모두 읽고 나서 파악해야 합니다. 해당하는 부분만 읽으면 그 속에 담긴 의미를 제대로 파악할 수 없기 때문입니다.

4 **2**문단에 따르면, 한 나라에서 1년 동안 새롭게 생산한 최종 생산물의 시장 가격을 모두 합한 값을 '국내 총생산'이라고 합니다.

080쪽　지문 분석

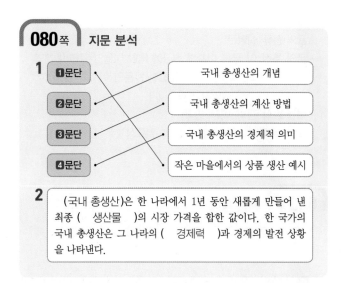

1

1문단	국내 총생산의 개념
2문단	국내 총생산의 계산 방법
3문단	국내 총생산의 경제적 의미
4문단	작은 마을에서의 상품 생산 예시

2
(국내 총생산)은 한 나라에서 1년 동안 새롭게 만들어 낸 최종 (생산물)의 시장 가격을 합한 값이다. 한 국가의 국내 총생산은 그 나라의 (경제력)과 경제의 발전 상황을 나타낸다.

1 **1**문단은 작은 마을에서 일어나는 생산 활동을 가정한 예를 들고, 이어 **2**문단에서는 국내 총생산의 개념을 설명하고 있습니다. 그리고 **3**문단에서는 국내 총생산의 계산 방법을, **4**문단에서는 국내 총생산이 지닌 경제적 의미를 설명하고 있습니다.

2 이 글은 국내 총생산의 개념과 경제적 의미에 대해 설명하는 글입니다. 국내 총생산은 한 나라에서 1년 동안 새롭게 만들어 낸 최종 생산물의 시장 가격을 합한 값으로, 한 국가의 국내 총생산은 그 나라의 경제력과 경제의 발전 상황을 나타냅니다.

081쪽　오늘의 어휘

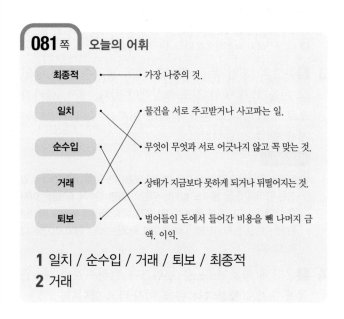

최종적	가장 나중의 것.
일치	물건을 서로 주고받거나 사고파는 일.
순수입	무엇이 무엇과 서로 어긋나지 않고 꼭 맞는 것.
거래	상태가 지금보다 못하게 되거나 뒤떨어지는 것.
퇴보	벌어들인 돈에서 들어간 비용을 뺀 나머지 금액. 이익.

1 일치 / 순수입 / 거래 / 퇴보 / 최종적
2 거래

- **글의 종류** 설명문
- **글의 특징** 이 글은 이자의 원금에 대한 비율인 금리의 개념과, 빌려준 돈에 덧붙이는 돈인 이자의 필요성에 대해 설명하고 있습니다.
- **설명 방식** 정의, 예시, 인과
- **글의 주제** 금리의 개념과 이자의 필요성

083쪽 **지문 독해**

1 ③ **2** ㉮, ㉣ **3** ③ **4** 이자

1 ❶문단의 '우리나라에서는 금융 기관이나 개인이 받을 수 있는 최대 금리를 법으로 정해 두었다.'에서, 개인이나 금융 기관이 마음대로 금리를 정하지 못하도록 규제하고 있음을 알 수 있습니다. ①은 ❸문단에서, ②, ④, ⑤는 ❷문단에서 확인할 수 있습니다.

2 ㉮가 나타난 부분은 ❷문단에서 금리를 계산하는 방법을, ❸문단에서 이자가 필요한 까닭을 예시의 방법을 사용하여 설명하고 있습니다. ㉣가 나타난 부분은 ❶문단에서 원금, 이자, 금리의 개념을 제시하여 이어질 내용에 대한 이해를 돕고 있습니다.

[오답 풀이]
㉯ 일정한 기준에 따라 대상을 나누는 분류의 설명 방법은 사용되지 않았습니다.
㉰ 전문가의 말을 인용하는 부분은 찾아볼 수 없습니다.

[유형 분석 / 전개 방식_글쓰기 전략]
글쓰기 전략은 글쓴이가 전달하려는 내용을 독자에게 효과적으로 전달하기 위한 방법을 말합니다. 따라서 글의 전개 방식이나 설명 방식을 포괄하는 말로, 글 전체 모두에서 나타나는 것도 있고, 한 문단이나 한 문장에서 부분적으로 나타나는 것도 있습니다.

3 ❸문단의 '또한 돈을 빌려준 쪽이 빌려준 기간 동안 그 돈을 쓰지 못한 것도 보상해야 한다.'에서, 물가가 오르지 않더라도 돈을 빌리면 이자를 주어야 한다는 것을 알 수 있습니다.

[오답 풀이]
① 이자는 원금을 빌리는 대가로 원금에 덧붙이는 돈입니다. 따라서 일정한 금리로 돈을 빌려도 빌리는 기간이 길면 길수록 더 많은 이자를 내야 합니다. 예를 들어 100만 원을 10% 금리로 빌렸을 때 1년 뒤에는 10만 원의 이자를 내지만 2년 뒤에는 20만 원의 이자를 내야 합니다.

4 ❶문단에 따르면, 돈을 빌리거나 빌려주었을 때, 원금에 대가로 덧붙이는 돈을 '이자'라고 합니다.

084쪽 **지문 분석**

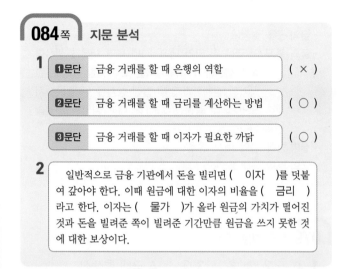

1
❶문단	금융 거래를 할 때 은행의 역할	(×)
❷문단	금융 거래를 할 때 금리를 계산하는 방법	(○)
❸문단	금융 거래를 할 때 이자가 필요한 까닭	(○)

2 일반적으로 금융 기관에서 돈을 빌리면 (이자)를 덧붙여 갚아야 한다. 이때 원금에 대한 이자의 비율을 (금리)라고 한다. 이자는 (물가)가 올라 원금의 가치가 떨어진 것과 돈을 빌려준 쪽이 빌려준 기간만큼 원금을 쓰지 못한 것에 대한 보상이다.

1 ❶문단에서 원금과 이자, 그리고 금리의 개념을 제시한 뒤, ❷문단에서는 금융 거래를 할 때 금리를 계산하는 방법을 예를 들어 설명하고 있습니다. ❸문단에서는 금융 거래를 할 때 이자를 주고받아야 하는 까닭을 설명하고 있습니다.

2 이 글은 금리의 개념과 이자의 필요성에 대해 설명하는 글입니다. 일반적으로 돈을 빌리면 이자를 덧붙여 갚아야 하며, 이때 원금에 대한 이자의 비율을 '금리'라고 합니다. 원금에 더해서 이자를 지불해야 하는 까닭은 물가가 올라 원금의 가치가 떨어진 것과, 돈을 빌려준 쪽이 빌려준 기간만큼 원금을 쓰지 못한 것에 대한 보상을 해야 하기 때문입니다.

085쪽 **오늘의 어휘**

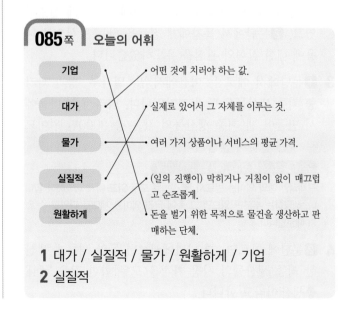

기업		어떤 것에 치러야 하는 값.
대가		실제로 있어서 그 자체를 이루는 것.
물가		여러 가지 상품이나 서비스의 평균 가격.
실질적		(일의 진행이) 막히거나 거침이 없이 매끄럽고 순조롭게.
원활하게		돈을 벌기 위한 목적으로 물건을 생산하고 판매하는 단체.

1 대가 / 실질적 / 물가 / 원활하게 / 기업
2 실질적

087쪽 지문 독해

1 ② **2** ④ **3** ① **4** (1) ㉯ (2) ㉰ (3) ㉮

1 이 글은 무역이 필요한 까닭을 설명하고 있습니다. 이는 **2**문단의 '무역은 국가마다 가진 자원이나 만들 수 있는 물건이 달라서 시작되었다.'와 **3**문단의 '그렇다면 무역을 하는 근본적 이유는 무엇일까?'에서 뚜렷하게 알 수 있습니다.

유형 분석 / 글의 목적

일반적으로 글은 주장하는 글, 설명하는 글, 정서적인 글로 나누어집니다. 주장하는 글은 읽는 이에 대한 설득을, 설명하는 글은 어떤 것에 대한 정보 전달을, 정서적인 글은 감동 유발을 목적으로 합니다. 이 글의 유형을 먼저 알아보고, 그 목적을 파악해 봅니다.

2 **2**문단의 '무역은 국가마다 가진 자원이나 만들 수 있는 물건이 달라서 시작되었다.'와 우리나라의 예에서, 무역은 자기 나라에 없거나 부족한 물품을 구하기 위해 시작되었음을 알 수 있습니다.

3 **3**문단의 '그것은 무역을 하는 국가 모두에게 이익이 되기 때문이다.'와, **4**문단의 예를 통해 무역은 수출국이나 수입국 모두에게 이익이 된다는 것을 알 수 있습니다.

오답 풀이

② **2**문단과 **4**문단의 예를 통해 이끌어 낼 수 있습니다.
③ **1**문단의 '우리가 일상생활을 하는 데에는 식료품, 학용품, 가방, 옷, 냉장고, 컴퓨터 등 엄청나게 많은 물건이 필요하다. 그런데 그 물건들 중 일부는 외국에서 생산된 제품이다.'에서 이끌어 낼 수 있습니다.
④ **2**문단의 예와 **5**문단의 '만약 무역을 하지 않는다면 소비자가 필요한 물건을 구하기 어렵고'에서 이끌어 낼 수 있습니다.
⑤ **4**문단의 예를 통해 이끌어 낼 수 있습니다.

4 **1**문단에 따르면, 국가 간에 재화나 서비스 등을 사고팔거나 교환하는 일을 '무역', 자기 나라의 상품을 파는 것을 '수출', 다른 나라의 상품을 사 오는 것을 '수입'이라고 합니다.

088쪽 지문 분석

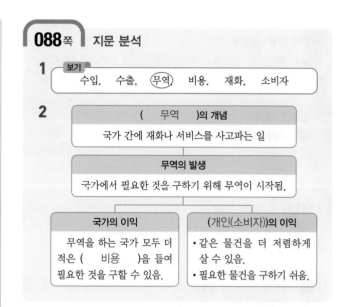

1 이 글은 국가 간에 재화나 서비스 등을 사고팔거나 교환하는 무역을 해야 하는 까닭에 대해 설명하고 있습니다. 따라서 이 글의 핵심어는 '무역'입니다.

2 이 글에서는 먼저 무역의 개념과 무역을 시작하게 된 까닭을 설명하고, 무역을 할 때 국가의 이익과 개인의 이익을 나누어 설명하고 있습니다. 무역은 국가 간에 재화나 서비스를 사고파는 일로 국가에서 필요한 것을 구하기 위해 무역이 시작됩니다. 무역을 하는 국가는 더 적은 비용을 들여 필요한 것을 구할 수 있고, 개인(소비자)은 같은 물건을 더 저렴하게 살 수 있으며 필요한 물건을 구하기도 쉽습니다.

089쪽 오늘의 어휘

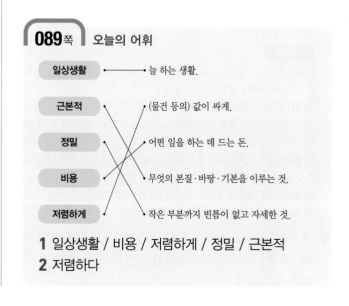

1 일상생활 / 비용 / 저렴하게 / 정밀 / 근본적
2 저렴하다

- **글의 종류** 논설문
- **글의 특징** 이 글은 복지 정책의 필요성을 설명하며, 복지 정책을 더 적극적으로 시행해야 한다고 주장하고 있습니다.
- **설명 방식** 정의, 예시, 논증
- **글의 주제** 복지 정책의 필요성

091쪽 ┃ 지문 독해

1 ③　**2** ④　**3** ④　**4** 사회적 약자

1 **2**문단의 내용과 **4**문단의 내용을 고려할 때, 이 글은 적극적인 복지 정책의 필요성을 제시하고 있음을 알 수 있습니다. 따라서 '복지 정책을 적극적으로 시행해야 하는 까닭'이 주제로 적절합니다.

[유형 분석/주제_주제 파악]

주제란 글의 중심적인 내용으로, 글쓴이가 글을 통해 전달하고자 하는 참된 의도를 말합니다. 주제를 파악하려면 글쓴이가 '무엇에 대하여(중심 화제)', '어떤 생각을(주제)' 나타내고 있는가를 알아보아야 합니다.

2 **1**문단에서는 불공정한 백 미터 달리기 시합 상황을 가정하여 독자의 흥미를 자극하면서 이어질 내용을 암시하고 있습니다.

3 누구에게나 직업을 마련해 준다는 내용은 언급되지 않았습니다. 또한 누구나 하고 싶은 것을 하며 살 수 있는 사회는 복지 정책이 잘되어 있는 나라의 상황을 예로 든 것으로, 복지 정책과 관련된 사회적 제도가 잘되어 있어서 생계 걱정을 하지 않아도 되기에 나타나는 결과이지 복지 정책 자체가 그렇게 만들어 주는 것은 아닙니다.

[오답 풀이]

① **2**문단의 '사람은 누구나 사람답게 살 권리가 ~ 국가가 돕는 것이 옳기 때문이다.'에서 알 수 있습니다.
② **2**문단의 '구체적으로는 기초 교육, 의료 보험, 공공 임대 주택, 최저 생계에 필요한 물품 등을 아주 싸게 또는 무료로 제공한다.'에서 알 수 있습니다.
③ **2**문단의 '사회적으로 좋지 못한 상황에 처해 있는 사람들에게 국가가 최소한의 생활을 보장하면서'에서 알 수 있습니다.
⑤ **2**문단의 '공정한 경쟁이 이루어지도록 제도적으로 지원하는 것을 복지 정책이라고 한다.'에서 알 수 있습니다.

4 사회적 재화나 지위를 획득할 수 있는 경쟁에서 뒤처져 있거나 사회적으로 소외된 사람들을 '사회적 약자'라고 합니다.

092쪽 ┃ 지문 분석

1 이 글은 (복지 정책)에 대한 자신의 주장을 알리고, 읽는 사람을 설득하는 논설문입니다. 글쓴이는 복지 정책은 (사회적 약자)를 제도적으로 지원함으로써 사회에서 (공정한) 경쟁이 이루어질 수 있도록 한다고 하였습니다. 또한 적극적인 복지 정책은 사회 전체의 행복감을 높인다고 주장하고 있습니다.

2

1문단	(불공정)한 백 미터 달리기 시합을 가정 • 다리를 다친 사람을 배려해야 함.

↓

2문단	복지 정책의 필요성 • (사회적) 약자에게 최소한의 인간다운 삶 보장 • 공정한 경쟁의 가능성 높임.

↑반론

3문단	복지 정책에 대한 비판 • (성실)하게 일하는 사람들의 근로 의욕을 떨어뜨림.

↑반박

4문단	적극적인 복지 정책 • 사회 구성원 모두의 (행복감)을 높일 수 있음.

1 이 글은 복지 정책에 대한 자신의 주장을 담은 논설문입니다. 글쓴이가 복지 정책에 대해 어떤 주장을 하였는지 정리하여 봅니다.

2 이 글에서는 복지 정책의 뜻과 복지 정책이 필요한 까닭에 대해 설명하고, 복지 정책을 비판하는 입장과 이를 반박하는 글쓴이의 생각이 나타나 있습니다.

093쪽 ┃ 오늘의 어휘

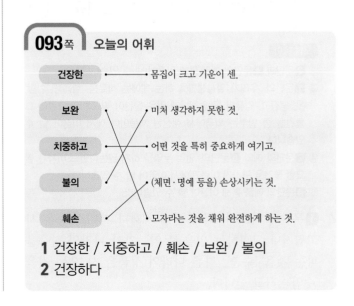

건장한 ─── 몸집이 크고 기운이 센.
보완 ─── 미처 생각하지 못한 것.
치중하고 ─── 어떤 것을 특히 중요하게 여기고.
불의 ─── (체면·명예 등을) 손상시키는 것.
훼손 ─── 모자라는 것을 채워 완전하게 하는 것.

1 건장한 / 치중하고 / 훼손 / 보완 / 불의
2 건장하다

- **글의 종류** 설명문
- **글의 특징** 이 글은 체세포 복제 기술을 이용한 동물 복제 방법과 함께 체세포 복제의 긍정적인 면과 부정적인 면에 대해 설명하고 있습니다.
- **설명 방식** 정의, 예시, 과정, 구분
- **글의 주제** 체세포 복제를 이용한 동물 복제 방법과 양면성

095쪽 지문 독해

1 ③ **2** ⑤ **3** ㉮ → ㉲ → ㉳ → ㉴ **4** 획을 긋다

1 체세포 복제 기술로 복제 동물을 만드는 방법과 동물 복제 연구가 지닌 양면성에 대해 설명하고 있으므로 '체세포 복제 기술과 동물 복제'가 제목으로 적절합니다.

유형 분석 / 제목
설명하는 글은 대개 글 전체의 설명 대상을 제목으로 삼는 경우가 많고, 주장하는 글은 대개 문제 상황이나 주장을 함축하는 제목을 붙이는 경우가 많습니다. 이 글은 동물 복제에 대해 설명하는 글입니다.

2 **3**문단의 '체세포 복제 기술로 태어난 동물은 핵을 제공한 동물의 유전자만 복제 동물에게 전달된다.'에서 체세포 복제를 이용하면 체세포의 핵을 제공한 쪽의 유전자만 복제 동물에게 전달됨을 알 수 있습니다.

오답 풀이
① **5**문단의 '인간 복제를 전 세계 모든 나라에서 엄격하게 금지하고 있다.'라는 설명에서 확인할 수 있습니다.
② **2**문단의 '복제하려는 동물과 같은 종류의 암컷에서 난자를 채취하여 핵을 미리 제거해 둔다. 그리고 이 난자에 체세포에서 빼낸 핵을 집어넣어 '복제 수정란'을 만든다.'라는 설명에서 확인할 수 있습니다.
③ **4**문단의 '동물 복제 연구는 사회적으로는 인류의 식량난이나 난치병 같은 질병을 해결하는 데 기여할 것으로 기대된다.'라는 설명에서 확인할 수 있습니다.
④ **1**문단의 '복제 양 '돌리'가 태어난 것이다. 돌리는 인간이 인위적으로 살아 있는 동물을 그대로 복제한 최초의 동물이다.'라는 설명에서 확인할 수 있습니다.

3 **2**문단에 따르면 체세포 복제는 복제하려는 동물의 체세포와 난자를 준비하고, 핵을 제거한 난자에 체세포에서 빼낸 핵을 집어넣은 뒤, 복제 수정란을 같은 종의 다른 암컷의 몸속에 넣는 과정을 거칩니다.

4 '어떤 범위나 시기를 분명하게 구분 짓다.'라는 뜻을 지닌 관용어는 '획을 긋다'입니다.

096쪽 지문 분석

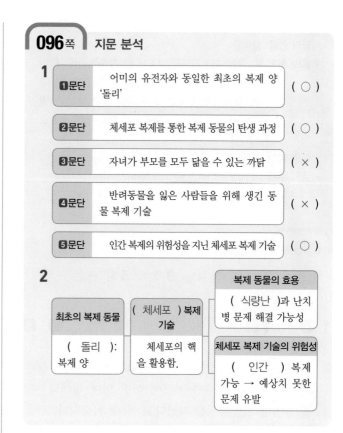

1
1문단	어미의 유전자와 동일한 최초의 복제 양 '돌리'	(○)
2문단	체세포 복제를 통한 복제 동물의 탄생 과정	(○)
3문단	자녀가 부모를 모두 닮을 수 있는 까닭	(×)
4문단	반려동물을 잃은 사람들을 위해 생긴 동물 복제 기술	(×)
5문단	인간 복제의 위험성을 지닌 체세포 복제 기술	(○)

2

최초의 복제 동물 (돌리): 복제 양 → (체세포) 복제 기술 체세포의 핵을 활용함.

복제 동물의 효용 (식량난)과 난치병 문제 해결 가능성

체세포 복제 기술의 위험성 (인간) 복제 가능 → 예상치 못한 문제 유발

1 **1**문단은 복제 양 '돌리'의 탄생을 언급하며 화제를 제시하고 있으며, **2**문단은 복제 동물의 탄생 과정을, **3**문단은 복제 동물의 특징을, **4**문단은 복제 동물의 사회적, 개인적 효용을, **5**문단은 체세포 복제 기술이 지닌 인간 복제의 위험성을 설명하고 있습니다.

2 이 글은 체세포 복제 기술과 동물 복제 연구가 지닌 효용과 위험성에 대해 설명하고 있습니다.

097쪽 오늘의 어휘

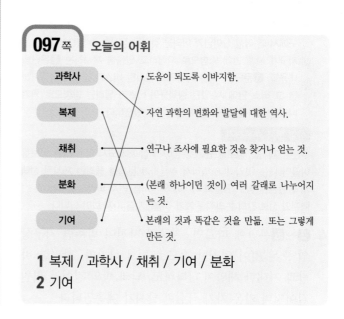

과학사 • • 도움이 되도록 이바지함.
복제 • • 자연 과학의 변화와 발달에 대한 역사.
채취 • • 연구나 조사에 필요한 것을 찾거나 얻는 것.
분화 • • (본래 하나이던 것이) 여러 갈래로 나누어지는 것.
기여 • • 본래의 것과 똑같은 것을 만듦. 또는 그렇게 만든 것.

1 복제 / 과학사 / 채취 / 기여 / 분화
2 기여

- **글의 종류** 설명문
- **글의 특징** 이 글은 지구의 자전이 멈추면 지구에 어떤 일이 일어나는지를 설명하고 있습니다. 자전이 멈춘다면 지구 표면에 있는 모든 것이 튕겨 나가고, 엄청난 바람과 해일, 극심한 기후 변화가 이어질 것입니다.
- **설명 방식** 정의, 과정, 유추, 인과
- **글의 주제** 지구의 자전이 멈출 때 발생하는 일

099쪽 지문 독해

1 ④ **2** (1) ㉰ (2) ㉯ **3** ③ **4** ㉯ → ㉮ → ㉯

1 **1**문단과 **2**문단에서는 지구의 자전 현상을, **3**~**5**문단에서는 지구의 자전이 멈추었을 때 일어날 수 있는 일을 차례로 설명하고 있습니다. 따라서 이 글은 지구의 자전이 멈추면 지구에 어떤 일이 일어나는지를 설명하려는 목적을 지녔다고 볼 수 있습니다.

2 **1**문단에서는 '정의'의 설명 방법을, **2**문단에서는 '유추'의 방법을 사용하고 있습니다.

3 **5**문단의 '지구의 자전이 멈추면서 낮과 밤이 몇 달 혹은 1년을 기준으로 바뀌게 될 것이다.'에서, 지구의 자전이 멈추면 낮과 밤의 길이가 지금과 달라질 것임을 알 수 있습니다.

오답 풀이
①, ④ **1**문단의 '극지방을 제외한 지역에서 낮과 밤이 매일 반복되는 것은 지구가 자전하기 때문이다.'를 통해 짐작할 수 있습니다.
② **3**~**5**문단의 내용을 고려할 때 지구의 자전이 멈추면 인류가 지구에서 더 이상 살아남기 어려울 것임을 짐작할 수 있습니다.
⑤ 지구가 시계 반대 방향으로 자전하고 있음을 제시하는 **1**문단의 내용과, **3**문단의 '빠른 속력으로 달리던 버스가 갑자기 급정거하면 그 버스 안에 서 있던 승객들이 버스가 달리던 방향으로 튕겨 나가는 것과 같다.'를 통해 짐작할 수 있습니다.

유형 분석/추론하기
추론은 제시된 정보를 근거로 삼아 직접 제시되지 않은 다른 정보를 이끌어 내는 것입니다. 따라서 추론하기 문제를 풀려면 제시된 선택지와 관련된 정보가 글의 어디에 있는지를 먼저 파악하고, 그것과 선택지의 정보 간의 논리적 관계가 적절한지를 따져 봐야 합니다.

4 **3**~**5**문단에 따르면, 지구의 자전이 멈추면 지구상의 모든 것이 엄청난 속도로 튕겨 나가며, 강력한 바람과 거대한 해일이 나타나고, 낮과 밤의 길이가 훨씬 길어지며 기온 차가 극심한 날씨가 계속됩니다.

100쪽 지문 분석

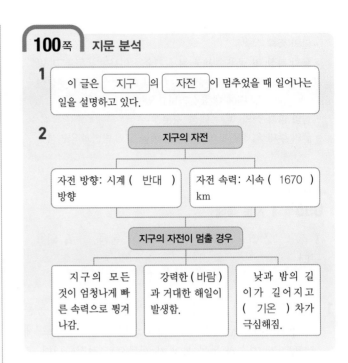

1 이 글에서는 지구의 자전이 멈출 때 일어날 수 있는 일을 설명하고 있습니다.

2 이 글은 지구의 자전과 지구의 자전이 멈추었을 때 일어날 수 있는 일을 설명하고 있습니다. 지구는 시계 반대 방향으로 자전하고 있으며 자전 속력은 약 시속 1670km입니다. 이러한 지구의 자전이 멈춘다면 지구의 모든 것이 엄청나게 빠른 속력으로 튕겨 나갈 것이며 강력한 바람과 거대한 해일이 발생하고, 낮과 밤의 길이가 길어지며 기온 차가 극심해질 것입니다.

101쪽 오늘의 어휘

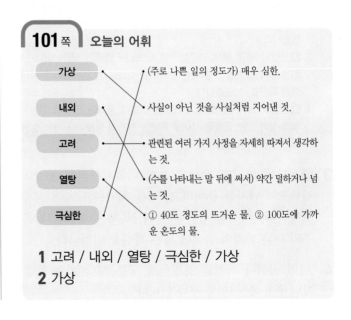

1 고려 / 내외 / 열탕 / 극심한 / 가상
2 가상

- **글의 종류** 설명문
- **글의 특징** 이 글은 우리 몸의 면역 기능을 이용하여 질병을 예방하는 백신의 작동 원리를 설명하고 있습니다.
- **설명 방식** 예시, 정의, 인과
- **글의 주제** 신체의 면역 기능을 이용하는 백신

103쪽 지문 독해

1 백신   **2** ③   **3** ⑤   **4** ③

1 이 글은 백신이 작용하는 원리를 설명하고 있으므로, 핵심어는 '백신'입니다.

유형 분석 / 핵심어

'핵심어'는 글에서 설명이나 논의의 대상이 되는 낱말로, '중심 화제'라고도 합니다. 중심 화제는 보통 글의 첫 부분에 제시되며, 내용이 전개되면서 반복적으로 나타납니다.

2 **2**문단의 '바이러스로 인한 질병은 세균에 의한 질병과 달리 치료제 개발이 어렵다.'와, '바이러스로 인한 질병은 치료보다는 예방이 최선이다.'에서 알 수 있습니다.

오답 풀이

① **2**문단에 따르면, 감기나 독감을 일으키는 것은 바이러스이며, 변이를 쉽게 일으키는 것도 바이러스입니다.
② **1**문단과 **2**문단에 따르면, 세균으로 인한 전염병은 대부분 항생제 같은 치료제가 개발되었습니다. 그리고 치료제의 개발이 어려운 것은 바이러스로 인한 질병입니다.

3 **3**문단의 '질병을 일으키는 외부 미생물이나 이물질을 항원, 그것을 기억하였다 대항할 수 있도록 이끄는 면역 물질을 항체라고 한다.'에서, 외부에서 미생물이 침입하면 우리 몸은 항체를 만들어 내는 것을 알 수 있습니다.

4 백신을 맞는 까닭은 미리 우리 몸속에 특정 질병에 대항할 수 있는 항체를 만들어 두기 위해서이므로, 평소에 준비를 철저히 해 놓으면 후에 근심이 없다는 말인 '유비무환'이 이를 나타내기에 가장 적절합니다.

오답 풀이

① 진퇴양난: 빠져나올 수 없는 곤란한 상황을 뜻하는 말.
② 주경야독: 낮에는 일하고 밤에는 글을 읽는 것을 뜻하는 말.
④ 산해진미: 산과 바다에서 나는 온갖 귀한 먹을거리로 만들어 상에 차린 맛 좋은 음식들을 뜻하는 말.
⑤ 천고마비: 하늘이 높고 말이 살찐다는 뜻으로, 하늘이 맑아 높푸르게 보이고 온갖 곡식이 익는 가을철을 뜻하는 말.

104쪽 지문 분석

1
- 외부에서 들어온 세균이나 바이러스, 이물질 등을 공격하여 신체를 지키는 우리 몸의 방어 체제를 (백신, (면역))이라고 한다.
- 우리 몸속으로 들어와 질병을 일으키는 외부 미생물이나 이물질을 ((항원) 항체)이라고 하고, 그것을 기억하였다 대항할 수 있도록 이끄는 면역 물질을 (항원, (항체))라고 한다.

2   질병은 세균이나 (바이러스)가 일으킨다. (백신)은 이런 세균이나 바이러스를 아주 약하게 만들거나 없앤 물질로, 우리 몸의 (면역) 체계를 활용하여 (항체)를 만들게 한다. 우리는 백신을 맞음으로써 백신에 해당하는 질병을 예방할 수 있다.

1 이 글에서는 외부에서 들어온 세균이나 바이러스, 이물질 등을 공격하여 신체를 지키는 우리 몸의 방어 체제를 '면역'이라고 한다고 알려 주고 있습니다. 또한 우리 몸속으로 들어와 질병을 일으키는 외부 미생물이나 이물질을 '항원'이라고 하고, 그것을 기억하였다 대항할 수 있도록 이끄는 면역 물질을 '항체'라고 한다고 하였습니다.

2 이 글은 신체의 면역 기능을 이용하는 백신에 대해 설명하고 있습니다. 질병은 세균이나 바이러스가 일으키는데, 백신은 이러한 세균이나 바이러스를 아주 약하게 만들거나 없앤 물질로, 우리 몸의 면역 체계를 활용하여 항체를 만들게 함으로써 질병을 예방하게 한다고 하였습니다.

105쪽 오늘의 어휘

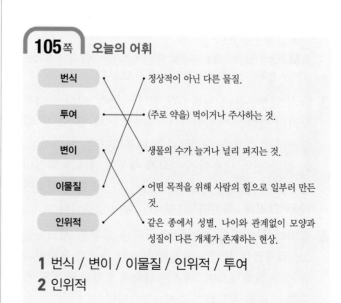

번식		정상적이 아닌 다른 물질.
투여		(주로 약을) 먹이거나 주사하는 것.
변이		생물의 수가 늘거나 널리 퍼지는 것.
이물질		어떤 목적을 위해 사람의 힘으로 일부러 만든 것.
인위적		같은 종에서 성별, 나이와 관계없이 모양과 성질이 다른 개체가 존재하는 현상.

1 번식 / 변이 / 이물질 / 인위적 / 투여
2 인위적

- **글의 종류** 설명문
- **글의 특징** 이 글은 17세기 초부터 19세기 중반까지 빛의 속력을 구하기 위한 과학자들의 연구 과정을 시간 순서에 따라 설명하고 있습니다.
- **설명 방식** 과정, 통시적(시간 순서) 고찰
- **글의 주제** 빛의 속력을 구하기 위한 과학자들의 노력

107쪽 　지문 독해

1 ③　　**2** ③　　**3** ④　　**4** (1) ㉯ (2) ㉮ (3) ㉰

1 이 글은 빛의 속력을 측정하려 했던 과학자들의 노력을 시간 순서에 따라 설명하고 있습니다. 17세기 초 갈릴레이, 17세기 후반 덴마크의 천문학자 뢰메르, 19세기 중반 프랑스의 물리학자 피조에 이르기까지 구체적으로 나타나 있습니다.

　〔유형 분석 / 글의 특징〕
　글의 특징은 글쓴이가 글의 중심 화제의 어떤 점에 초점을 두고, 그것을 어떤 방법으로 표현하였는지를 파악하는 것입니다. 따라서 글의 중심 화제와 그것을 표현하는 방법을 찾아봅니다.

2 뢰메르는 천문 현상을 관찰하여 빛의 속도가 유한하다는 것을 증명하였습니다.

　〔오답 풀이〕
　① **1**문단의 '중세 시절까지는 빛의 속력이 무한하다고 생각하였다.'에서 알 수 있습니다.
　② **3**문단의 '빛의 속력이 유한하다는 사실은 갈릴레이가 죽은 지 30여 년이 지난 17세기 후반 덴마크의 천문학자 뢰메르가 증명하였다.'에서 알 수 있습니다.
　④ **2**문단의 '당시 기술로는 이 시간을 측정할 수 없었기 때문이다.'에서 알 수 있습니다.
　⑤ **4**문단의 '당시 기술을 고려할 때 이(피조가 계산한 빛의 속력)는 매우 정확하다고 할 수 있다.'에서 알 수 있습니다.

3 ㉠의 앞부분은 갈릴레이가 실험을 통해 빛의 속력을 구하려 했다는 내용입니다. 그리고 ㉠의 뒷부분은 갈릴레이가 실험을 실패했다는 내용입니다. 따라서 ㉠의 앞과 뒤의 내용이 상반되기 때문에 ㉠에는 역접의 접속어가 들어가는 것이 적절합니다. 역접의 접속어에는 '그러나, 하지만, 그렇지만' 등이 있습니다.

4 갈릴레이는 빛의 속력을 측정하는 실험을 시도하였고, 뢰메르는 목성을 관찰하여 빛의 속도가 유한하다는 것을 밝혀냈으며, 피조는 과학적 실험으로 빛의 속도를 비교적 정확하게 측정하였습니다.

108쪽 　지문 분석

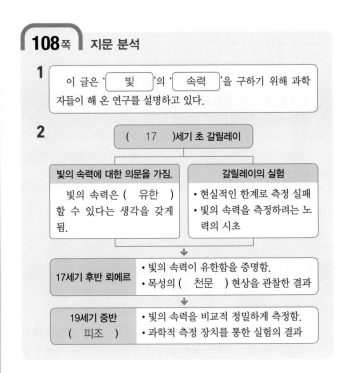

1 이 글은 빛의 속력을 구하기 위해 과학자들이 해 온 연구를 설명하고 있습니다.

2 이 글은 빛의 속력을 구하기 위한 과학자들의 노력을 시간의 흐름에 따라 설명하고 있습니다. 17세기 초 갈릴레이는 빛의 속력이 유한할 수 있다는 생각을 갖게 되어 실험을 통해 측정하고자 하였으나 현실적인 한계로 실패하였습니다. 17세기 후반 뢰메르는 천문 현상을 관찰한 결과 빛의 속력이 유한함을 증명하였습니다. 또한 19세기 중반 피조는 과학적 측정 장치를 통한 실험으로 빛의 속력을 비교적 정밀하게 측정하였습니다.

109쪽 　오늘의 어휘

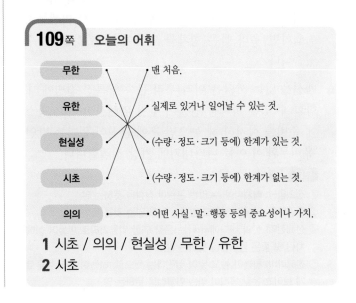

1 시초 / 의의 / 현실성 / 무한 / 유한
2 시초

- **글의 종류** 설명문
- **글의 특징** 이 글은 인공 지능을 갖추고 있어서 운전자가 탑승하지 않아도 목적지까지 찾아가는 자동차인 무인 자동차의 개념과 장단점을 설명하고 있습니다.
- **설명 방식** 정의, 분석, 열거, 인과
- **글의 주제** 무인 자동차의 긍정적인 면과 해결해야 할 문제점

111쪽 지문 독해

1 ③   2 ⑤   3 ⑤   4 무인 자동차

1 이 글은 무인 자동차를 소개한 뒤, 무인 자동차가 인간에게 미칠 긍정적인 영향과 무인 자동차를 개발할 때 해결해야 할 문제점을 설명하고 있습니다. 따라서 '무인 자동차의 장점과 해결해야 할 과제'를 중심 내용으로 볼 수 있습니다.

2 ❶문단에서 자율 주행 자동차가 더 발전하면 무인 자동차가 될 것이라고 예상하였지만, 무인 자동차와 자율 주행 자동차가 구체적으로 어떤 차이점이 있는지는 설명하지 않았습니다. ①은 ❸문단에서, ②는 ❷문단에서, ③은 ❹문단에서, ④는 ❷문단에서 찾을 수 있습니다.

유형 분석 / 내용 이해_질문의 답변 찾기

제시되는 선택지의 질문에 답변을 찾는 문제를 풀 때는 제시된 글을 읽을 때 각 문단의 중심 내용을 메모해 두거나 중요한 부분에 밑줄 표시를 해 두는 것이 좋습니다.

3 ❸문단에서 무인 자동차 시대가 되면 교통사고가 지금보다 훨씬 줄어들 것이라고 설명하였습니다.

오답 풀이

① ❹문단의 '무인 자동차의 인공 지능을 설계할 때, 주행 도중 어쩔 수 없이 누군가의 희생을 선택해야 하는 위급 상황에서 어떠한 결정을 내리도록 해야 하는가 같은 윤리적 문제도 해결하기 어렵기 때문이다.'라는 설명을 통해 추론할 수 있습니다.
② ❷문단의 '무인 자동차는 인공 지능을 갖추고 있어서 면허증이 있는 운전자가 탑승하지 않아도 알아서 목적지까지 찾아가는 자동차를 말한다.'라는 설명을 통해 추론할 수 있습니다.
③ ❸문단의 '운전 가능 연령 제한이나 운전면허가 없어질 가능성이 높다.'라는 설명을 통해 추론할 수 있습니다.
④ ❶문단의 '자율 주행 자동차가 더 발전하면 무인 자동차가 될 것이기 때문이다.'를 통해 추론할 수 있습니다.

4 무인 자동차는 운전자가 탑승하지 않아도 스스로 목적지까지 찾아가는 자동차를 말합니다.

112쪽 지문 분석

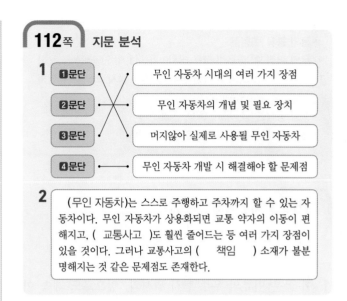

1
- ❶문단 — 무인 자동차 시대의 여러 가지 장점
- ❷문단 — 무인 자동차의 개념 및 필요 장치
- ❸문단 — 머지않아 실제로 사용될 무인 자동차
- ❹문단 — 무인 자동차 개발 시 해결해야 할 문제점

2 (무인 자동차)는 스스로 주행하고 주차까지 할 수 있는 자동차이다. 무인 자동차가 상용화되면 교통 약자의 이동이 편해지고, (교통사고)도 훨씬 줄어드는 등 여러 가지 장점이 있을 것이다. 그러나 교통사고의 (책임) 소재가 불분명해지는 것 같은 문제점도 존재한다.

1 이 글의 ❶문단에서 무인 자동차가 머지않아 현실에서 사용될 것임을 제시한 뒤, ❷문단에서는 무인 자동차의 개념과 무인 자동차에 필요한 장치를 설명하였습니다. ❸문단에서는 무인 자동차 시대에 예상되는 여러 가지 장점을 설명하고, ❹문단에서는 무인 자동차 개발 시 해결해야 할 문제점을 제시하였습니다.

2 이 글은 무인 자동차의 긍정적인 면과 해결해야 할 문제점에 대해 설명하는 글입니다. 무인 자동차는 스스로 주행하고 주차까지 할 수 있는 자동차로, 무인 자동차가 상용화되면 교통 약자의 이동이 편해지며 교통사고도 훨씬 줄어드는 등 여러 가지 장점이 있을 것입니다. 그러나 교통사고의 책임 소재가 불분명해지는 것 같은 문제점도 생길 수 있습니다.

113쪽 오늘의 어휘

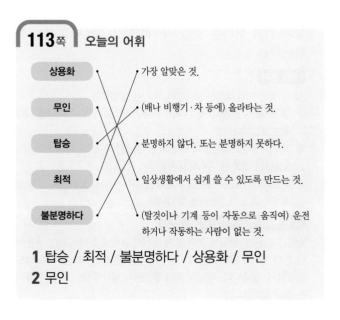

- 상용화 — 가장 알맞은 것.
- 무인 — (배나 비행기·차 등에) 올라타는 것.
- 탑승 — 분명하지 않다. 또는 분명하지 못하다.
- 최적 — 일상생활에서 쉽게 쓸 수 있도록 만드는 것.
- 불분명하다 — (탈것이나 기계 등이 자동으로 움직여) 운전하거나 작동하는 사람이 없는 것.

1 탑승 / 최적 / 불분명하다 / 상용화 / 무인
2 무인

- **글의 종류** 설명문
- **글의 특징** 이 글은 1957년 러시아가 최초의 인공위성을 쏘아 올리며 시작된 인류의 우주 탐사 역사를 설명하고 있습니다.
- **설명 방식** 인용, 서사, 예시, 인과
- **글의 주제** 우주에 대한 인간의 탐사 의지

115쪽 지문 독해

1 ④   **2** ③   **3** ⑤   **4** ③

1 이 글은 인류의 우주 탐사 역사와, 앞으로도 계속 이어질 우주 탐사에 대한 의지를 설명하고 있으므로, '인류의 우주 탐사 의지'가 제목으로 가장 적절합니다. ①, ②, ③, ⑤는 모두 부분적인 내용이므로, 글 전체의 내용을 함축해야 하는 제목으로는 적절하지 않습니다.

2 이 글에는 대상을 일정한 기준에 따라 나누어 설명하는 분류의 설명 방법은 사용되지 않았습니다.

3 ②문단의 '1957년 10월 4일 러시아가 최초의 인공위성을 쏘아 올리며 시작되었다. 이듬해 러시아는 인간을 태운 우주 탐사선을 인류 최초로 우주에 발사하였고'에서, 최초의 유인 우주선은 러시아가 1958년에 발사하였음을 알 수 있습니다. 그러나 ①, ②, ③, ④는 이 글에서 답을 찾을 수 없는 질문입니다.

4 '달리는 말에 채찍질하기'는 일이 잘되고 있을 때 더 잘되도록 부추긴다는 말입니다. 일의 진행이 빨리 되도록 힘을 더하는 것을 의미하므로 ⓒ에 어울리는 속담입니다.

오답 풀이

① '땅 짚고 헤엄치기'는 일이 매우 쉽다는 말입니다.
② '닭 소 보듯, 소 닭 보듯'은 서로 아무런 관심이 없는 사이임을 나타내는 말입니다.
④ '개구리 올챙이 적 생각 못 한다'는 성공한 후에 그 이전의 어렵고 힘들었던 때를 잘 기억하지 못한다는 말입니다.
⑤ '하룻강아지 범 무서운 줄 모른다'는 상대가 되지 못하면서 강한 상대에게 겁 없이 덤빈다는 말입니다.

유형 분석 / 어휘·어법_속담의 뜻

속담은 관용어, 한자 성어와 함께 관용적 표현의 하나이지만, 관용어나 한자 성어와 달리 속담에 사용된 낱말을 통해 그 의미를 어느 정도 짐작할 수 있습니다. 속담의 뜻이 무엇인지 생각해 보며 ⓒ에 어울리는 것을 찾아봅니다.

116쪽 지문 분석

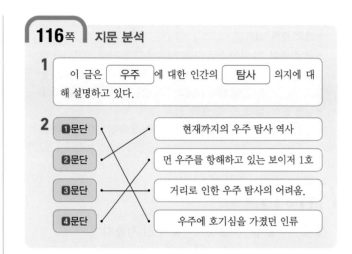

1 이 글은 우주 에 대한 인간의 탐사 의지에 대해 설명하고 있다.

2
- ①문단 — 우주에 호기심을 가졌던 인류
- ②문단 — 현재까지의 우주 탐사 역사
- ③문단 — 거리로 인한 우주 탐사의 어려움.
- ④문단 — 먼 우주를 항해하고 있는 보이저 1호

1 이 글은 1957년 러시아가 최초의 인공위성을 쏘아 올리며 시작된 우주 탐사가 현재까지도 여러 나라에서 지속되고 있음을 알려 주고 있습니다. 거리로 인해 우주 탐사가 어려움에도 불구하고 현재까지도 우주 탐사에 대한 지속적인 인간의 의지가 이어져 왔다고 설명하고 있습니다.

2 ①문단에서는 옛날부터 인류가 우주에 많은 호기심을 가졌음을 언급하고 있으며, ②문단에서는 인류가 현재까지 우주를 탐사한 역사를 제시하고 있습니다. 그리고 ③문단에서는 너무 넓은 우주로 인한 탐사의 어려움을 제시하고 있으며, ④문단에서는 그래도 끊임없이 먼 우주를 항해하고 있는 보이저 1호의 이야기로 마무리하고 있습니다.

117쪽 오늘의 어휘

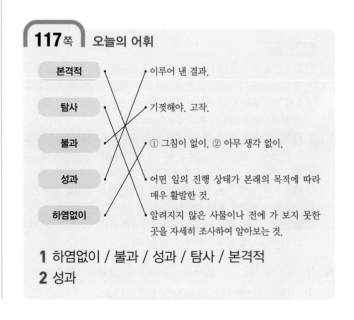

- 본격적 — 어떤 일의 진행 상태가 본래의 목적에 따라 매우 활발한 것.
- 탐사 — 알려지지 않은 사물이나 전에 가 보지 못한 곳을 자세히 조사하여 알아보는 것.
- 불과 — 기껏해야. 고작.
- 성과 — 이루어 낸 결과.
- 하염없이 — ① 그침이 없이. ② 아무 생각 없이.

1 하염없이 / 불과 / 성과 / 탐사 / 본격적
2 성과

- **글의 종류** 설명문
- **글의 특징** 이 글은 전자의 움직임으로 생기는 에너지인 전기의 개념과, 전기를 이용하는 전구에 대해 설명하고 있습니다.
- **설명 방식** 정의, 묘사, 인과, 서사
- **글의 주제** 전기의 개념과 전구의 개발 과정

119쪽 　지문 독해

1 전기, 전구　　**2** ②　　**3** ③　　**4** (1) 그러나 (2) 그래서

1 이 글은 전기에 대해 먼저 설명하고, 전기를 사용하는 전구에 대해 설명하고 있습니다.

2 ❸문단에 따르면, 전기를 이용하는 전구는 영국의 과학자 험프리 데이비가 최초로 발명했습니다. ①은 ❶문단에서, ③은 ❷문단에서, ④는 ❺문단에서, ⑤는 ❸문단에서 알 수 있습니다.

3 ❸문단과 ❹문단의 내용을 통해 백열전구는 아크등과 달리 가정에서 쓰기에 적당했음을 알 수 있습니다.

　오답 풀이

① ❸문단의 '1808년 데이비는 목탄으로 된 두 개의 막대기를 배터리 양극에 연결하는 아크등을 만들었다.'에서, 아크등도 전기를 사용한다는 것을 알 수 있습니다.

② ❸문단의 '수명이 짧은 데다'와 ❹문단의 '탄소 섬유를 필라멘트로 사용하면 오랫동안 빛을 낼 수 있다는 것을 알아냈다.'에서, 백열전구가 아크등보다 사용할 수 있는 시간이 더 길다는 것을 알 수 있습니다.

④ ❸문단의 '지나치게 밝고 수명이 짧은 데다 냄새가 심해 가정에서는 쓸 수가 없었다.'에서, 아크등은 냄새가 심하고 너무 밝은 것을 알 수 있습니다. 그러나 ❹문단의 '냄새나 소음도 없고 밝기도 적당했다.'에서 백열전구는 아크등과 달리 이런 문제가 없음을 알 수 있습니다.

⑤ ❸문단의 '이 때문에 가로등과 공장에서 주로 사용하였다.'에서, 아크등은 가정에서 사용하기에 적절하지 않았음을 알 수 있습니다.

　유형 분석 / 내용 이해_비교하기

차이점이 있는 대상을 비교하는 문제를 풀기 위해서는 제시된 지문을 읽을 때 비교, 대조되는 대상이 나오면 반드시 해당 내용을 도표로 정리하거나 표시해 두는 것이 좋습니다.

4 ⓒ의 앞뒤 문장은 서로 반대되는 역접의 관계에 있으므로, '그러나, 하지만, 반면에' 등이 들어가야 하고, ⓔ의 앞뒤 문장은 인과 관계에 있으므로, '그래서, 따라서' 등의 접속어가 알맞습니다.

120쪽 　지문 분석

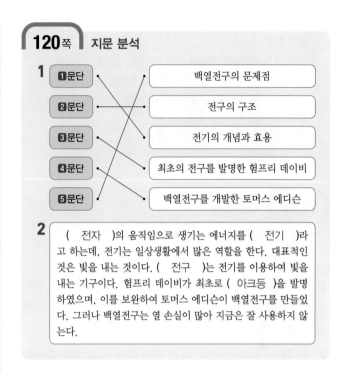

1

❶문단	백열전구의 문제점
❷문단	전구의 구조
❸문단	전기의 개념과 효용
❹문단	최초의 전구를 발명한 험프리 데이비
❺문단	백열전구를 개발한 토머스 에디슨

2 (전자)의 움직임으로 생기는 에너지를 (전기)라고 하는데, 전기는 일상생활에서 많은 역할을 한다. 대표적인 것은 빛을 내는 것이다. (전구)는 전기를 이용하여 빛을 내는 기구이다. 험프리 데이비가 최초로 (아크등)을 발명하였으며, 이를 보완하여 토머스 에디슨이 백열전구를 만들었다. 그러나 백열전구는 열 손실이 많아 지금은 잘 사용하지 않는다.

1 ❶문단은 전기의 개념과 일상에서의 효용을 제시하고, ❷문단에서는 전기를 사용하는 전구의 구조를 설명하였습니다. 그리고 ❸문단에서는 험프리 데이비가 발명한 최초의 전구인 아크등을, ❹문단에서는 토머스 에디슨이 개발한 백열전구를 설명하고 있습니다. 그리고 마지막 ❺문단에서는 백열전구의 문제점을 설명하고 있습니다.

2 이 글은 전기의 개념과 전구의 개발 과정에 대해 설명하고 있습니다.

121쪽 　오늘의 어휘

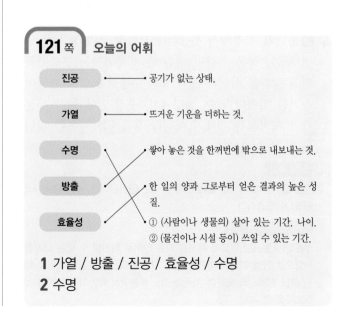

진공	공기가 없는 상태.
가열	뜨거운 기운을 더하는 것.
수명	쌓아 놓은 것을 한꺼번에 밖으로 내보내는 것.
방출	한 일의 양과 그로부터 얻은 결과의 높은 성질.
효율성	① (사람이나 생물의) 살아 있는 기간. 나이. ② (물건이나 시설 등이) 쓰일 수 있는 기간.

1 가열 / 방출 / 진공 / 효율성 / 수명
2 수명

• **글의 종류** 설명문
• **글의 특징** 이 글은 제습을 하는 원리를 냉매를 사용하는 냉각식 방식과, 흡습제를 사용하는 건조식 방식으로 나누어 설명하고 있습니다.
• **설명 방식** 정의, 과정, 구분
• **글의 주제** 제습이 이루어지는 원리

123쪽 │ 지문 독해

1 제습 **2** ③ **3** ④ **4** ⑤

1 이 글은 제습의 필요성을 언급한 다음, 제습을 하는 두 가지 방식인 냉각식 제습과 건조식 제습을 각각 설명하고 있습니다.

2 이 글은 제습 방법을 제습 과정에서 이용하는 물질에 따라 냉각식과 건조식으로 나눈 뒤에, 각각의 방식을 자세하게 설명하고 있습니다.

오답 풀이
① 냉각식 방식과 건조식 방식을 비교한다고 볼 수는 있지만 각각의 장단점을 분석하지는 않았습니다.
② 제습과 관련된 예를 들지는 않았습니다.
④ 제습 방법이나 제습기가 변화해 온 과정에 대한 설명은 나타나지 않았습니다.
⑤ 대상을 유사한 성질을 지닌 다른 것에 빗대어 설명하는 것은 유추인데 이 설명 방법은 사용되지 않았습니다.

3 **2**문단에 따르면 ㉠은 수증기를 물로 바꾸는 방식으로 제습을 하고, **3**문단에 따르면 ㉡은 수증기를 흡수하는 방식으로 제습을 합니다.

4 **3**문단의 '가정에서 옷장이나 서랍장, 신발장 등에 넣어 두는, 작은 통같이 생긴 습기 제거제는 흡습제와 염화 칼륨을 섞어서 공기 중의 수증기를 물로 만들어 습기를 없앤다.'라는 설명에서, 옷장 안에 놓아 두는 습기 제거제는 냉매가 아니라 흡습제를 사용한 것임을 알 수 있습니다.

오답 풀이
①은 **1**문단에서, ②는 **2**문단에서, ③은 **3**문단에서, ④는 **1**문단에서 알 수 있습니다.

유형 분석/추론하기
추론하기 문제는 반드시 제시된 지문 안에서 확인할 수 있는 내용을 바탕으로 답을 이끌어 내야 합니다. 지문에 대한 내용을 정확히 이해한 다음 선택지의 내용이 지문의 어느 부분에서 확인이 가능한지 찾아보도록 합니다.

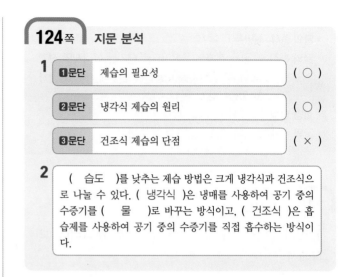

124쪽 │ 지문 분석

1
1문단	제습의 필요성	(○)
2문단	냉각식 제습의 원리	(○)
3문단	건조식 제습의 단점	(×)

2 (습도)를 낮추는 제습 방법은 크게 냉각식과 건조식으로 나눌 수 있다. (냉각식)은 냉매를 사용하여 공기 중의 수증기를 (물)로 바꾸는 방식이고, (건조식)은 흡습제를 사용하여 공기 중의 수증기를 직접 흡수하는 방식이다.

1 **1**문단에서는 제습의 필요성을 설명하고 있습니다. 또한 **2**문단에서는 냉각식 제습의 원리를 설명하고 있습니다. 그리고 **3**문단에서는 건조식 제습의 원리를 설명하고 있습니다.

2 이 글은 제습이 이루어지는 원리를 설명하는 글로, 습도를 낮추는 제습 방법을 크게 냉각식과 건조식으로 나누어 설명하고 있습니다. 냉각식은 냉매를 사용하여 공기 중의 수증기를 물로 바꾸는 방식이고, 건조식은 흡습제를 사용하여 공기 중의 수증기를 직접 흡수하는 방식입니다.

125쪽 │ 오늘의 어휘

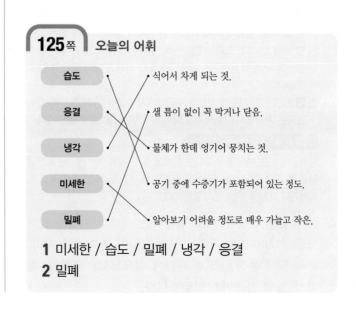

1 미세한 / 습도 / 밀폐 / 냉각 / 응결
2 밀폐

- **글의 종류** 설명문
- **글의 특징** 이 글은 고대 로마 황제가 당시 로마 시민들의 사기를 올리고 민심을 하나로 모으기 위해 건축한 원형 경기장인 콜로세움에 대해 설명하고 있습니다.
- **설명 방식** 서사, 묘사
- **글의 주제** 콜로세움의 건설 목적 및 용도

129쪽 | 지문 독해

1 콜로세움, 정보   2 ⑤   3 ⑤   4 ②

1 이 글은 콜로세움을 건설한 과정과 건설한 까닭, 구조와 주요 용도 등을 설명하고 있습니다. 따라서 독자에게 콜로세움에 대한 정보를 전달하려는 목적을 지니고 있음을 알 수 있습니다.

[유형 분석 / 목적]

일반적으로 글은 정보 전달, 설득, 정서 표현 등의 목적을 지니고 있습니다. 설명문은 정보 전달, 논설문은 설득, 문학은 정서 표현 등의 목적을 가집니다. 따라서 글의 목적을 알기 위해서는 글의 종류를 먼저 파악해야 합니다.

2 **4**문단의 내용을 통해 관객의 사회적 지위와 경제력에 따라 앉는 위치가 달랐음을 알 수 있습니다.

3 **2**문단의 '충격에 빠진 로마 시민들의 사기를 올리고 민심을 하나로 모으려 하였다.'와, **4**문단의 '콜로세움은 당시의 로마 시민들을 위해 황제가 세운 공공 오락 시설이었다고 할 수 있다.'에서, 화산 폭발과 큰 화재 등으로 인해 충격에 빠진 로마 시민들을 다독이고 위로하기 위한 목적에서 콜로세움을 지었다는 것을 알 수 있습니다.

4 ㉡의 기본형은 '열리다'인데, 문맥상 '(어떤 일이) 시작되다.'라는 의미로 사용되었으므로, ②의 '열리다(열렸다)'가 같은 의미로 쓰였음을 알 수 있습니다.

[오답 풀이]

① 문맥상 '열리다(열렸다)'가 '(닫히거나 덮인 것이) 열어지다.'라는 의미로 사용되었습니다.
③ 문맥상 '열리다(열리고)'가 '새로운 기틀이 마련되다.'라는 의미로 사용되었습니다.
④ 문맥상 '열리다(열렸다)'가 '(열매가) 맺히다.'라는 의미로 사용되었습니다.
⑤ 문맥상 '열리다(열리지)'가 '(닫히거나 덮인 것이) 열어지다.'라는 의미로 사용되었습니다.

130쪽 | 지문 분석

1 콜로세움

2

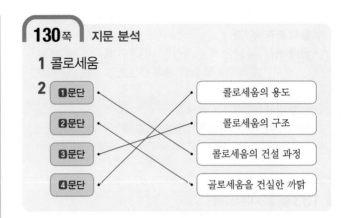

1 핵심어는 글의 중심 화제입니다. 핵심어는 글의 서두 부분에 나타나고, 글에서 지속적으로 언급됩니다. 이 글은 콜로세움의 건설 과정과 콜로세움을 건설한 까닭, 콜로세움의 구조, 콜롬세움의 용도 등을 설명하고 있습니다. 따라서 이 글의 중심 화제이자 핵심어는 '콜로세움'입니다.

2 이 글의 **1**문단에서는 콜로세움을 건설한 과정을 설명하고 있습니다. 또한 **2**문단에서는 로마 황제가 콜로세움을 건설한 까닭을 설명하고 있습니다. 그리고 **3**문단에서는 콜로세움의 구조를 설명하고 있습니다. 마지막으로 **4**문단에서는 콜로세움의 용도를 설명하고 있습니다.

131쪽 | 오늘의 어휘

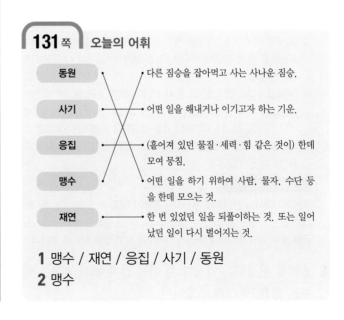

1 맹수 / 재연 / 응집 / 사기 / 동원
2 맹수

- **글의 종류** 설명문
- **글의 특징** 이 글은 옛날 유럽의 상류층이 즐겼던 테니스의 유래와 시합 방법, 승패 결정 방법 등을 설명하고 있습니다.
- **설명 방식** 구분, 과정, 정의
- **글의 주제** 테니스의 유래 및 경기 방법

133쪽 지문 독해

1 ④ **2** ③ **3** ⑤ **4** 듀스

1 ❶문단은 테니스의 유래를, ❷문단은 테니스의 경기 종류와 시합 방법을, ❸문단은 시합의 승패 결정 방법을, ❹문단은 ❸문단의 내용을 보완하고 있습니다. 따라서 이 글은 테니스의 유래와 시합 방법, 승패 결정 방법을 설명하고 있다고 할 수 있습니다.

2 테니스 장비, 즉 테니스공이나 라켓 등의 규격에 대한 설명은 나타나지 않았습니다. ①은 ❶문단에서, ②는 ❷문단에서, ④는 ❸문단에서, ⑤는 ❹문단에서 확인할 수 있습니다.

3 듀스가 되면 두 포인트를 연속으로 따야 이길 수 있으므로 최소 5포인트를 얻어야 이길 수 있습니다.

오답 풀이

① 1세트를 이기려면 6게임을 이겨야 합니다. 5세트 경기에서는 3세트를 먼저 이겨야 승리합니다. 따라서 5세트 경기에서 이기려면 최소 18게임(3세트×6게임)을 이겨야 합니다.

② 1게임을 이기려면 4포인트를 먼저 얻어야 합니다. 따라서 2게임을 이기기 위해서는 최소 8포인트가 필요합니다.

③ 1세트를 이기려면 6게임을 먼저 이겨야 하고, 1게임을 이기려면 4포인트를 먼저 얻어야 하므로, 최소 24포인트(6게임×4포인트)가 필요합니다.

④ 1세트를 이기려면 6게임을 먼저 이겨야 하고, 1게임을 이기려면 4포인트를 먼저 얻어야 합니다. 그리고 3세트 경기에서는 2세트를 먼저 이겨야 합니다. 따라서 3세트 경기에서 이기려면 2세트를 이기는 데 최소한 12게임을 이겨야 하고, 12게임을 이기려면 최소 48포인트가 필요합니다.

유형 분석 / 추론하기

추론하기에서는 간단하게 계산하는 문제가 나올 수 있습니다. 하지만 그 계산은 간단한 사칙연산에 그칩니다. 그리고 중요한 수치는 제시된 글에 모두 나와 있으므로 어렵게 생각하지 말고 답을 찾도록 합니다.

4 승패를 결정하는 마지막 한 점을 남겨 놓고 동점을 이루는 일을 '듀스'라고 합니다.

134쪽 지문 분석

1 테니스

2
❶문단	테니스의 (유래) 및 역사
❷문단	테니스 경기의 (종류) 및 시합 방법
❸문단	테니스 시합의 승패 결정 방법
❹문단	테니스 시합에서 (포인트)를 읽는 방법

1 이 글은 테니스의 유래와 시합 방법, 승패 결정 방법 등을 설명하고 있습니다. 따라서 핵심어는 '테니스'입니다.

유형 분석 / 핵심어

핵심어는 글에서 가장 중심이 되는 낱말입니다. 핵심어는 글에서 설명하는 대상이기도 하고, 글 전체의 내용을 대표하는 낱말이기 때문에 글에서 반복적으로 나타납니다.

2 이 글의 ❶문단에서는 테니스의 유래 및 역사를 설명하고 있습니다. 또한 ❷문단에서는 테니스 경기의 종류 및 시합 방법을 설명하고 있습니다. 그리고 ❸문단에서는 테니스 시합의 승패 결정 방법을 설명하고 있습니다. 마지막으로 ❹문단에서는 테니스 시합에서 포인트를 읽는 방법을 설명하고 있습니다.

135쪽 오늘의 어휘

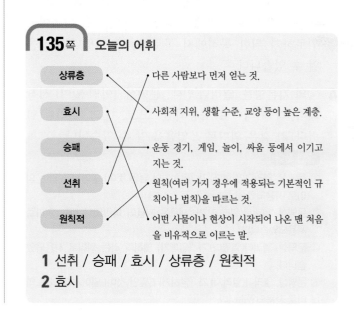

1 선취 / 승패 / 효시 / 상류층 / 원칙적
2 효시

- **글의 종류** 설명문
- **글의 특징** 이 글은 영화와, 영화의 삽입곡인 OST에 대해 설명하면서, 둘의 관계가 상호 보완적이어야 함을 이야기하고 있습니다.
- **설명 방식** 정의, 대조
- **글의 주제** 영화와 상호 보완적 관계인 OST

137쪽 지문 독해

1 ① **2** ④ **3** ③ **4** 오리지널 사운드 트랙(OST)

1 이 글은 초기 영화부터 시작된 영화와 음악의 관계, 즉 영화와 OST의 밀접한 관계를 설명하고 있습니다.

2 ❶문단에 따르면 무성 영화 시절에도 영화가 상영되는 동안 영화 장면에 맞는 음악을 연주하였습니다. ①과 ②는 ❷문단에서, ③은 ❶문단에서, ⑤는 ❹문단에서 확인할 수 있습니다.

〔유형 분석 / 내용 이해〕

세부 내용을 확인하는 문제는 제시된 글을 제대로 읽었는지를 확인하려는 의도를 지니고 있습니다. 이 때문에 대부분 글 전체에서 고루 선택지 내용이 제시됩니다. 따라서 글을 읽을 때 중요한 부분이나 화제에 표시하면서 읽는 연습을 해 두는 것이 좋습니다.

3 '어떤 영화를 떠올릴 때 그 영화의 음악이 떠오르고, 그 음악을 들을 때 해당 영화의 한 장면이 떠오를 때, 비로소 좋은 영화 음악이라고 할 수 있을 것이다.'를 고려할 때 영화와 OST는 상호 보완적인 관계로, 서로가 서로에게 필요한 관계로 볼 수 있습니다. '입술이 없으면 이가 시리다'는 서로 밀접한 관계에 있어서 하나가 망하면 다른 하나도 망하게 된다는 말이므로, 영화와 OST의 관계를 표현하기에 적절합니다.

〔오답 풀이〕

① 꿩 대신 닭: 꼭 적당한 것이 없을 때 그와 비슷한 것으로 대신하는 경우를 비유적으로 이르는 말.

② 이 없으면 잇몸으로 산다: 없으면 안 될 것 같지만 없으면 없는 대로 그럭저럭 살아 나갈 수 있음을 이르는 말.

④ 길고 짧은 것은 대어 보아야 안다: 크고 작고, 이기고 지고, 잘하고 못하는 것은 실지로 겨루어 보거나 겪어 보아야 알 수 있다는 말.

⑤ 코에 걸면 코걸이 귀에 걸면 귀걸이: 보는 입장에 따라 이렇게도 설명할 수 있고 저렇게도 설명할 수 있는 경우를 비유적으로 이르는 말.

4 ❷문단에 따르면 영화에 사용되는 음악을 '오리지널 사운드 트랙'이라고 하며, 줄여서 'OST'라고 합니다.

138쪽 지문 분석

1
⑦ 음악은 초기 무성 영화부터 영화와 함께했다.
④ OST는 현대 영화에서 매우 큰 비중을 차지한다.
⑤ 좋은 OST는 영화와 상호 보완적인 관계를 가진다.
⑭ 기존 음악과 창작 음악 모두 OST로 사용될 수 있다.

(⑦) → (④) → (⑭) → (⑤)

2 (영화)에 삽입된 음악을 OST라고 한다. OST는 (무성 영화) 시절부터 영화의 밀접한 관계를 맺어 왔다. 어떤 음악이든지 OST로 사용될 수 있지만, 반드시 영화의 장면이나 전체 (분위기)에 맞아야 한다.

1 ❶문단에서 음악이 초기 무성 영화부터 영화와 함께했음을 제시하고, ❷문단에서 현대 영화에서는 OST가 매우 큰 비중을 차지하고 있음을 설명하였습니다. ❸문단에서는 기존 음악과 창작 음악이 모두 OST로 사용됨을, ❹문단에서는 영화와 OST가 상호 보완적 관계여야 함을 설명하고 있습니다.

2 이 글은 영화의 장면이나 전체 분위기를 살리는 OST에 대해 설명하고 있습니다. 영화에 삽입된 음악을 OST라고 하며, 음악은 무성 영화 시절부터 영화와 밀접한 관계를 맺어 왔습니다. 어떤 음악이든지 OST로 사용될 수 있지만, 반드시 영화의 장면이나 전체 분위기와 어우러져야 합니다.

139쪽 오늘의 어휘

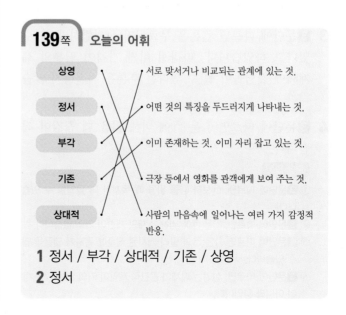

상영 — 극장 등에서 영화를 관객에게 보여 주는 것.
정서 — 사람의 마음속에 일어나는 여러 가지 감정적 반응.
부각 — 어떤 것의 특징을 두드러지게 나타내는 것.
기존 — 이미 존재하는 것. 이미 자리 잡고 있는 것.
상대적 — 서로 맞서거나 비교되는 관계에 있는 것.

1 정서 / 부각 / 상대적 / 기존 / 상영
2 정서

- **글의 종류** 설명문
- **글의 특징** 이 글은 인터넷과 만화를 결합한 웹툰의 특징과 그 특징으로 인해 발생하는 문제점에 대해 설명하고 있습니다.
- **설명 방식** 정의, 인용, 열거
- **글의 주제** 웹툰의 특징과 문제점

141쪽 지문 독해

1 ③ **2** ㉮, ㉯, ㉱ **3** ④ **4** ④

1 이 글은 웹툰의 개념 및 실태, 특징, 전망, 문제점 등 웹툰과 관련된 여러 가지 내용을 두루 설명하고 있습니다.

2 ㉮는 **1**문단에서 우리나라 만화가 '한 컷짜리 신문 만화 → 잡지 및 단행본 만화 → 웹툰'으로 변화해 왔음을 제시한 것에서 찾아볼 수 있습니다. ㉯는 **2**문단에서 핵심 용어인 '웹툰'이 인터넷을 뜻하는 '웹(web)'과 만화를 의미하는 '카툰(cartoon)'을 합쳐 만든 말임을 설명한 부분에서, ㉱는 **2**문단에서 웹툰을 즐기는 실태를 통계 수치를 인용하여 설명한 부분에서 찾아볼 수 있습니다.

유형 분석 / 전개 방식_글쓰기 전략 파악

설명문에서 글쓰기 전략은 대개 설명하고자 하는 내용을 쉽게 전달하기 위해 글쓴이가 사용하는 방법을 의미합니다. 설명문에 쓰이는 대표적인 설명 방법에는 정의, 예시, 인용, 비교, 대조, 분류, 구분, 분석, 인과, 인용, 과정 등이 있습니다. 이 글에는 어떤 설명 방법이 사용되었는지 확인해 봅니다.

3 **3**문단에 따르면 웹툰은 무료이거나 저렴하게 볼 수 있다고 하였습니다. 따라서 비싼 가격이 웹툰의 세계화에 걸림돌이 될 수 있다는 추론은 적절하지 않습니다.

4 **3**문단에 따르면 ㉡은 ㉠에 비해 읽을 때 끊김이 적습니다.

오답 풀이

① **3**문단에 따르면, ㉠보다 ㉡을 읽을 때 독자가 더 몰입할 수 있습니다.
② **3**문단에 따르면, ㉡은 ㉠에 비해 소재의 제한이 거의 없습니다.
③ **3**문단에 따르면 ㉡은 ㉠과 달리 게시된 작품에 독자가 댓글을 달 수 있습니다.
⑤ **3**문단에 따르면, 실리는 매체의 공간적 제약이 거의 없는 것은 ㉠이 아니라 ㉡입니다.

142쪽 지문 분석

1 웹툰

2

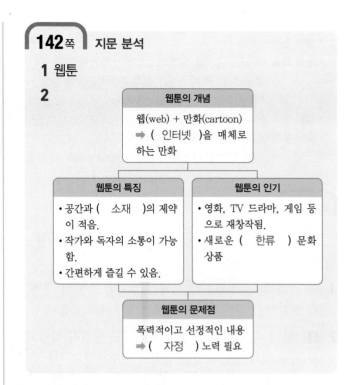

웹툰의 개념
웹(web) + 만화(cartoon)
➡ (인터넷)을 매체로 하는 만화

웹툰의 특징
- 공간과 (소재)의 제약이 적음.
- 작가와 독자의 소통이 가능함.
- 간편하게 즐길 수 있음.

웹툰의 인기
- 영화, TV 드라마, 게임 등으로 재창작됨.
- 새로운 (한류) 문화 상품

웹툰의 문제점
폭력적이고 선정적인 내용
➡ (자정) 노력 필요

1 이 글은 웹툰의 개념, 웹툰의 특징 및 전망, 문제점 등을 설명하고 있습니다.

2 이 글에서는 웹툰의 개념과, 공간과 소재의 제약이 적으며 작가와 독자의 소통이 가능하고 간편하게 즐길 수 있다는 웹툰의 특징을 설명하고 있습니다. 또한 현재 영화나 TV 드라마, 게임 등으로 재창작되며 새로운 한류 문화 상품으로 떠오를 정도로 웹툰이 인기가 있다는 것을 알려 주고 있습니다. 하지만 문제점도 있어 자정 노력이 필요하다고 언급하고 있습니다.

143쪽 오늘의 어휘

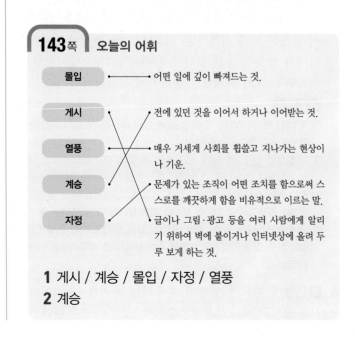

- 몰입 ─── 어떤 일에 깊이 빠져드는 것.
- 게시 ─── 전에 있던 것을 이어서 하거나 이어받는 것.
- 열풍 ─── 매우 거세게 사회를 휩쓸고 지나가는 현상이나 기운.
- 계승 ─── 문제가 있는 조직이 어떤 조치를 함으로써 스스로를 깨끗하게 함을 비유적으로 이르는 말.
- 자정 ─── 글이나 그림·광고 등을 여러 사람에게 알리기 위하여 벽에 붙이거나 인터넷상에 올려 두루 보게 하는 것.

1 게시 / 계승 / 몰입 / 자정 / 열풍
2 계승

• **글의 종류** 설명문
• **글의 특징** 이 글은 불우한 환경에서 태어나 연기력과 유머러스한 캐릭터를 통해 사람들에게 웃음을 주는 배우가 된 찰리 채플린의 배우로서의 삶과 작품 성향을 설명하고 있습니다.
• **설명 방식** 서사, 예시, 인용
• **글의 주제** 찰리 채플린의 배우로서의 삶과 작품 성향

145쪽 지문 독해

1 ① **2** ② **3** ③ **4** 풍자

1 이 글은 찰리 채플린이 배우로서 활동했던 과정과 작품 성향, 연기의 특징 등을 설명하고 있습니다.

유형 분석 / 글의 특징

글의 특징에 대한 문제의 답을 찾을 때에는 글의 중심 화제나 주제, 글의 목적, 전개 방식 등을 고루 파악해야 합니다. 이 글의 중심 화제는 '찰리 채플린'이고, 글의 종류는 설명하는 글입니다. 그러므로 찰리 채플린의 어떤 점을 설명하고 있는지 찾아봅니다.

2 ❷문단에는 시간의 흐름에 따라 대상을 제시하는 서사의 설명 방법과, 원인과 결과를 중심으로 대상을 설명하는 인과의 설명 방법이 사용되었습니다.

오답 풀이

① 풍자의 개념을 정의하고 있습니다.
③ 유머러스한 캐릭터의 모습을 묘사하고 있습니다.
④ 채플린의 대표작을 예로 들고 있습니다.
⑤ 채플린의 말을 직접 인용하고 있습니다.

3 '개천에서 용 난다'는 보잘것없는 집안에서 훌륭한 인물이 나오는 경우를 이르는 말입니다. 따라서 불우한 환경에서 태어나 스타가 된 찰리 채플린의 삶을 나타내기에 적절합니다.

오답 풀이

① 빛 좋은 개살구: 겉보기에는 좋으나 실제로는 좋지 못하다는 말.
② 우물 안 개구리: 보고 들은 것이 없어서 바깥세상 돌아가는 형편을 잘 모르는 사람을 가리키는 말.
④ 불난 집에 부채질한다: 남의 어려움이나 불행을 오히려 점점 더 커지게 만든다는 말.
⑤ 똥 묻은 개가 겨 묻은 개 나무란다: 자신의 잘못이 더 크면서 남의 작은 잘못을 흉본다는 말.

4 ❶문단에 따르면, 개인이나 사회의 부정적 모습을 비꼬아 웃음을 자아내게 함으로써 비판하는 표현 방식을 '풍자'라고 합니다.

146쪽 지문 분석

1 찰리 채플린

2

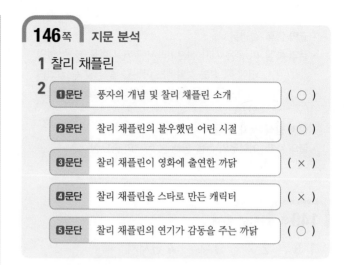

❶문단	풍자의 개념 및 찰리 채플린 소개	(○)
❷문단	찰리 채플린의 불우했던 어린 시절	(○)
❸문단	찰리 채플린이 영화에 출연한 까닭	(×)
❹문단	찰리 채플린을 스타로 만든 캐릭터	(×)
❺문단	찰리 채플린의 연기가 감동을 주는 까닭	(○)

1 이 글은 찰리 채플린을 소개하고, 그의 어린 시절과 배우로서의 삶, 그리고 작품 성향 등을 설명하고 있습니다.

2 이 글의 ❶문단에서는 풍자의 개념과 찰리 채플린에 대한 소개를 하고 있습니다. 또한 ❷문단에서는 찰리 채플린의 불우했던 어린 시절에 대해 알려 주고 있습니다. ❸문단에서는 유머러스한 캐릭터를 활용하여 스타가 된 찰리 채플린에 대해 설명하고 있습니다. ❹문단에서는 찰리 채플린이 출연한 대표작 및 작품 성향에 대해 설명하고 있습니다. 마지막으로 ❺문단에서는 찰리 채플린의 연기가 감동을 주는 까닭을 설명하고 있습니다.

147쪽 오늘의 어휘

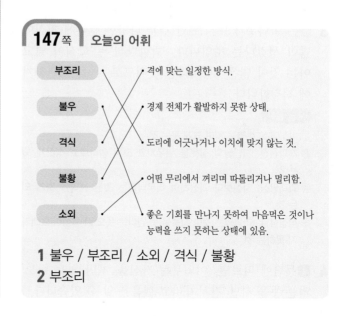

부조리 •   • 격에 맞는 일정한 방식.

불우 •   • 경제 전체가 활발하지 못한 상태.

격식 •   • 도리에 어긋나거나 이치에 맞지 않는 것.

불황 •   • 어떤 무리에서 꺼리며 따돌리거나 멀리함.

소외 •   • 좋은 기회를 만나지 못하여 마음먹은 것이나 능력을 쓰지 못하는 상태에 있음.

1 불우 / 부조리 / 소외 / 격식 / 불황
2 부조리

- **글의 종류** 설명문
- **글의 특징** 이 글은 서자 신분이라서 과거 시험을 볼 수 없었기에 책 읽는 것밖에는 아무런 일을 할 수 없었던 이덕무의 삶을 통해 독서의 중요성을 설명하고 있습니다.
- **설명 방식** 서사, 인용
- **글의 주제** 이덕무의 삶을 통해 본 독서의 중요성

149쪽 │ 지문 독해

1 ③ **2** ② **3** ② **4** 간서치

1 이 글은 책 읽기를 통해 신분의 제약을 극복했던 이덕무의 삶을 통해 독서의 중요성에 대해 설명하고 있습니다.

[오답 풀이]

① 이덕무가 부정적인 사회 제도를 바꾸었다는 내용은 나타나지 않습니다.

② 이덕무는 서자이므로 일반적인 양반으로 볼 수 없습니다. 오히려 신분 때문에 차별을 받았습니다.

[유형 분석 / 주제 파악]

동일한 화제라도 그것을 통해 전달하려는 글쓴이의 생각은 글마다 다릅니다. 이 글은 조선 시대 선비 이덕무의 삶을 소개하고 있습니다. 글쓴이는 이덕무의 삶에 담긴 여러 요소 중에서 특히 독서에 초점을 두고 있습니다.

2 이덕무는 가난 때문에 과거 시험을 볼 수 없었던 것이 아니라 서자라는 신분 때문에 과거 시험을 볼 수 없었던 것입니다.

3 ㉠은 이덕무가 독서를 한 결과 다양한 분야에 지식이 많이 생겼다는 뜻입니다. '박학다식'은 '학식이 넓고 아는 것이 많은 것.'이라는 뜻이므로, ㉠을 표현하기에 적절합니다.

[오답 풀이]

① 박장대소: 손뼉을 치며 크게 웃는 것.

③ 개과천선: 지난날의 잘못을 뉘우치고 고쳐 올바르고 착하게 되는 것.

④ 과대망상: 사실보다 과장하여 터무니없는 헛된 생각을 하게 되는 것.

⑤ 작심삼일: (마음먹은 것이 사흘을 못 간다는 뜻으로) 결심이 오래가지 못하는 것.

4 ■문단에 따르면, 이덕무는 자신을 '책만 읽는 바보'라는 뜻을 지닌 '간서치'라고 했음을 알 수 있습니다.

150쪽 │ 지문 분석

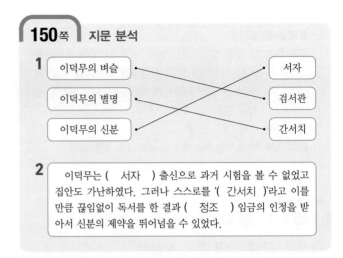

1

이덕무의 벼슬	서자
이덕무의 별명	검서관
이덕무의 신분	간서치

2 이덕무는 (서자) 출신으로 과거 시험을 볼 수 없었고 집안도 가난하였다. 그러나 스스로를 '(간서치)'라고 이를 만큼 끊임없이 독서를 한 결과 (정조) 임금의 인정을 받아서 신분의 제약을 뛰어넘을 수 있었다.

1 이덕무의 벼슬은 규장각 '검서관'이었고, 이덕무의 별명은 '간서치'였습니다. 그리고 이덕무의 신분은 '서자'였습니다.

2 이 글은 이덕무의 삶을 통해 본 독서의 중요성에 대해 말하고 있습니다. 이덕무는 서자 출신이어서 과거 시험을 볼 수 없었으나, 스스로 '간서치'라고 칭할 만큼 독서를 열심히 한 결과 정조 임금에게 인정을 받아 벼슬을 얻었습니다.

[유형 분석 / 중심 내용]

글의 중심 내용은 글의 내용을 요약한 것입니다. 이 글이 무엇에 대해 설명하고 있는지 그리고 설명하는 대상의 어떤 점을 말하고 있는지 정리해 봅니다.

151쪽 │ 오늘의 어휘

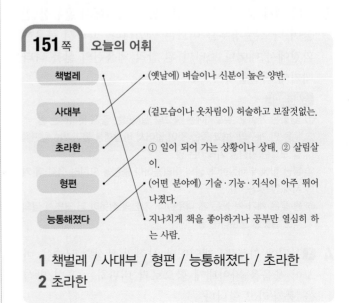

책벌레	(옛날에) 벼슬이나 신분이 높은 양반.
사대부	(겉모습이나 옷차림이) 허술하고 보잘것없는.
초라한	① 일이 되어 가는 상황이나 상태. ② 살림살이.
형편	(어떤 분야에) 기술·기능·지식이 아주 뛰어나졌다.
능통해졌다	지나치게 책을 좋아하거나 공부만 열심히 하는 사람.

1 책벌레 / 사대부 / 형편 / 능통해졌다 / 초라한
2 초라한

- **글의 종류** 설명문
- **글의 특징** 이 글은 기존 건축 양식에서 벗어나는 건축을 추구했던 건축가 가우디의 건축 철학과 그의 건축물이 지닌 가치에 대해 설명하고 있습니다.
- **설명 방식** 열거, 인용, 예시, 인과
- **글의 주제** 자연을 닮은 건축물을 설계한 가우디

153쪽 │ 지문 독해

1 ②　**2** ⑤　**3** ③　**4** ④

1 **2**문단에 따르면, 가우디는 자연에서 디자인 아이디어를 얻어 그가 지은 건축물에서는 인공적인 직선을 찾기 어렵습니다. **3**문단에 따르면, 가우디는 주변 환경과 조화를 이루는 건축물을 지으려 노력하였습니다. 따라서 '인공적인 직선을 거부한 건축가, 가우디'가 제목으로 가장 적절합니다.

2 **5**문단에서는 대조가 아니라 인과의 설명 방법을 사용하였습니다.

3 **3**문단에서 건축물을 짓기 위해 주변 환경을 훼손하지 말아야 한다는 생각을 알 수 있고, **4**문단에서 이용하는 사람이 편리하게 지어야 한다고 여겼음을 알 수 있습니다.

[오답 풀이]
① **1**문단에 따르면 가우디는 전통적인 건축 양식에서 벗어나려 했음을 알 수 있습니다.

[유형 분석 / 추론하기_새로운 내용 추론하기]
제시된 글에서 직접 제시되지 않은 내용을 짐작할 때, 두세 가지 내용을 합쳐서 새로운 내용을 이끌어 내야 할 경우가 있습니다. 가우디는 자연을 스승으로 여기며 주변 환경을 훼손하지 않는 건축물을 지었습니다. 그리고 과학적인 설계를 하였습니다. 이 두 가지 내용을 합치면 새로운 내용을 이끌어 낼 수 있습니다.

4 '천편일률'은 사물이 모두 판에 박은 듯이 똑같아 개성이 없음을 뜻하는 한자 성어입니다. 따라서 건축물의 재료나 모양이 다 비슷비슷하여 개성이 없음을 지적하는 ⓒ에 들어가기에 적절합니다.

[오답 풀이]
① 동문서답: 물음과는 전혀 상관없는 엉뚱한 대답.
② 전화위복: 불행한 일이 바뀌어 오히려 복이 되는 것.
③ 진수성찬: 아주 넉넉하게 여러 가지로 잘 차린 맛있는 음식.
⑤ 감언이설: 귀가 솔깃하도록 남의 비위에 맞게 이로운 듯이 꾸며서 하는 말.

154쪽 │ 지문 분석

1

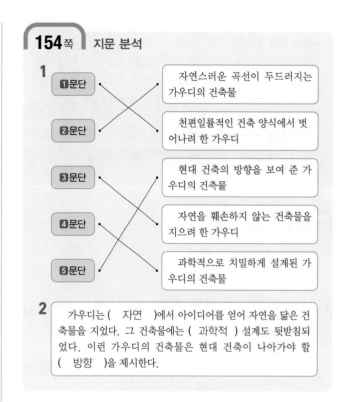

2
가우디는 (자연)에서 아이디어를 얻어 자연을 닮은 건축물을 지었다. 그 건축물에는 (과학적) 설계도 뒷받침되었다. 이런 가우디의 건축물은 현대 건축이 나아가야 할 (방향)을 제시한다.

1 **1**문단에서는 천편일률적인 건축 양식에서 벗어나려 한 가우디를, **2**문단에서는 곡선이 두드러지는 가우디 건축물의 특징을, **3**문단에서는 자연과 조화를 이루는 가우디의 건축물을, **4**문단에서는 과학적으로 치밀한 가우디의 건축물을, **5**문단에서는 가우디 건축물의 가치를 설명하고 있습니다.

2 이 글은 자연을 닮았으면서도 과학적인 건축물을 지은 가우디에 대해 설명하고 있습니다. 가우디의 건축물은 현대 건축이 나아가야 할 방향을 보여 줍니다.

155쪽 │ 오늘의 어휘

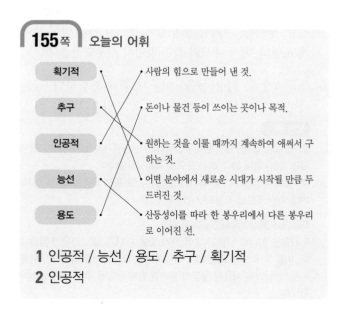

1 인공적 / 능선 / 용도 / 추구 / 획기적
2 인공적

- **글의 종류** 설명문
- **글의 특징** 이 글은 고려의 31대 임금인 공민왕이 원나라의 지배를 받던 상황에서 벗어나 고려의 자주권을 획득하기 위해 펼친 개혁 정책에 대해 설명하고 있습니다.
- **설명 방식** 서사, 예시, 인과
- **글의 주제** 고려의 자주권을 회복하려 했던 공민왕

157쪽 지문 독해

1 ②　**2** ④　**3** 예시　**4** ①

1 이 글은 공민왕의 개혁 정책과 그 의의를 설명하고 있습니다.

〔오답 풀이〕
① ➊문단에서 고려의 건국과 관련된 역사와 문화가 간략하게 언급되고 있지만 이는 주요 설명 대상이 아닙니다.
③ ➋문단에서 변발과 몽골 옷이 고려 백성들에게 유행하였다는 설명은 나타나지만 이는 주요 설명 대상이 아닙니다.
④ ➊문단과 ➋문단에서 고려가 원나라의 지배를 받았다는 설명이 나타나지만 그 까닭은 설명되지 않았습니다.
⑤ ➎문단에서 공민왕이 노국 대장 공주를 매우 사랑했다는 것이 간접적으로 드러날 뿐입니다.

2 ➍문단에 따르면, 공민왕의 개혁 정책에 대해 권문세족은 심하게 반발했지만, 백성들은 크게 지지를 하였습니다. ①은 ➊문단에서, ②는 ➌문단에서, ③은 ➋문단에서, ⑤는 ➎문단에서 확인할 수 있습니다.

3 '왕의 이름도 원나라에 충성한다는 뜻으로 충렬왕, 충선왕, 충숙왕, 충혜왕 등과 같이 '충(忠)' 자를 앞에 붙이게 하였다.'에서 예시의 설명 방법이 사용되었습니다.

4 ㉠은 '(생각·이상 등을) 이루기 위해 행동하다.'라는 뜻이므로, ①이 그와 같은 뜻으로 쓰였습니다.

〔오답 풀이〕
② '펼치다(펼쳐)', ③ '펼치다(펼치더니)'는 '(구겨져 있거나 오므라져 있던 것을) 활짝 펴다.'라는 뜻으로 사용되었습니다.
④ '펼치다(펼쳤다)', ⑤ '펼치다(펼쳐)'는 '(책 등의 내용을 볼 수 있게) 펴다.'라는 뜻으로 사용되었습니다.

〔유형 분석 / 어법·어휘_문맥적 의미〕
우리말은 하나의 낱말이 여러 가지 뜻을 가지고 있는 경우가 많습니다. 이를 '다의어'라고 합니다. 다의어의 문맥적 의미를 파악하기 위해서는 그 낱말이 사용된 문장의 의미와 앞뒤 낱말을 주의 깊게 살펴야 합니다.

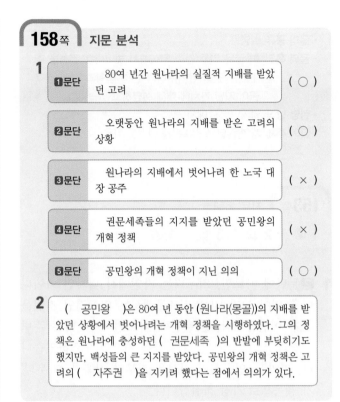

158쪽 지문 분석

1
➊문단	80여 년간 원나라의 실질적 지배를 받았던 고려	(○)
➋문단	오랫동안 원나라의 지배를 받은 고려의 상황	(○)
➌문단	원나라의 지배에서 벗어나려 한 노국 대장 공주	(×)
➍문단	권문세족들의 지지를 받았던 공민왕의 개혁 정책	(×)
➎문단	공민왕의 개혁 정책이 지닌 의의	(○)

2 (공민왕)은 80여 년 동안 (원나라(몽골))의 지배를 받던 상황에서 벗어나려는 개혁 정책을 시행하였다. 그의 정책은 원나라에 충성하던 (권문세족)의 반발에 부딪히기도 했지만, 백성들의 큰 지지를 받았다. 공민왕의 개혁 정책은 고려의 (자주권)을 지키려 했다는 점에서 의의가 있다.

1 ➊문단에서는 고려가 80여 년간 원나라의 실질적인 지배를 받았음을, ➋문단에서는 오랫동안 원나라의 지배를 받은 고려의 상황을, ➌문단에서는 원나라의 지배에서 벗어나려 한 공민왕의 정책을, ➍문단에서는 공민왕의 개혁 정책이 백성들의 큰 지지를 받았음을, ➎문단에서는 공민왕의 개혁 정책이 지닌 의의를 설명하고 있습니다.

2 이 글은 고려의 자주권을 회복하고자 노력했던 공민왕에 대해 설명하는 글입니다.

159쪽 오늘의 어휘

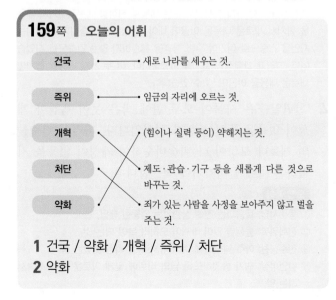

건국	새로 나라를 세우는 것.
즉위	임금의 자리에 오르는 것.
개혁	(힘이나 실력 등이) 약해지는 것.
처단	제도·관습·기구 등을 새롭게 다른 것으로 바꾸는 것.
약화	죄가 있는 사람을 사정을 보아주지 않고 벌을 주는 것.

1 건국 / 약화 / 개혁 / 즉위 / 처단
2 약화

- **글의 종류** 논설문
- **글의 특징** 이 글은 2100년의 지구 모습을 예측하면서 급격한 기후 변화를 막기 위해 당장 작은 실천부터 해야 함을 주장하고 있습니다.
- **전개 방식** 예시, 인과, 열거, 이성적 설득
- **글의 주제** 온실가스의 감소를 위해 노력하자.

161쪽 지문 독해

1 ③ **2** ⑤ **3** 온실가스 **4** ③

1 글쓴이가 이 글에서 주장하는 내용은 마지막 문단에서 드러납니다. 글쓴이는 지금 우리가 지구의 밝은 미래를 만들기 위해 노력해야 한다는 주장을 하고 있습니다.

2 ②문단의 '환경학자들은 이와 상반되는 회색빛 미래로 2100년을 예측했다. 지구 생태계가 파괴되어 ~ 아마존 밀림은 대부분 사막이 되어 버리고'에서 지구 온난화가 계속되면 2100년에는 아마존 밀림 대부분이 사막이 될 것임을 알 수 있습니다. ①은 ①문단에서, ②는 ③문단에서, ③은 ②, ③문단에서, ④는 ③문단에서 확인할 수 있습니다.

3 ③문단에 따르면, 지구의 평균 온도를 급격하게 높이는 물질은 온실가스이며, 온실가스는 화석 연료의 사용으로 인해 발생합니다.

4 ㉠은 사소하게 보이는 실천이라도 많은 사람들이 하게 되면 밝은 미래를 만드는 큰 결과를 가져올 수 있다는 말입니다. 따라서 아무리 작은 것이라도 모이고 모이면 나중에 큰 덩어리가 된다는 속담인 '티끌 모아 태산'으로 표현할 수 있습니다.

오답 풀이
① 수박 겉 핥기: 사물의 속 내용을 제대로 알지 못하고 겉만 대강 알아보는 것을 이르는 말.
② 울며 겨자 먹기: 마음에 내키지 않는 일을 억지로 한다는 말.
④ 배보다 배꼽이 크다: 기본이 되는 것보다 덧붙이는 것이 더 크거나 많다는 말.
⑤ 쇠뿔도 단김에 빼라: 무슨 일이든 하려고 했을 때 시간을 끌지 말고 곧바로 하라는 말.

유형 분석 / 어휘·어법_속담의 뜻
속담은 관용적 표현의 하나이지만, 관용어나 한자 성어와 달리 속담에 사용된 낱말을 통해 그 의미를 어느 정도 짐작할 수 있습니다.

162쪽 지문 분석

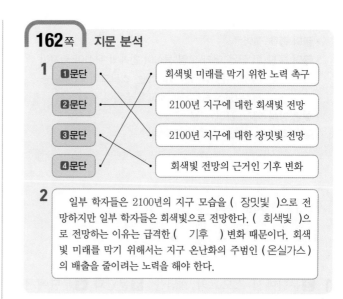

1

①문단	→	회색빛 미래를 막기 위한 노력 촉구
②문단	→	2100년 지구에 대한 회색빛 전망
③문단	→	2100년 지구에 대한 장밋빛 전망
④문단	→	회색빛 전망의 근거인 기후 변화

2 일부 학자들은 2100년의 지구 모습을 (장밋빛)으로 전망하지만 일부 학자들은 회색빛으로 전망한다. (회색빛)으로 전망하는 이유는 급격한 (기후) 변화 때문이다. 회색빛 미래를 막기 위해서는 지구 온난화의 주범인 (온실가스)의 배출을 줄이려는 노력을 해야 한다.

1 ①문단에서는 미래학자들이 전망한 2100년 지구의 장밋빛 모습을 제시하고 있으며, ②문단에서는 환경학자들이 전망한 2100년 지구의 회색빛 모습을 제시하고 있습니다. ③문단에서는 회색빛으로 전망하는 원인이 기후 변화임을 소개하고, ④문단에서는 회색빛 미래를 막기 위해 지금 우리가 작은 일부터 실천해야 함을 촉구하고 있습니다.

2 이 글의 글쓴이는 미래학자들이 2100년의 지구 모습을 장밋빛으로 전망하지만 환경학자들은 급격한 기후 변화로 인해 회색빛으로 전망한다며, 회색빛 미래를 막기 위해서는 온실가스를 줄이려는 노력을 해야 한다고 주장하고 있습니다.

163쪽 오늘의 어휘

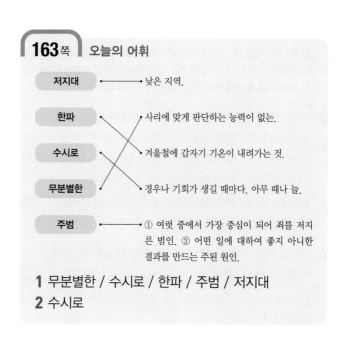

저지대	→	낮은 지역.
한파		사리에 맞게 판단하는 능력이 없는.
수시로		겨울철에 갑자기 기온이 내려가는 것.
무분별한		경우나 기회가 생길 때마다. 아무 때나 늘.
주범	→	① 여럿 중에서 가장 중심이 되어 죄를 저지른 범인. ② 어떤 일에 대하여 좋지 아니한 결과를 만드는 주된 원인.

1 무분별한 / 수시로 / 한파 / 주범 / 저지대
2 수시로

- **글의 종류** 설명문
- **글의 특징** 이 글은 대기 오염 물질이 안개와 뒤섞여 한자리에 머무는 상태를 의미하는 스모그의 개념과 종류, 위험성 등을 설명하고 있습니다.
- **설명 방식** 예시, 정의, 구분
- **글의 주제** 스모그의 종류 및 위험성

165쪽 지문 독해

1 ③ **2** ③ **3** ③ **4** 스모그

1 **2**문단에서 스모그의 개념을, **3**문단과 **4**문단에서 스모그의 종류를 설명하고 있습니다.

오답 풀이

① 스모그가 어디에서 최초로 시작되었는지는 나오지 않으며, 확대 과정도 나타나지 않았습니다.

② **1**문단과 **2**문단에서 스모그의 위험성은 설명하고 있지만, 스모그의 예방 대책은 나타나지 않았습니다.

④ **3**문단에서 스모그의 발생 원인은 언급되었지만, 발생 주기에 대한 설명은 나타나지 않았습니다.

⑤ 스모그가 인간과 자연에 어떤 영향을 미치는지는 나타나지 않았습니다.

2 **1**문단에서는 실제로 일어난 사건을 제시하며 글을 시작하여 독자의 관심을 유발하고 있습니다.

유형 분석/전개 방식

글의 전개 방식은 말하고자 하는 내용을 풀어 나가는 **방법**을 말합니다. 우리가 친구에게 어떤 것을 설명하거나 주장할 때 어떻게 말할 것인지 미리 계획하고 말해야 조리 있게 말을 하면서 친구의 관심을 끌 수 있는 것과 같습니다. 글쓴이도 가장 효과적인 방법을 생각하여 글을 씁니다. 예를 들 수도 있고, 실제 일을 제시할 수도 있으며, 개인적인 경험을 언급할 수도 있습니다. 이 글에서는 어떤 방법으로 말하고자 하는 바를 흥미롭게 풀어 나가고 있는지 찾아봅니다.

3 우리나라 서울은 런던형이나 LA형과 달리 자동차 배기가스와 안개가 결합된 스모그가 종종 발생한다고 하였습니다. 자동차 배기가스는 LA형 스모그의 특징이고, 안개는 런던형 스모그의 특징입니다. 따라서 우리나라 서울에서 발생하는 스모그는 런던형과 LA형이 혼합된 스모그임을 알 수 있습니다.

4 대기 오염 물질이 안개와 뒤섞여 한자리에 머무는 상태를 뜻하는 용어는 '스모그(smog)'입니다. 스모그(smog)는 '연기(smoke)'와 '안개(fog)'를 합쳐서 만든 말입니다.

166쪽 지문 분석

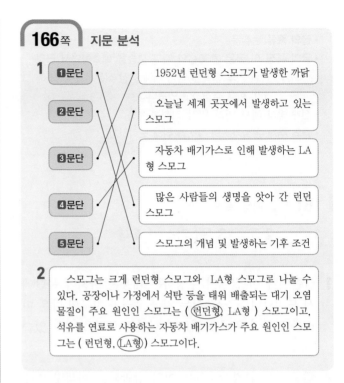

2
스모그는 크게 런던형 스모그와 LA형 스모그로 나눌 수 있다. 공장이나 가정에서 석탄 등을 태워 배출되는 대기 오염 물질이 주요 원인인 스모그는 (런던형, LA형) 스모그이고, 석유를 연료로 사용하는 자동차 배기가스가 주요 원인인 스모그는 (런던형, LA형) 스모그이다.

1 **1**문단에서는 많은 사람들의 생명을 앗아 간 런던 스모그 현상을, **2**문단에서는 스모그의 개념 및 발생 기후 조건을, **3**문단에서는 1952년 런던에서 스모그가 발생한 까닭을, **4**문단에서는 자동차 배기가스로 인해 발생하는 LA형 스모그를, **5**문단에서는 오늘날에도 세계 곳곳에서 스모그가 발생하고 있음을 설명하고 있습니다.

2 스모그는 런던형 스모그와 LA형 스모그로 나눌 수 있습니다.

167쪽 오늘의 어휘

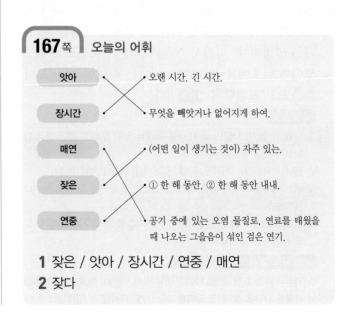

1 잦은 / 앗아 / 장시간 / 연중 / 매연

2 잦다

- **글의 종류** 논설문
- **글의 특징** 이 글은 투발루의 사례를 활용하여 기후 변화의 개념과 원인, 예상되는 피해 등을 언급한 뒤, 이를 막기 위해 전 세계 인류가 함께 노력해야 함을 주장하고 있습니다.
- **전개 방식** 예시, 정의, 구분, 이성적 설득
- **글의 주제** 화석 연료 사용을 줄여 기후 변화를 막자.

169쪽 지문 독해

1 ② **2** ④ **3** ③ **4** 지구 온난화

1 이 글은 기후 변화의 위험성을 경고하며 기후의 급격한 변화를 막기 위해 전 세계의 모든 국가와 전 인류가 힘을 합쳐 노력해야 한다고 주장하고 있습니다.

〔유형 분석 / 주제_주장하는 내용 파악〕
주장하는 글에서 글쓴이의 주장은 대개 글의 마지막 부분에 드러납니다. 이 글은 앞부분에서 기후 변화의 위험성과 원인을 설명한 뒤 마지막 **5**문단에서 글쓴이의 주장을 제시하고 있습니다.

2 **1**문단에서는 투발루, 나우루, 키리바시 등의 나라가 지구 온난화로 인해 물속에 잠기게 된 실제 상황을 제시하여 독자의 관심을 유발하고 있습니다.

3 **4**문단의 '다른 하나는 인위적 요인으로, 화석 연료 사용으로 인한 온실가스의 증가와 환경 오염 및 파괴 등을 들 수 있다. 이 요인은 짧은 기간에 홍수나 폭염 같은 기상 이변을 일으킨다.'에서, 최근의 폭염 같은 기상 이변은 인위적 요인의 영향이 크겠다는 것을 짐작할 수 있습니다.

〔오답 풀이〕
① **1**문단의 '이 나라가 이르면 50년 안에 사라질 위기에 처해 있다. 지구 온난화로 인해 해수면이 점차 높아져 물에 잠기고 있기 때문이다.'에서 짐작할 수 있습니다.
② **5**문단의 '기후 변화를 막으려면 무엇보다 화석 연료의 사용을 줄여야 한다. ~ 태양열이나 수력, 풍력 같은 재생 에너지 사용을 늘려야 한다.'에서 짐작할 수 있습니다.
④ **2**문단의 '폭염이나 초대형 태풍처럼 평소와 확연히 다른 기후가 나타나는 전 세계 곳곳의 기상 이변도 기후 변화로 인한 것이다.'에서 짐작할 수 있습니다.
⑤ **3**문단의 '지구의 평균 기온이 2℃만 높아져도 ~ 상승할 것이라고 경고한다.'에서 짐작할 수 있습니다.

4 지구의 기온이 높아지는 현상을 이르는 용어는 '지구 온난화'입니다.

170쪽 지문 분석

1 기후 변화

2

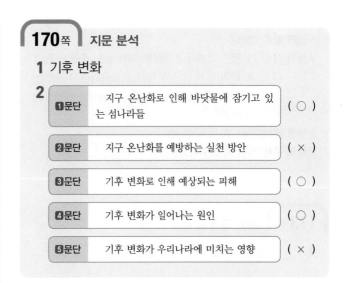

1문단	지구 온난화로 인해 바닷물에 잠기고 있는 섬나라들	(○)
2문단	지구 온난화를 예방하는 실천 방안	(×)
3문단	기후 변화로 인해 예상되는 피해	(○)
4문단	기후 변화가 일어나는 원인	(○)
5문단	기후 변화가 우리나라에 미치는 영향	(×)

1 이 글은 기후 변화의 개념과 원인을 알려 주고, 기후 변화에 따라 예상되는 피해를 언급하고 있습니다. 그리고 이를 막기 위해 전 세계 인류가 함께 노력해야 함을 주장하고 있습니다. 따라서 이 글의 핵심어는 '기후 변화'입니다.

2 **1**문단은 지구 온난화로 바닷물에 잠기고 있는 섬나라들을, **2**문단은 기후 변화의 개념을, **3**문단은 기후 변화로 인해 예상되는 피해를, **4**문단은 기후 변화가 일어나는 원인을, **5**문단은 기후 변화를 막는 방법에 대해 이야기하고 있습니다.

171쪽 오늘의 어휘

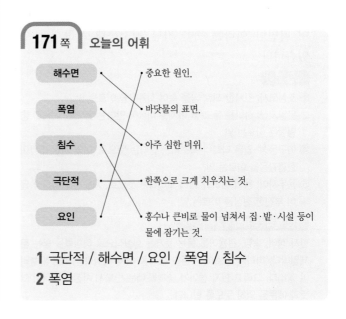

해수면	•	•	중요한 원인.
폭염	•	•	바닷물의 표면.
침수	•	•	아주 심한 더위.
극단적	•	•	한쪽으로 크게 치우치는 것.
요인	•	•	홍수나 큰비로 물이 넘쳐서 집·밭·시설 등이 물에 잠기는 것.

1 극단적 / 해수면 / 요인 / 폭염 / 침수
2 폭염

- **글의 종류** 설명문
- **글의 특징** 이 글은 외부에 존재하는 화학 물질 중에서 체내로 들어와 마치 정상적인 호르몬처럼 작용하는 물질인 환경 호르몬의 개념과 위험성을 설명하고 있습니다.
- **설명 방식** 정의, 예시, 유추, 열거
- **글의 주제** 환경 호르몬의 위험성

173쪽 　지문 독해

1 ②　　**2** ③　　**3** 내분비계 교란 물질　　**4** ②

1 **2**문단의 '마치 큰 도로에 가짜 신호등이 나타나 제멋대로 신호를 주는 상황이나, 가짜 집주인이 나타나 진짜 집주인처럼 행세하는 것과 같다.'에서 환경 호르몬을 정상적인 상황에 혼란을 준다는 유사한 상황에 빗대어 설명하고 있습니다.

2 **2**문단에 따르면, 대부분의 환경 호르몬은 잘 배출되지 않아 몸속에 계속 축적된다고 하였습니다. **3**문단에서 환경 호르몬은 건강을 해칠 수 있다고 하였습니다. 따라서 평소에 주의할 필요가 있다는 반응이 가장 적절합니다.

3 **2**문단에 따르면, 환경 호르몬은 우리 몸의 정상적인 생체 활동을 혼란시키기 때문에 '내분비계 교란 물질'이리고도 불립니다.

4 ㉠은 환경 호르몬이 건강을 해친다는 말이 지나치게 과장되었다는 뜻입니다. 따라서 '작은 일을 크게 불리어 떠벌림.'이라는 뜻을 지닌 '침소봉대'로 표현할 수 있습니다.

　오답 풀이

① 조삼모사: 간사한 꾀로 남을 속여 희롱함을 이르는 말.
③ 문일지십: 하나를 듣고 열 가지를 미루어 안다는 뜻으로, 지극히 총명함을 이르는 말.
④ 이구동성: 입은 다르나 목소리는 같다는 뜻으로, 여러 사람의 말이 한결같음을 이르는 말.
⑤ 용두사미: 용의 머리와 뱀의 꼬리라는 뜻으로, 처음은 왕성하나 끝이 부진한 현상을 이르는 말.

　유형 분석 / 적용하기_한자 성어

한자 성어, 속담, 관용어를 묻는 문제는 실질적으로 어휘력을 묻는 문제입니다. 따라서 평소에 꾸준한 독서를 해서 어휘력을 조금씩 늘려야 합니다. 그리고 한자 성어가 출제될 때는 반드시 사전을 찾아서 그 뜻과 예문을 익혀 두도록 합니다.

174쪽 　지문 분석

1 환경 호르몬

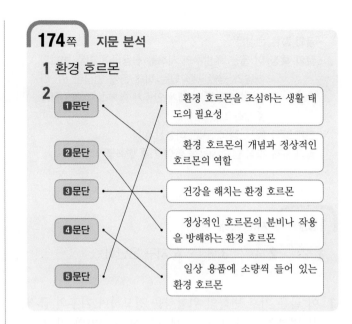

1 이 글은 환경 호르몬에 대해 설명하고 있습니다.

2 **1**문단에서는 환경 호르몬의 개념과 정상적인 호르몬의 역할을 제시하고, **2**문단에서는 환경 호르몬이 정상적인 호르몬의 분비나 작용을 방해하는 것을 설명한 뒤, **3**문단에서 환경 호르몬이 건강을 해치는 상황을 구체적으로 언급하였습니다. **4**문단에서 환경 호르몬은 우리가 흔히 사용하는 일상 용품에 소량씩 들어 있음을 밝히고, **5**문단에서 평소에 환경 호르몬을 조심하는 생활을 해야 함을 제시하며 끝맺고 있습니다.

175쪽 　오늘의 어휘

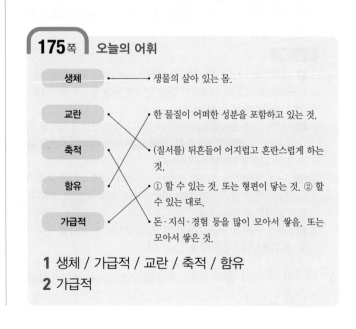

1 생체 / 가급적 / 교란 / 축적 / 함유
2 가급적

탄탄한 개념의 시작
큐브수학!

큐브
수학
개념

NEW

새 교과서
개념을
쉽게

반복
학습으로
탄탄하게

무료
강의로
빠짐없이

수학 1등 되는 **큐브수학**

연산
1~6학년 1, 2학기

개념
1~6학년 1, 2학기

개념응용
3~6학년 1, 2학기

실력
1~6학년 1, 2학기

심화
3~6학년 1, 2학기

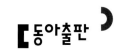

정답과 해설

빠작

초등 국어 비문학 독해